HANS-OL HENKEL

DIE ABWRACKER

Wie Zocker und Politiker
unsere Zukunft verspielen

HEYNE ‹

FSC
Mix
Produktgruppe aus vorbildlich
bewirtschafteten Wäldern und
anderen kontrollierten Herkünften
Zert.-Nr. SGS-COC-1940
www.fsc.org
© 1996 Forest Stewardship Council

Verlagsgruppe Random House FSC-DEU-0100
Das für dieses Buch verwendete FSC-zertifizierte Papier
EOS liefert Salzer, St. Pölten

Redaktion: Ulrich Thiele, München

Copyright © 2009 by Wilhelm Heyne Verlag, München,
in der Verlagsgruppe Random House GmbH
Umschlaggestaltung: Hauptmann & Kompanie Werbeagentur
München – Zürich
Satz: Christine Roithner Verlagsservice, Breitenaich
Druck und Bindung: GGP Media GmbH, Pößneck
Printed in Germany 2009

ISBN 978-3-453-16829-9

www.heyne.de

Inhalt

Vorwort

Mit diesem Buch betrete ich Neuland. Ich möchte über die Wirtschaftkrise sprechen, die unser Leben verändern wird wie noch keine zuvor – und zwar aus ganz persönlicher Warte: Ich werde berichten, wie ich die Krise als Privatmann und als Aufsichtsratsmitglied großer Unternehmen erlebt habe. Die subjektive Innenansicht einer Katastrophe.

Damit verlasse ich den objektiven Beobachterposten, den ich in meinen letzten Büchern eingenommen habe. Ich beschreibe das, was ich selbst erlebt oder erfahren habe. Statt minuziös die Abläufe darzustellen, die zum Crash führten, versuche ich, dem Leser die Dramatik des Geschehens zu vermitteln. Nicht nur das, was sich abspielte, will ich schildern, sondern auch, wie Akteure und Betroffene es erlebt haben.

Wir begegnen dabei Menschen, die aus Naivität und Vertrauensseligkeit Milliardenwerte vernichteten. Und anderen, die dies offenen Auges betrieben, die bewährte Finanzstrukturen zerrütteten und die Wirtschaft in Schieflage brachten. Dazu gehören nicht nur die Zocker, die sich nicht an Regeln hielten, sondern auch die Politiker, die ihnen mit falschen Regeln in die Hände spielten. Weil sie Bewährtes, das ihnen anvertraut war, leichtfertig zerstörten, bezeichne ich auch sie als Abwracker.

Aber ich möchte nicht nur beschreiben, was mir während dieser Krise aufgefallen ist. Ihre Ursachen müssen deutlich benannt werden, und – um dies vorweg zu sagen – ich bin auf andere Ursachen gestoßen als jene, die täglich der Öffentlichkeit präsentiert werden. Und auch der Weg, der nach meiner Überzeugung aus der Krise herausführt, ist ein anderer als der, den die Politiker augenblicklich beschreiten. Sie scheinen auf Zeit zu spielen und übersehen dabei, dass uns keine Zeit mehr bleibt.

Zugegeben, wir haben uns an die Krise gewöhnt. Seit zwei Jahren wissen wir, dass die Weltwirtschaft aus den Fugen geraten ist, und seit über einem Jahr können wir auch bei uns die Folgen beobachten: Firmenpleiten, wachsende Arbeitslosigkeit, ein Schuldenhimalaya, der seine Schatten bis in die fernste Zukunft wirft. Wir haben uns daran gewöhnt, wie an die Erklärung, die uns für die Krise gegeben wird, und an die Maßnahmen, die man dagegen ergreift. Geduldig wie ein Kranker, der auf seinen Arzt vertraut, nehmen wir die tägliche Verschlimmerung unseres Zustandes hin und hoffen, dass uns der Arzt die richtigen Rezepte verschreibt.

Ich bezweifle, dass diese Hoffnung berechtigt ist. Denn im Fall der Wirtschaftskrise gibt es kaum gute Ärzte, die etwas von ihrem Fach verstehen, sondern nur eine Menge Leute, die uns ihre Erklärungen aufschwatzen wollen, damit wir ihnen ihre Rezepte abkaufen: Da sind die Politiker, die sich den Wählern von morgen verpflichtet fühlen, aber auf die Schuldner von übermorgen keinen Gedanken verschwenden. Da sind die Ideologen, die längst widerlegte Patentlösungen anbieten und ihr vorgeprägtes Weltbild auf jede Lage anwenden, ob es nun passt oder nicht. Und da sind die Intellektuellen, die sich in der Rolle der moralischen Instanz gefallen und lieber leidenschaftlich verurteilen als nüchtern beurteilen.

Aber zum Gesundbeten und Salbadern bleibt uns keine Zeit. Die Weltwirtschaft ist krank, schwer krank. Was bisher unternommen wurde, glich allenfalls der Ersten Hilfe, die man einem Unfallopfer gibt: Wie der Notarzt eine Beruhigungsspritze verabreicht, hat man staatliche Garantien gegeben; wie er eine Bluttransfusion vornimmt, hat man den Banken Liquidität zugeführt; und wie er Amputationen durchführt, um den restlichen Körper zu retten, hat man Giftpapiere in *Bad Banks* ausgelagert. Niemand würde auf die Idee kommen, all dies als echte Therapie zu bezeichnen.

Wer sich nicht mit Valium und Symptombehandlung abspeisen lassen will, der braucht einen guten Arzt. Bevor der überhaupt mit der Behandlung beginnt, wird er untersuchen, unter welcher Krankheit sein Patient leidet und wodurch sie ausgelöst wurde. Er wird eine Anamnese erstellen, also die Vorgeschichte der aktuellen Beschwerden rekonstruieren, und dann zur Diagnose übergehen, bei der die Symptome einer bestimmten Krankheit zugeordnet werden, um schließlich eine Prognose über den weiteren Verlauf abgeben zu können. Erst wenn all dies geklärt ist, kann er eine Therapie verschreiben, deren Ziel die Heilung des Patienten ist. So weit wird mir jeder Leser zustimmen, denn er hat all das gewiss schon »am eigenen Leib« erlebt.

Wir haben uns an die Krise gewöhnt, wie man sich an einen chronischen Schmerz gewöhnt. Über die Ursachen wissen wir sehr wenig – und ich fürchte, den Politikern, die sich uns täglich als Notärzte präsentieren, geht es nicht anders. Sie haben viel guten Willen und wenig gute Ideen. Ihr Aktionismus hat die Krise nicht in den Griff bekommen, was allerdings nicht weiter erstaunlich ist. Denn wer die Diagnose nicht kennt, wird zwangsläufig das falsche Mittel verschreiben. Und da fast alle staatlichen Wiederbelebungsmaßnahmen mit neuen Schulden bezahlt wurden, drängt sich die Schlussfolgerung auf, dass sie die Krankheit nicht geheilt, sondern langfristig verschlimmert haben. In der Symptombehandlung waren die Politiker Teil der Lösung; in der Ursachenbekämpfung sind sie Teil des Problems geworden.

Nun gibt es durchaus eine Erklärung für die Krise, die sich bundesweit durchgesetzt hat. Jeder kennt sie, und da sie oft genug wiederholt und nachgebetet wurde, nimmt auch niemand Anstoß daran – obwohl sie, wie mir scheint, dem Urteilsvermögen unserer Multiplikatoren kein schmeichelhaftes Zeugnis ausstellt. Bei aller linksintellektuellen Geistesschärfe, die unseren Medien ein so homogenes Erscheinungsbild verleiht, kam man in Sachen Weltwirtschaftskrise lediglich zu einer dürftigen, um nicht zu sagen armseligen Erklärung, zu deren Ehrenrettung sich immerhin einwenden ließe, dass sie auf eine sehr lange, bis ins Mittelalter, ja bis in die klassische Antike reichende Tradition zurückblickt.

»Übertriebene Gier« habe die Krise verursacht, so erkannte man, so fasste es stellvertretend für alle der Dalai Lama im Sommer 2009 zusammen. Damit war eine Universaldiagnose gefunden für das universale Unglück, das uns betroffen hat. Man sprach von der menschlichen Gier im Allgemeinen, der »Gier der Manager« im Besonderen, ein aktivistischer Verein in Frankfurt entdeckte gar den »Gier-Virus«, Ex-Außenminister Frank-Walter Steinmeier geißelte die »blinde Gier«, und Bischof Wolfgang Huber hielt zum Thema eine eigene Weihnachtspredigt. Aus seiner intimen Sicht der Dinge sprach Börsenmakler Dirk Müller sogar von einer besonders abstoßenden Giervariante, dem »Blutrausch nach immer mehr Rendite«. Ähnliche Räusche kann man meines Wissens an den Grabbeltischen bei Aldi oder Media Markt miterleben, doch da scheint nicht so viel auf dem Spiel zu stehen.

Aber allen Ernstes: Wie kann irgendjemand, und sei es die Bundeskanzlerin selbst, der Meinung sein, ein hochkomplexes Phänomen wie die globale Finanzkrise ließe sich mit einem Begriff aus dem klassischen Lasterkatalog erklären? Die Gier gehört zu jener Gruppe unerfreulicher Eigenschaften wie Fresssucht, Jähzorn und Arroganz, die nun einmal das menschliche Dasein begleiten und deshalb gleichermaßen von römischen Moralisten, mittelalterlichen Scholastikern und aufklärerischen Tugendlehrern angeprangert wurden. Heute, wie gesagt, treibt sie unseren Politikern und Medienvertretern die soziale Zornesröte, diese Signalfarbe mangelnder Reflexion, ins Gesicht – als hätte es Gier nicht schon vor der Krise gegeben.

Ob sich unsere geistige Elite im Klaren darüber ist, dass sie hier in einer höchst diffizilen Angelegenheit mit einem extrem rustikalen Instrument hantiert? Wie würden Sie reagieren, wenn man die hohe Scheidungsrate auf das Laster der Wollust, die steigenden Ausgaben für Hartz IV auf das der Trägheit zurückführen wollte? Oder wenn unser Bundestagsabgeordneter nach Anhörung unserer Klagen bei uns das Laster der Anmaßung diagnostizieren würde? Gewiss, kein Geringerer als der Philosoph Seneca hat im ersten Jahrhundert unserer Zeitrechnung geschrieben, dass »die Gier die Wurzel aller Laster« sei. Das heißt aber nicht, dass sie auch als Erklärungsmodell für die über uns hereingebrochene Wirtschaftskrise taugt.

Will ich damit sagen, die Manager seien nicht gierig? Ganz im Gegenteil. Ich denke, dass einige und im Finanzsektor vermutlich sogar viele ziemlich gierig sind, wie andere Menschen eben auch. Zerstörerisch ist die Gier des Vorstandsvorsitzenden, dessen Entscheidung kurzfristig dem Unternehmen und seinem eigenen Geldbeutel hilft, das Unternehmen aber langfristig an die Wand fährt. Doch nicht weniger zerstörerisch wirkt es, wenn Millionen Billigmarkt-Kunden wie besessen nach importierten Schnäppchen jagen, die ihre eigenen Arbeitsplätze kosten. Allerdings habe ich noch keinen Leitartikel gelesen, der die Gier des »kleinen Mannes« aufs Korn nimmt. Die Moral kommt nämlich immer nur dann ins Spiel, wenn man seinem Feind, ehemals »Klassenfeind«, damit aufs Haupt schlagen kann.

Die Diagnose Gier mag dem menschlichen Bedürfnis nach Vereinfachung und moralischer Verdammung entsprechen, zur Erklärung des politisch-ökonomischen Finanz-GAUs, der die

Welt erschüttert, taugt sie nicht. Es kann auch nicht die Frage sein, ob sich die Gier irgendwie ausschalten oder möglichst per Gesetz verbieten lässt – kommunistische Systeme haben damit einschlägige Erfahrungen gesammelt. Nein, man kann sie nicht abschaffen, man soll es auch gar nicht, im Gegenteil. Es kommt nur darauf an, diese urmenschliche Eigenschaft zu regeln, zu kanalisieren, in nützliche Bahnen zu lenken und von zerstörerischen Tendenzen, die immer auch selbstzerstörerisch sind, abzuhalten. Wie man das anstellen kann, möchte ich in diesem Buch beschreiben. Dabei versuche ich so vorzugehen, wie ich es mir selbst als Patient eines guten Arztes wünsche: In einer Art Anamnese werde ich die Vorgeschichte der globalen Krankheit rekonstruieren, dann eine schlüssige Diagnose des Fehlverhaltens stellen, durch das sie ausgelöst wurde, um schließlich meine Prognose abzugeben, die leider etwas düster ausfallen wird – es sei denn, man ließe sich auf die Therapie ein, die ich am Ende vorschlagen werde und die, wie angedeutet, im Zusammenhang steht mit Regeln, mit der Aufsicht über die Einhaltung dieser Regeln und mit Sanktionen beim Verstoß gegen diese Regeln.

Diese Therapie verlangt aber auch jedem Einzelnen von uns etwas ab. Vor allem müssen wir Abschied nehmen von Vorurteilen, die, wie im Fall der Gier, mit moralischen Deutungen in reale volkswirtschaftliche Zusammenhänge eingreifen wollen. Schon immer standen den Lastern, die man an anderen geißelt, entsprechende Tugenden gegenüber, die man sich selbst zugutehält. Ich fasse diese angemaßten Tugenden unter dem Begriff des »Gutmenschentums« zusammen. Wohlgemerkt: Vor Menschen, die Gutes tun, habe ich den größten Respekt – Gutmenschen dagegen erwecken nur den Anschein, Gutes zu tun, indem sie andere, etwa durch moralischen Druck, dazu zwingen, Dinge zu tun, die sie selbst für gut halten.

Das Gutmenschentum der Politiker manifestiert sich in ihren Gesetzen. Zu meiner Diagnose der Weltwirtschaftskrise gehört auch die Entdeckung, dass sie nicht durch dieses oder jenes Laster ausgelöst wurde, sondern durch das Gegenteil: durch den unbedingten Willen zur Tugend. Ich werde zeigen, wie erst durch eine bestimmte amerikanische Politik, die ihre Bürger mittels Gesetzen zum Guten zwingen wollte, die Voraussetzungen für das selbstzerstörerische Spiel geschaffen wurden.

Da Politiker, und nicht nur amerikanische, hervorragende Psychologen sind, die wissen, wie man die Masse an der Nase herumführt, formulierten sie die Gesetze so, dass zugleich das allgemeine Bedürfnis nach dem Guten befriedigt und ihre eigenen Aussichten, wiedergewählt zu werden, gesteigert wurden. Anders gesagt, handelte man populistisch, ohne Rücksicht auf die Realität zu nehmen, und als die Realität sich dann bitter dafür rächte, schob man die Schuld den Sündenböcken zu.

Dass gerade unser Land so tief in dieses ursprünglich amerikanische Desaster hineingezogen wurde, hängt mit derselben fatalen Neigung unserer Politiker zusammen, zwei Fliegen mit einer Klappe schlagen zu wollen – das Gute zu tun und gleichzeitig für die eigene Wiederwahl zu sorgen. Zulasten der Zukunft werden Versprechen abgegeben, für die letztendlich irgendjemand bezahlen muss. Durch Heilsversprechen, die niemals eingelöst werden können, schichten Politiker einen schwindelerregend hohen, täglich wachsenden Schuldenberg auf, der eines Tages zur Hyperinflation führen muss, zum Zusammenbruch unseres Staates. Es wäre nicht das erste Mal.

Dennoch: Wie diese weltweite Erkrankung nicht schicksalsgegeben, sondern hausgemacht ist, kann auch ihre Therapie und Heilung aus eigener Kraft bewirkt werden. Als Optimist halte ich es mit dem chinesischen Wirtschaftsplaner Fang Xianghai, der kürzlich in einem Interview sagte: »Eine Krise hat auch Vorteile.

In guten Zeiten, wenn alles wächst, übersieht man die Schwächen des eigenen Systems leicht. Bei einer Krise werden die Schwächen sichtbar, und der Zeitpunkt ist gut, um Probleme zu reparieren.« Eine Große Koalition, wie wir sie vier Jahre lang erlebt haben, hätte ihre Berechtigung gehabt, wenn sie an dieser Stelle entscheidende Weichenstellungen vollzogen hätte. Stattdessen hat sie verwaltet, im Namen der »sozialen Gerechtigkeit« eine wahre Zuwendungsorgie veranstaltet und sich immer neue Zumutungen für Steuerzahler und künftige Generationen einfallen lassen. Dabei hätte ihr gerade eine Krise, für die sie nicht verantwortlich war, die beste Chance zum mutigen und entschlossenen Handeln geboten. Diese Chance hat sie verpasst.

Der Hauptgrund für dieses Versagen liegt wohl darin, dass die Kanzlerin, die sich selbst als Erbin Ludwig Erhards sieht, allzu bereitwillig dessen bewährten marktwirtschaftlichen Kurs aufgegeben hat, um sich den staatswirtschaftlichen Rezepten ihres Koalitionspartners anzupassen – ob aus Harmoniebedürfnis oder sozialistischer Prägung, die sie in ihren DDR-Jahren empfangen hat, sei dahingestellt. Jedenfalls ist es ihr bei der Bundestagswahl 2009, wie schon 2005, gelungen, gerade wegen dieser Affinität zur Sozialdemokratie den komfortablen demoskopischen Vorsprung von Schwarz-Gelb in eine nur noch schmale Mehrheit am Wahlabend zu verwandeln. Wie Angela Merkel nun an der Seite eines marktwirtschaftlich ausgerichteten Partners mit der eigentlichen Krise, die uns noch bevorsteht, umgehen wird, bleibt abzuwarten.

Noch am Wahlabend wurde das Ergebnis auf Berlins größter unabhängiger Party im »Hugo's« gefeiert. Über die vielen optimistischen Kommentare zum erwarteten Wirtschaftswachstum, den nun neu entstehenden Arbeitsplätzen, der angekündigten Steuerentlastung habe ich mich sehr gewundert. Denn die Vorstellung, wonach mit einer schwarz-gelben Koalition die Weichen für eine wirtschaftspolitische Wende gestellt seien – in diesem Buch werde ich sie als »Retroliberalismus« bezeichnen –, ist falsch. Zu sehr ist die Union von Politikern wie dem Sozialpopulisten Horst Seehofer, dem Arbeiterführer Jürgen Rüttgers und nicht zuletzt von Angela Merkel selbst nachhaltig sozialdemokratisiert worden. Kurz vor Mitternacht des 27. September 2009 brachte Hans-Ulrich Jörges, Mitglied der Stern-Chefredaktion, dies auf den Punkt, als er mir zuflüsterte: »Das wird eine sozialliberale Koalition!« Besser konnte man die überzogenen Erwartungen an die neue Regierung und die unausweichliche Enttäuschung, die uns bevorsteht, kaum charakterisieren.

Ob die neue Regierung unter diesen Voraussetzungen die richtigen Mittel gegen die Krise findet, bezweifle ich. Max Frischs berühmtes Diktum, wonach eine Krise immer ein produktiver Zustand ist, solange man ihm den Beigeschmack der Katastrophe nimmt, bietet einen deutlichen Hinweis darauf, wie der Ausnahmesituation am besten zu begegnen ist – vorausgesetzt, so möchte ich hinzufügen, man bringt den Mut auf, die wirklichen Schwächen zu erkennen und aus der ehrlichen Bestandsaufnahme die richtigen Reparaturmaßnahmen abzuleiten.

Mein Buch, so hoffe ich, kann ein wenig dazu beitragen.

Hans-Olaf Henkel
Berlin, November 2009

KAPITEL EINS

Die wundersame Geldvermehrung

Bis zu meinem achtunddreißigsten Lebensjahr hatte ich nie Wohneigentum besessen. Allerdings war mir schon mit sechzehn Jahren aufgegangen, dass man auch mit fremdem Wohneigentum Geld verdienen kann. Diese Perspektive hatte mir meine Mutter eröffnet, als sie mit ihrem neuen Lebensgefährten aus unserer großen Mietwohnung in einem imposanten Altbau in der Hamburger St. Benedictstraße auszog. Da sie die Miete weiter bezahlte, konnte ich die Räume, die ich nicht selbst brauchte, untervermieten und auf diese Weise meinen Unterhalt bestreiten. Damals lernte ich dreierlei: erstens, dass man Geld, das man ausgeben will, erst verdienen muss; zweitens, dass man mit vorhandenen Mitteln haushalten muss; und drittens, dass man auch fremdes Gut, das einem anvertraut ist, pflegen und in Ordnung halten muss. Kurz gesagt: Ich begriff, dass die Früchte des Erfolgs nur vom Baum der Disziplin zu ernten waren.

Obwohl ich schnell gelernt hatte, wie nützlich eine Immobilie sein kann, die man ordentlich bewirtschaftet, konzentrierte ich mich bald auf meine Stelle beim Computergiganten IBM, wodurch die Immobilienfrage in den Hintergrund trat. Am IBM-Standort Sindelfingen lebte ich erst in einem möblierten Zimmer, dann in einer 25-Quadratmeter-Wohnung mit kleiner Küche und noch kleinerem Badezimmer. Als ich 1964 bei der New Yorker Weltausstellung im IBM-Pavillon arbeitete, teilte ich mit Kollegen eine Mietwohnung. Als man mich als Computerfachmann nach Kalkutta versetzte, mietete ich wieder eine Wohnung und später in Colombo ein ganzes Haus. Von dort ging es nach München in eine Altbauwohnung in der Ismaningerstraße, die nur, Töchterchen Helene auf dem Arm, über 98 Treppenstufen zu erreichen war. In Paris, wo ich bei IBM als *Director of Operations* arbeitete, konnten wir uns eine große Wohnung mit acht Kaminen leisten, die uns allerdings auch nicht gehörte. Mit anderen Worten: Über zwanzig Jahre lang lebten wir in ständig wechselnden Mietwohnungen, bei denen ich mir oft gewünscht hätte, die Nebenkosten wären so korrekt abgerechnet worden wie von mir in der St. Benedictstraße.

Warum es überhaupt so lange gedauert hat, bis ich mir ein eigenes Haus leistete, weiß ich nicht. Am Geld hat es gewiss nicht gelegen. Erst in Amerika änderte sich meine Einstellung, oder vielmehr, sie wurde geändert. Als die IBM mich 1977 in ihr Hauptquartier in Armonk berief, wo ich auf künftige Aufgaben vorbereitet werden sollte, suchte ich diverse Maklerbüros im nahe gelegenen Greenwich/Connecticut auf. Doch deren Mietobjekte, dem Katalog nach attraktiv, erwiesen sich bei näherer Betrachtung allesamt als Schrott. Als die Damen – in Amerika ist der Maklerberuf fast ausschließlich weiblich besetzt – meine Ratlosigkeit bemerkten, wiesen sie mich darauf hin, dass es auch sehr attraktive Häuser »*for sale*« gäbe.

Ohne meinen Kontostand offenzulegen, ließ ich mir eine Reihe typisch amerikanischer Häuschen präsentieren, die durchweg über zimmerhohe Kühlschränke mit Eisautomaten und über Riesenwaschmaschinen verfügten, jedoch weder Platz boten für meine in Paris erstandenen antiken Möbelstücke noch für meine Sammlung von Napoleon-Souvenirs. Darüber hinaus waren sie, offen gesagt, ziemlich piefig. Während der Besichtigungstouren fiel mir auf, dass es größere und schönere Häuser gab, die mir auch ausnehmend gefielen, jedoch, wie ein Blick in den Katalog bestätigte, meinen Kostenrahmen sprengen würden. Als wir beeindruckt vor einer kleinen Villa standen, die 150 000 Dollar kosten sollte, bemerkte eine dieser elegant gekleideten, überaus geschäftstüchtigen Damen meine Ratlosigkeit.

»Wenn Ihnen das Haus so gefällt«, sagte sie, »warum kaufen Sie es dann nicht einfach?«

»Weil ich nur 100 000 Dollar habe«, antwortete ich.

Sie sah mich mit großen Augen an. »Pardon, sagten Sie gerade, dass Sie 100 000 Dollar haben?«

»Ja, in Deutschland, aber ich kann es jederzeit hierher transferieren.«

»Warum haben Sie das nicht gleich gesagt? Da können Sie sich ja problemlos ein Haus für 200 000 Dollar leisten.«

Meine damalige Ahnungslosigkeit hing wohl mit meiner konservativen Erziehung zusammen, der zufolge bereits die Vorstellung, Schulden zu haben, eine ernste Gefährdung der Nachtruhe darstellte. Ich hatte mir niemals Geld geliehen, keinen Kredit aufgenommen, war immer, wie schon als sechzehnjähriger Unternehmer, mit Bordmitteln ausgekommen. Nur ein einziges Mal war ich mir untreu geworden – als ich mich derart in ein kleines Segelboot verliebt hatte, dass ich zusammen mit einem IBM-Kollegen ein Möbeldarlehen über 2960 Mark aufnahm, um mit der »Piraten«-Jolle über den Bodensee schippern zu können.

Auf Empfehlung der Maklerin besuchte ich die State Bank of Connecticut, die mich als Ausländer ohne Konto nicht gerade mit offenen Armen empfing. Ich wolle einen Kredit, hieß es kühl, welche Sicherheiten ich denn zu bieten hätte? Als ich mich als IBM-Direktor für internationale Personalfragen vorstellte, besserte sich die Stimmung schlagartig, der Filialleiter eilte herbei und bot mir, bürokratische Hemmnisse aus dem Weg wischend, den gewünschten Kredit an. Ein passendes Haus im New-England-Stil, inmitten von Golfplätzen in einem ummauerten und bewachten Privatdistrikt gelegen, war schnell gefunden, die geforderten 220 000 um ein paar Prozent heruntergehandelt. Die Familie, nun um Tochter Hester erweitert, war zufrieden, und ich zum ersten Mal Immobilienbesitzer.

Bald fiel mir auf, dass es unter den Hausbesitzern in unserer abgegrenzten Insel keine Schwarzen gab – damals sagte man *Blacks*, heute *African Americans*. In ihrer Public School, der öffentlichen Hauptschule, stieg Helene bald zur Klassenbesten auf. Getrübt wurde unser Stolz, als eine Nachbarin uns anvertraute, dass dies möglicherweise nicht nur auf die Fähigkeiten unserer Tochter, sondern auch auf die mangelnde Qualität der Schule zurückzuführen war. Im ganzen Privatdistrikt, so sagte sie, gingen die Kinder selbstverständlich nicht auf die öffentliche Schule, sondern in teure Privatinstitute. Mit anderen Worten, wer viel Geld hatte, konnte sich für seine Kinder eine gute Erziehung leisten, wer nicht, dem blieb die Public School. Leider galt das auch für Helene, da eine Privatschule jenseits meiner finanziellen Möglichkeiten lag.

Im selben Jahr, 1976, war Jimmy Carter, der Erdnussfarmer aus Georgia, zum Präsidenten gewählt worden. Ich kann mich noch gut an die Hoffnungen erinnern, die sich an diesen »Vertreter der kleinen Leute« knüpften. Im Gegensatz zu seinen republikanischen Amtsvorgängern Nixon und Ford, für die Amerikas Weltmacht im Mittelpunkt stand, wollte sich der Demokrat ganz auf Weltfrieden und Bürgerrechte konzentrieren. Da Politik mich schon immer brennend interessiert hatte, saß ich allabendlich in unserem *family room* vor dem Fernseher, um mich über Carters neueste Reformen zu informieren, die er, von den Konservativen misstrauisch beäugt, mit fast missionarischem Eifer durchzusetzen begann.

Alle Präsidenten seit John F. Kennedy hatten sich, mit wechselndem Erfolg, für die Lösung des Rassenproblems eingesetzt. Für Jimmy Carter stand es mit an oberster Stelle. Dass es überhaupt ein Problem gab, lag gewiss nicht an den Gesetzen, in denen längst die Gleichstellung festgeschrieben war, sondern an deren Umsetzung. Abgesehen von den gegenseitigen Vorurteilen, die nicht so leicht aus der Welt zu schaffen waren, bestand auch ein ökonomisches Gefälle zwischen Weißen und Schwarzen, das einem etwa in den Slums drastisch vor Augen geführt wurde. In einer Gesellschaft wie der amerikanischen, in der sich das Geld einer überaus hohen Wertschätzung erfreut, führt Armut zwangsläufig zu Benachteiligung in allen entscheidenden Feldern: in der Ausbildung, im Job, beim Aufbau einer bürgerlichen Existenz – zu der in den USA eben auch das Eigenheim gehört.

Um dem entgegenzuwirken, wurde ein System entwickelt, das sogenannten Unterprivilegierten Zugang zu Schulen, öffentlichen Institutionen, politischen Ämtern verschaffen sollte, und zwar nicht allein durch Chancengleichheit, wie sie bei uns üblich ist, sondern durch *affirmative action*, zu Deutsch: positive Diskriminierung. Von Kennedy eingeführt, wurde diese Strategie von Johnson und Nixon übernommen und bis in die Gegenwart von George Bush und Barack Obama weitergeführt.

In seinen Lebenserinnerungen begründete Präsident Bill Clinton diese »Vorzugsbehandlung von ethnischen Minderheiten und Frauen seitens öffentlicher Einrichtungen bei der Auswahl von Mitarbeitern, bei der Auftragsvergabe für Produkte und Dienstleistungen, bei Krediten für Kleinunternehmen und bei der Zulassung zu Universitäten« damit, dass »die Folgen früherer Diskriminierung nicht einfach dadurch überwunden werden konnten, dass man eine zukünftige Diskriminierung verbot«. Mit anderen Worten: Man musste auch zurückliegende Diskriminierung ausgleichen.

Ich sehe das heute noch so, und nicht nur bei der Diskriminierung der Rassen. Als SPD-Kanzlerkandidat Frank-Walter Steinmeier im Sommer 2009 auf der Jahrestagung des BDI die versammelten Spitzen der deutschen Industrie aufforderte, sich für mehr Frauen in leitenden Positionen einzusetzen, blieb der Saal zunächst still. Es klingt vielleicht anmaßend, aber ich habe dann selbst durch lautes Klatschen meine Kollegen zu Beifallsbekundungen animieren müssen, die während der Rede auch sonst spärlich ausfielen. Schon früher hatte ich mich, wohl als Einziger in der deutschen Industrie, für die Idee der norwegischen Regierung eingesetzt, den Mindestanteil von Frauen in Aufsichtsräten gesetzlich auf vierzig Prozent festzuschreiben, selbst wenn dies zu einer Benachteiligung besser qualifizierter und erfahrenerer männlicher Kollegen führte.

Affirmative action wurde zum Stützpfeiler der amerikanischen Sozialpolitik, obwohl sie ganz offensichtlich eine Benachteiligung der weißen Mehrheit in Kauf nahm. Wer dem nun privilegierten Raster entsprach, konnte mit Förderung und Beförderung rechnen, wer nicht, durfte sich mit der Erkenntnis trösten, an der sozialen Gerechtigkeit seines Landes mitgewirkt zu haben. Da dies vielen, die sich zu Unrecht zurückgesetzt fühlten, schwerfiel, führte die Strategie der Minderheitenförderung zu unzähligen Prozessen, in denen beide Seiten auf »Gerechtigkeit« verwiesen, aber jeweils etwas anderes damit meinten. Noch im Sommer 2009 machten zehn weiße Feuerwehrleute Schlagzeilen, die sich nicht mit ihrer »sozial gerechten« Zurücksetzung gegenüber ethnisch privilegierten Kollegen abfinden wollten.

Dennoch, wollte man den *interracial gap*, die Lücke zwischen den »Rassen«, schließen, schien es keine Alternative zur *affirmative action*, diesem mächtigen Instrument politischer Flurbereinigung, zu geben. Ob es auch moralisch gerechtfertigt war, die Gleichbehandlung aller durch gezielte Bevorzugung Benachteiligter und entsprechende Benachteiligung Bevorzugter durchzusetzen, blieb für viele Amerikaner eine andere Frage. Zumal gar nicht geklärt war, was es mit der jeweiligen Benachteiligung und Bevorzugung im Einzelfall auf sich hatte – waren sie tatsächlich immer »rassisch« oder gesellschaftlich bedingt und nicht auch auf Charakter und Leistungsbereitschaft der jeweiligen Person zurückzuführen? Für die Politiker, die an den sozialen Frieden, vor allem aber an das millionenfache Wählerpotenzial der Unterprivilegierten dachten, stellte sich diese Frage nicht.

Für mich, der ich mein berufliches Glück auch und besonders Amerika verdankte, stellte sie sich ebenso wenig. Ich bedauerte, dass es überhaupt so etwas gab wie ein Rassenproblem – für mich persönlich existierte es nämlich nicht –, und vertraute im Übrigen auf den Bürgerrechtler Jimmy Carter, der sich die Gleichheit aller auf die Fahne geschrieben hatte. Dieser ewig lächelnde Mann wurde endgültig zum Helden der Nation, als er zwischen dem Israeli Begin und dem Ägypter Sadat in Camp David Frieden stiftete und ihn durch einen dreifachen Handschlag besiegelte, der tagelang über die Bildschirme flimmerte.

Seine Beliebtheit erreichte Traumwerte, sein Image als »guter Mensch«, der sich den Macht-Apparatschiks aus Washington widersetzte, festigte sich, und die Begeisterung für soziale Fragen, die ihn ins Amt gehoben hatte, griff im ganzen Land um sich. Hatte die schwarze Bürgerrechtsbewegung »*We shall overcome*« gesungen, so war diese Prophezeiung mit dem bescheidenen Erdnussfarmer in Erfüllung gegangen. Amerika, so schien es, hatte sich in Jimmy-Carter-Land verwandelt.

Neben dem Triumph von Camp David ist mir ein zweites Fernseherlebnis mit Jimmy Carter in Erinnerung geblieben, das, wie sich jetzt eindeutig herausstellt, mit der Wirtschaftskrise von heute zusammenhängt. Womöglich angeregt durch Henri IV, der jedem Franzosen ein Huhn im Topf versprach, forderte er für jeden Amerikaner ein eigenes Dach über dem Kopf. Nach dem Wahlerfolg propagierte er dieses ehrgeizige Ziel, indem er im karierten Arbeiterhemd mit hochgekrempelten Ärmeln auf einer Baustelle auftauchte, an der Häuser für arme Familien errichtet wurden. TV-Kameras hielten fest, wie er, den Hammer in der einen, den Nagel in der anderen Hand, ein Haus aus Fertigteilen zusammenzimmern half – was mich umso mehr beeindruckte, als ich mir den damaligen Bundeskanzler Helmut Schmidt nur schwer in dieser Rolle vorstellen konnte. Carter war nicht nur ein Erdnussfarmer, er war, wie die amerikanischen Medien hervorhoben, auch ein »noted carpenter«, ein angesehener Zimmermann.

Noch heute halte ich Carters Idee prinzipiell für richtig. Auch in Deutschland wäre es eine gesellschaftspolitische Großtat, wenn eine Partei sich zum Ziel setzte, Menschen beim Erwerb von Eigentum zu helfen – übrigens eine Grundforderung von Ludwig Erhards Sozialer Marktwirtschaft –, statt sie nur, in Form von Steuern, davon zu befreien. Es gab auch bei uns Versuche, die Idee des Eigenheims für alle durch staatliche Förderung zu unterstützen. Doch schon bald wurden die Fördermittel als »Subventionen« verunglimpft, um dann zugunsten anderer sozialer Wohltaten weitestgehend abgeschafft zu werden. Parallel dazu weitete man die Rechte der Mieter und die Pflichten der Vermieter immer mehr aus, so dass sich der Wunsch nach den eigenen vier Wänden bei uns kaum entwickeln konnte. Auch deshalb ist Deutschland bis heute mehrheitlich ein Volk von Mietern geblieben.

Was Eigentum wirklich bedeutet, lernt man nicht im Soziologiekurs oder bei der Marxlektüre, sondern nur durch eigene Erfahrung. Am Eigentum lernt der Mensch, Verantwortung zu übernehmen, er lernt sich selbst kennen. Wer in den eigenen vier Wänden wohnt, wird seinen Besitz mit Sorgfalt behandeln, ihn womöglich sogar verbessern und seinen Wert steigern. Als ich mir in Greenwich Häuser ansah, war der Unterschied zwischen jenen, die zur Vermietung, und jenen, die zum Verkauf standen, unübersehbar.

Dass Jimmy Carter ein guter Mensch war, daran zweifelte ich nicht – er ließ allerdings auch selbst keinen Zweifel daran. Lächelnd und zur guten Tat entschlossen wie ein Pfadfinder, überzog er das Land mit Reformen und konnte sich der Zustimmung der Mehrheit sicher sein, da in den USA Reformen an sich schon damals für wertvoll erachtet wurden. Es herrschte weitgehend Einigkeit darüber, dass man »die Verhältnisse ändern« wollte, natürlich zum Besseren hin, und man traute den Politikern zu, dies auf dem Gesetzesweg zu bewerkstelligen. Wie sich zeigte, gab es keinen Bereich, der nicht reformbedürftig war, und im selben Maß, wie »Reform« zum Synonym für »Politik« wurde, entwickelte sich das Land zu einer einzigen großen Reformbaustelle, für die immer neue Gesetze die Blaupause lieferten.

Der Schritt vom guten Menschen zum Gutmenschen, ich erwähnte es im Vorwort, ist nicht groß. Der gute Mensch tut Gutes, der Gutmensch lässt Gutes tun. Er delegiert die Guttat, ordnet sie an, bewehrt sie mit der Androhung von Strafen. Die Geschichte lehrt, dass gerade gute Absichten, mit ideologischer Begründung durchgesetzt, oft verheerende Wirkungen erzielen. Im Jahr 1977, als der Bürgerrechtler Jimmy Carter Präsident wurde und wir unser Haus in Greenwich/Connecticut auf Kredit kauften, wurde im amerikanischen Kongress ein Gesetz verabschiedet, das solche Hauskredite auch für jene bereitstellen sollte, die nicht über Sicherheiten, Ersparnisse und einen Job verfügten.

Das Gesetz, eines der ersten der Ära Carter, trug vordergründig den Stempel des moralisch Hochwertigen, da es die Strategie der *affirmative action* auf den Bereich der Banken und des Finanzwesens anwandte. Doch langfristig sollte es sich, wie die meisten Wohltaten von Gutmenschen, fatal auswirken. Konnte ein Unterprivilegierter bis dahin bereits darauf bauen, bei einer Stellenbewerbung bevorzugt zu werden, so würde sich seine Privilegierung hinfort auch auf die Privatwirtschaft erstrecken. Für ihn sollte es leichter werden, Hauseigentum zu erwerben, als für andere. Für ihn sollte also das Geld billiger werden als für andere. Das Wohlstandsgefälle, so schien es, war nun per Gesetz ein Stück weit eingeebnet, die amerikanische Welt ein Stück gerechter worden. Die *affirmative action* des »*noted carpenter*« auf dem Immobiliensektor war der erste Stein einer langen Dominokette, die erst Jahrzehnte später umkippen und uns die seither größte Wirtschaftskrise bescheren sollte.

Wie kam es dazu? Am 12. Oktober 1977 berichtete der neue Präsident dem Kongress, er habe auf seinen Wahlkampfreisen »verwüstete Gegenden« gesehen, die ihn tief betroffen hätten, »Gegenden, in denen amerikanische Bürger leben und die eine Schande für unser großes Land sind«. Er sprach von den Slums, mit den Bürgern meinte er die ethnischen Minderheiten. »Ich habe erst letzte Woche die South Bronx besucht«, fuhr er fort, und dieser Anblick »genügte, unser Vertrauen in die Struktur, die wir geschaffen haben, zu erschüttern«. Damit konnte nur das politische System gemeint sein, dessen Versagen er durch die Existenz von Slums, von Unterprivilegierten und Diskriminierten bewiesen sah.

In der Tat sah es in einigen Gegenden der Vereinigten Staaten damals nicht schlimmer aus als in weiten Teilen der DDR vor der Wende. Wenn ich an die vielen Autofahrten denke, die ich Ende der siebziger Jahre zwischen Greenwich und Manhattan unternehmen musste, dann sehe ich vor meinem inneren Auge die Bronx mit ihren vergammelten Häusern, verwüsteten Wohnblocks, heruntergekommenen Straßenzügen, deren deprimierendes Erscheinungsbild sich allerdings nicht wesentlich von dem des Prenzlauer Bergs zur Wendezeit oder des heutigen Havanna unterschied.

Carters Gegenmaßnahme, am Tag seiner Brandrede über die Slums unterzeichnet, war der *Housing and Community Development Act*, der die staatliche Förderung von privatem Hauseigentum und das kommunale Wiederaufbauprogramm regelte – berühmt wurde sein Abschnitt VIII, genannt *Community Reinvestment Act*. Der entscheidende Passus ging weit über rein staatliche Maßnahmen hinaus, da es Banken fortan untersagt war, bei der Kreditvergabe zwischen normalen Wohngegenden und Slums zu unterscheiden. Dieses sogenannte *redlining*, bei dem gefährdete Viertel auf dem Stadtplan mit einer roten Linie umrandet wurden, gehörte zu den Vorsichtsmaßnahmen, mit denen die Banken sich vor Verlusten schützten.

Erfahrungsgemäß verloren die Objekte, mit denen die Kredite besichert waren, in den Slums schnell an Wert, und die Banken, denen das Geld der Sparer zu treuen Händen übergeben war, scheuten sich, es ihrerseits in unzuverlässige Hände zu geben. Dem Sozialreformer Carter ging es aber nicht um kleinliche Rechenkunst, sondern um »eine gemeinsame Anstrengung, die Gegenden, die sich im Niedergang befinden, zu reanimieren«. Ich finde, das war ein lobenswertes Ziel. Doch die Frage, ob diese frisch verschriebene Medizin nicht gewisse Nebenwirkungen katastrophaler Art nach sich ziehen könnte, stellte sich dem Präsidenten offensichtlich nicht – und mir, ehrlich gesagt, auch nicht.

Die Konsequenzen dieses patriotischen Aufbruchs gingen weit über die Wiederbelebung der verslumten Stadtteile hinaus. Die Aufforderung, bei der Kreditvergabe ein Auge zuzudrücken, machte Schule. Immer mehr Banken fanden Gefallen am Geschäft mit dem hohem Risiko, das ja auch hohe Zinsen brachte.

Da man vielerorts ohne die üblichen Sicherheiten an Geld kommen konnte, löste die wachsende Nachfrage einen Bauboom aus, der sich in steigenden Immobilienpreisen niederschlug. Als ich 1979 von der IBM nach Paris zurückversetzt wurde, konnte ich mein Haus in Greenwich für 230 000 Dollar verkaufen, womit der Wert in weniger als zwei Jahren um fast zehn Prozent gestiegen war, die zudem noch steuerfrei blieben. Die wundersame Geldvermehrung hatte begonnen.

Tatsächlich zeigt die Statistik, dass der Anteil der US-Haushalte mit Eigenheim zwischen 1977 und 1980 steil nach oben schoss. Damit sich die Immobilienblase – das erkennen wir im Rückblick – richtig entwickeln konnte, bedurfte es indes weiterer Dominosteine. Der nächste Anstieg, der in schwindelerregende Höhen führte, begann mit Clintons Präsidentschaft und sollte erst enden, als 2006 unter Bush die Immobilienblase platzte. Strenggenommen war das nicht einmal mehr der treffende Ausdruck, denn was sich erst unter Carter, dann unter seinem demokratischen Gesinnungsgenossen Clinton explosionsartig vermehrt hatte, waren nicht nur gewöhnliche Immobilien, sondern auch und besonders sogenannte *subprime*-Objekte, also jene mit geringerer Bonität und höherem Ausfallrisiko, deren Existenz sich dem guten Willen der US-Regierung und, in der Folge, dem Einfallsreichtum der Kreditinstitute verdankte.

Was bedeutet eigentlich *subprime*, diese englische Vokabel, die mit dem Ausbruch der Finanzkrise untrennbar verbunden ist? Wörtlich übersetzt heißt sie »unterhalb des Bestmöglichen« – ein klassischer Euphemismus also, eine beschönigende Darstellung, wie sie für Politiker und andere PR-Fachleute typisch ist. Wer erinnert sich nicht an die Bundestagswahl 2005, als Noch-Bundeskanzler Gerhard Schröder bei der Elefantenrunde im Fernsehen Unsinn von sich gab, um am nächsten Tag scheinbar reumütig zu erklären, selbst seine Ehefrau hätte den Auftritt für

»suboptimal« gehalten? Suboptimal – genau das waren die *sub-prime*-Kredite, an denen die Weltwirtschaft fast erstickt wäre.

Den entscheidenden Schub, vergleichbar mit den *booster-rockets* eines Spaceshuttles, erhielt Carters Gesetz durch Bill Clinton. Auch dieser Präsident war ein Außenseiter, als Gouverneur von Arkansas Vertreter der »kleinen Leute«, ein ewig Lächelnder, der mit dem Anspruch antrat, die Welt zu verbessern. Dazu gehörte für ihn, dass endlich die letzten Barrieren niedergerissen wurden, die sich dem Eigenheimerwerb durch, wie er sagte, »ungesetzliche Diskriminierung entgegenstellten«. Bald nach seiner Wahl wurde das antidiskriminatorische Bundesgesetz erheblich verschärft.

»Der *Community Reinvestment Act* von 1977«, schrieb Clinton in seinen Memoiren, »forderte von den unter Bundesaufsicht stehenden Kreditinstituten besondere Anstrengungen, um Kreditnehmern mit niedrigem Einkommen Darlehen zu gewähren. Allerdings war diese Vorschrift bis 1993 weitgehend wirkungslos geblieben. Nach unserem Eingreifen stellten die Banken den von diesem Gesetz erfassten Kreditnehmern zwischen 1993 und 2000 mehr als 800 Milliarden Dollar für Hypotheken sowie Darlehen für Kleinunternehmen und Gemeindeentwicklungsprojekte zur Verfügung.« Im Jahr 1995 stellte Clinton, wie er stolz vermerkte, seine »Nationale Wohneigentumsstrategie« vor, mit der er »zwei Drittel der Bevölkerung zu Wohneigentümern machen wollte«, was dank der niedrigen Hypothekenzinsen »erstmals in der Geschichte erreicht wurde«.

Die Aufarbeitung der Folgen von Gutmenschenpolitik ist einfacher geworden, seit Politiker sich angewöhnt haben, schon kurz nach ihrer Amtszeit umfangreiche Memoiren zu veröffentlichen. In der unverhüllten Absicht, das Licht der allgemeinen Bewunderung auf ihre Großtaten zu lenken, legen sie ungewollt die Spur frei, die von diesen Taten zu deren Langzeitfolgen führt.

Dass sie für diese unerwünschten Konsequenzen ihrer Politik zur Rechenschaft gezogen werden könnten, kommt ihnen dabei nicht in den Sinn, obwohl sie selbstverständlich nicht zögern, eine solche Späthaftung einzufordern, wenn es etwa um Vorstände von Aktiengesellschaften geht.

Jedenfalls kamen damals auch jene Amerikaner in den Genuss von Krediten, die als Geringverdiener oder Arbeitslose weder über das nötige Einkommen noch über irgendwelche Vermögenswerte verfügten. Weil für diese Form der Geldbeschaffung »kein Einkommen, kein Job, kein Besitz« nötig war, wurde dafür der ironische Begriff der *Ninja*-Kredite geprägt – »*No income, no jobs, no assets*«. Bei vielen dieser *subprime*-Hypotheken wurden nicht einmal Tilgungsraten, sondern nur Zinsen gezahlt, die zudem in den ersten beiden Jahren künstlich niedrig gehalten wurden. Plötzlich konnte man sich leisten, was man sich eigentlich nicht leisten konnte. Ein anderes Wort, das in jenen Jahren populär wurde, war das der »Demokratisierung des Kredits«.

Verweigerte sich eine Bank dieser populären Maßnahme, traten Rechtsanwälte auf den Plan, die das Kreditinstitut wegen Diskriminierung verklagten, ein Vorwurf, der in den USA ähnlich gravierende Folgen hat wie die Äußerung unerwünschter politischer Ansichten bei uns. Immobilienkredite ließen sich einklagen wie Grundrechte. Nach einer amtlichen Definition lag Diskriminierung dann vor, »wenn die zu unterschreibenden Policen willkürliche und veraltete Kriterien enthalten, durch die viele Antragsteller aus städtischen oder geringverdienenden Minderheiten ausgeschlossen werden« – wobei gerade jene Kriterien als »willkürlich und veraltet« abqualifiziert wurden, die für eine seriöse Kreditvergabe entscheidend sind: Nachweise über Einkommen, Kreditverhalten und Ersparnisse.

Kein Geringerer als der Carter- und Clinton-Nachfolger Barack Obama, ebenfalls ein Außenseiter mit missionarischem Anspruch, begann seine Karriere als Antidiskriminierungsanwalt, der sich um die Durchsetzung des *Community Reinvestment Act* bemühte, erfolgreich, wie sich versteht. Als Vertreter der Kanzlei Miner, Barnhill & Galland in Chicago vertrat Obama zwischen 1993 und 1996 Mandanten, die sich von Kreditinstituten aufgrund ihrer ethnischen Herkunft benachteiligt fühlten. Aufsehen erregte der Prozess Buycks-Roberson 1995, in dem die Citibank wegen diskriminierenden Verhaltens angeklagt und vom Gericht, das der Klage Recht gab, zu einem Vergleich mit den Klägern gezwungen wurde. Nebenbei wirkte der zukünftige Präsident auch für die *Association of Community Organizations for Reform Now* (ACORN), die sich erhebliche Mitspracherechte bei der Kreditvergabe an Unterprivilegierte erkämpfte. Mit anderen Worten: *Subprime*-Kredite waren zwar wirtschaftlich riskant, hatten aber die Moral und das Recht auf ihrer Seite.

Betrachtet man die statistische Fieberkurve der *subprime*-Kredite, fällt ab dem Jahr 2003 ein letzter steiler Anstieg auf, den sich der republikanische Präsident George W. Bush zugutehalten kann. Weil auch er Wahlen zu gewinnen hatte, übernahm er die demokratisch-populistische Eigenheimrhetorik und verkündete: »Wenn jemand sein eigenes Haus besitzt, ist das die Verwirklichung des amerikanischen Traums.« Da »drei Viertel der weißen Amerikaner, aber nicht einmal die Hälfte der afrikanischen und spanischstämmigen Amerikaner ein Haus besitzen«, so mahnte er 2002, »verstehen wir diese Diskrepanz als Signal, dass etwas schiefläuft in unserem Land der Überfülle«. Auch heute noch halte ich diese Beobachtung für richtig, genauso wie den aus ihr abgeleiteten Anspruch – leider stellt sich die gewählte Methode nun als verhängnisvoll heraus.

Bush setzte seinem Land das ehrgeizige Ziel, bis zum Jahr 2010 rund 5,5 Millionen ethnisch betroffenen Familien zu einem neuen Eigenheim zu verhelfen – bis zum Jahr 2007 waren es, laut US-Ministerium für Wohnungsbau, bereits 3,1 Millionen. Die nötigen Anzahlungen wurden ab 2003 durch Bushs *American Dream Downpayment Act* gesichert. Für die langfristigen Kredite sollte der freie Markt sorgen, dem der Präsident aus Texas besonders die »Käufer mit niedrigen Einkommen« ans Herz legte.

Schon bei der Unterzeichnung dieses Gesetzes, das den »amerikanischen Traum« verwirklichen sollte, konnte er stolz darauf verweisen, dass in den vergangenen eineinhalb Jahren »über eine Million Familien aus ethnischen Minderheiten Hausbesitzer geworden« seien, und dass »seit 2001 die steigenden Hauspreise über 2,5 Billionen Dollar zum Familienvermögen der Amerikaner beigetragen« hätten. Ein Beispiel, wie Gutmenschen zur wundersamen Geldvermehrung beitragen, ohne sich zu fragen, wo denn das ganze Geld herkommt. »All diese Regierungsmaßnahmen«, so resümierte das *Forbes*-Magazin 2008, »haben eine Situation geschaffen, in der Millionen Menschen Häuser gekauft haben, die sie sich nicht leisten konnten, wodurch Milliarden über Milliarden Dollars in den Sand gesetzt wurden.«

Vielleicht sollte ich an dieser Stelle erklären, warum ich bewusst von »Geldvermehrung« und nicht von »Immobilienvermehrung« spreche. Der Wert eines Hauses lässt sich nicht nur in Geld ausdrücken, sondern auch in Geld verwandeln, ohne es verkaufen zu müssen, und zwar indem man das Haus beleiht. Je höher der Wert des Hauses, umso mehr wird einem die Bank dafür leihen. Ich erinnere mich, wie ich gegen Ende meiner Zeit in Greenwich einen seltsamen Anruf der State Bank of Connecticut bekam.

»Mister Henkel«, begann mein Banker, »Sie haben doch diesen Kredit von uns über 100 000 Dollar und außerdem dieses Haus in Greenwich, das mehr als doppelt so viel wert ist.«

»Und?«

»Nun, ich dachte mir, vielleicht würden Sie gerne eine höhere Hypothek aufnehmen.«

»Wofür denn?«

»Wofür denn?«, wiederholte er ungläubig. »Ja, wollen Sie sich nicht ein neues Auto kaufen oder mit Ihrer Familie eine große Reise machen? Oder wie wäre es, wenn Sie uns Ihr Haus verkaufen lassen und wir Ihnen eine noch größere Hypothek geben, um ein noch größeres Haus zu kaufen? Sie haben doch jetzt Familienzuwachs bekommen!« Tatsächlich war inzwischen mein Sohn Hans zur Welt gekommen, wodurch unser Haushalt auf fünf Köpfe angewachsen war.

Ich erklärte ihm, dass ich trotzdem mit diesem Haus zufrieden sei und im Übrigen nur einen Wunsch habe, nämlich die Hypothek schnellstmöglich zurückzuzahlen.

Vermutlich wurden in jenen Jahren und danach unzählige solcher Gespräche geführt, die anders ausgingen als das unsere. Bevorzugt verwendete man die *subprime*-Kredite zur »Refinanzierung« bestehenden Eigentums. Denn Häuser waren bares Geld wert, und man musste nicht einmal ausziehen, um es einzustreichen. Als dann dank Clinton die Häuserpreise ab 1996 erneut steil in die Höhe schossen, ja sich in den folgenden zehn Jahren fast verdoppelten, wurde das Eigenheim endgültig zum »Esel-streck-dich« aus Grimms Märchen: Es garantierte die Altersvorsorge und schuf gleichzeitig den großzügigen Kreditrahmen für den laufenden Konsum. Sparen, so glaubten die Amerikaner, war überflüssig geworden.

Da bekanntlich auch die Zinsen immer niedriger wurden, avancierte der Eigenheimbau zum Volkssport. Sobald sich die Rückzahlungen des Darlehens durch den Wertzugewinn des Hauses bestreiten ließen, war eigenes Kapital nicht mehr erforderlich. Die Immobilie bezahlte sich selbst. Überstieg die Wertsteigerung noch die zu zahlenden Zinsen, ließ sich damit sogar Geld verdienen. Man baute also nicht, um zu wohnen, sondern um vom Weiterverkauf zu profitieren – der Begriff dafür lautete *flipping*. So entwickelten sich die Objekte, die eigentlich dem guten Zweck der ethnischen Gleichstellung dienen sollten, zu Wanderpokalen, die Jahr für Jahr einen neuen Besitzer reich machten, ganz zu schweigen von den elegant gekleideten, überaus eloquenten Maklerinnen, die ebenfalls reich wurden, indem sie den Immobilienmarkt in die Höhe redeten.

Es zeigte sich, dass die patriotisch-moralische Initiative der US-Präsidenten, mit der eine sozial gerechte, tolerante und vor allem wunschgemäß wählende Nation geschaffen werden sollte, ein Volk begeisterter Immobilienspekulanten hervorgebracht hatte. Die Banken heizten die Hausse an, indem sie Häuser zu 100 % finanzierten, ja das geplante Objekt mit bis zu 125 % beliehen, was den Käufer in den Genuss des sogenannten *cash-back* brachte – beim Hauskauf bekam man also noch Geld raus: Das Haus finanzierte der Käufer mit 100 % des Kredits, für die restlichen 25 %, die er bekommen hatte, kaufte er sich beispielsweise den passenden Geländewagen. Auch dieses oft übersehene *cash-back*-System trug zu den inflationären Preisen der Immobilien bei, ohne dass es deren Wert im mindesten gehoben hätte.

Das fröhliche Leben auf Kosten von – man wusste eigentlich nicht genau von wem, sagen wir: auf Kosten der Banken –, dies fidele Leben also war auch nahezu sorgenfrei, da der Hausbesitzer durch eine gesetzliche Haftungsbeschränkung geschützt war. »Wenn in Deutschland jemand einen Kredit für einen Hauskauf aufgenommen hat und zahlungsunfähig wird«, schreibt ifo-Chef Hans-Werner Sinn, »muss er damit rechnen, dass die Bank sein Haus versteigert. Wenn der Erlös nicht reicht, greift die Bank auf etwaiges sonstiges Vermögen und auch auf das künftige Arbeitseinkommen des Hauseigentümers zurück. Nicht so in Amerika.«

Dank des *non recourse loans* herrscht dort Regressfreiheit, der Traum jedes Verschwenders. Wenn der Kreditnehmer irgendwann die Hypothekenzinsen nicht mehr bezahlen kann oder will, hat die leidtragende Bank lediglich auf die beliehene Immobilie Zugriff, nicht aber auf sein sonstiges Vermögen oder Einkommen. Tritt dieser Fall ein – und Ende 2008 waren über zwölf Millionen amerikanische Häuser davon betroffen –, muss der insolvente Besitzer nur sein Haus übergeben, indem er den Verzicht brieflich erklärt und den Schlüssel gleich beilegt. Diese unbürokratische Art, ein Problem loszuwerden, wurde ironisch »*jingle mail*« genannt, weil man die betreffenden Briefe am Klingeln der darinliegenden Schlüssel erkannte.

Nicht zuletzt diese Haftungsfreiheit ließ die private Häuserspekulation alle Rekorde brechen. Die Preise stiegen und stiegen, und alle übertrafen einander: Die Banken übertrafen sich gegenseitig in ihren Kreditzusagen, die Bürger in ihrem immobiliengedeckten Konsumverhalten, die Haus-*flipper* im profitablen Spiel von Kauf und Weiterverkauf. Man erlebte, wie es Alan Greenspan ausdrückte, goldene Zeiten.

Irgendwann fragte ich mich, ob das womöglich auch für mein erstes Eigenheim in Greenwich galt, das immerhin schon ein halbes Jahrhundert alt war. Als ich 2005 mit meinem Sohn Hans, der 1979 dort geboren wurde, eine USA-Reise unternahm, besuchten wir auch den Privatdistrikt, in dem er sein erstes Lebensjahr verbracht hatte.

Zu meinem Erstaunen hatte sich das Haus äußerlich nicht verändert. Man hatte weder angebaut noch, soweit ich erkennen konnte, renoviert. Der einzige Unterschied bestand darin, dass die mickrigen Bambussträucher, die ich gepflanzt hatte, zu einer dichten Hecke um das Haus herangewachsen waren und ihm so eine interessante Note verliehen.

Obwohl wir höflichen Abstand wahrten, öffnete sich plötzlich die Haustür und eine Dame fragte, ob sie uns irgendwie helfen könne.

»Entschuldigen Sie, Ma'am«, erklärte ich, nachdem wir näher getreten waren. »Wir haben einmal in diesem Haus gelebt, mein Sohn ist im Greenwich Hospital geboren.«

»Ach so«, antwortete sie lachend, »Sie sind die *crazy Germans*, die den Bambus gepflanzt haben.«

»Stört er Sie?«

»Ganz im Gegenteil. Wir sind das einzige Haus weit und breit, das solchen Bambus hat, und freuen uns, dass er jahraus, jahrein grün bleibt. Außerdem raschelt er so schön, wenn der Wind hineinfährt.«

Bei einer Tasse Kaffee kamen wir auf das Haus zu sprechen, das sich auch innen kaum verändert hatte, obwohl es, wie wir erfuhren, seit unserem Fortgang bereits fünf- oder sechsmal den Besitzer gewechselt hatte.

»Erlauben Sie mir eine indiskrete Frage«, sagte die Dame, als wir uns verabschiedeten. »Wie viel haben Sie damals für das Haus bekommen?«

»Gerne«, antwortete ich. »Unter der Bedingung, dass Sie mir verraten, wie viel Sie bezahlt haben.«

»*That's a deal*«, sagte sie, worauf ich die Summe nannte.

»Unglaublich«, entgegnete sie kopfschüttelnd. »Heute ist das Haus weit mehr als zwei Millionen wert.«

Bei der Rückfahrt nach Manhattan musste ich mir von Hans einiges über meine private Anlagepolitik anhören. Dass ich das Geld damals gebraucht hatte, um uns ein neues Haus in Frankreich kaufen zu können, schien ihn nicht so recht zu überzeugen.

Natürlich waren es nicht nur die *subprime*-Kredite, die den Markt dermaßen aufblähten. Alle Gesellschaftsschichten waren an der Zockerei beteiligt, und unzählige Luxuswohnanlagen mit ihren exklusiven Hochpreisprodukten waren einzig zu dem

Zweck geplant worden, von den Käufern noch vor dem ersten Spatenstich an Zweitkäufer weitergereicht zu werden, die hofften, das profitable *flipper*-Spiel weiterspielen zu können, ad infinitum.

Bekanntlich ist es so weit nicht gekommen. Als die Zinsen, die nach der Katastrophe vom 11. September 2001 in den Keller gegangen waren, ab 2005 wieder kräftig anzogen, verloren die Immobilienzocker die Lust – und die *subprime*-Kreditnehmer ihre Häuser.

Der ganze ehrenwerte Plan der US-Präsidenten, den unterprivilegierten Minderheiten endlich ein Dach über dem Kopf zu spendieren, führte geradewegs in ein Debakel millionenfacher persönlicher Bankrotte und Obdachlosigkeit. Und die Wirkung, die er auf Deutschland hatte, war nicht weniger verheerend. Denn, so der *Financial-Times*-Kolumnist Wolfgang Münchau, »es war die *subprime*-Blase, an der unser Bankensystem fast zugrunde gegangen wäre«.

Wohlgemerkt: Die eigentlichen Verursacher der Immobilienblase waren nicht die gierigen Banker, die blauäugigen Hauskäufer oder die gerissenen Makler. Am Anfang standen Politiker, die sich nicht lange mit der Diagnose gesellschaftlicher Fehlentwicklungen aufhielten, sondern forsch zur Behebung von Symptomen schritten, ohne die gefährlichen Nebenwirkungen ins Kalkül zu ziehen – mit der Folge, dass ihre Rezepte, die anfangs scheinbar anschlugen und Linderung brachten, den Patienten am Ende fast umgebracht hätten.

KAPITEL ZWEI

Vom Wachsen und Platzen der Blasen

Wenn ein altes Holzhaus, das seine fünfzig Jahre auf dem Buckel hat, plötzlich über zwei Millionen wert ist, mag einem dies wahnsinnig erscheinen. Es folgt aber derselben Logik, die einen kleinen Sänger über Nacht zum millionenschweren Popstar, eine bestimmte Auto- oder Turnschuhmarke zum absoluten Verkaufsrenner werden lässt – in Amerika und neuerdings auch bei uns nennt man das einen *Hype*. Wenn etwas *gehyped* wird, bricht es täglich neue Rekorde, versetzt die Medien in atemlose Erregung und die Käufer in den berüchtigten »Kaufrausch«, hinter dem die Linke seit 1968 den »Konsumzwang« wittert.

Ein gehöriges Maß an »Zwang« ist sicher auch dabei, aber im Fall des Hype wird er nicht von einer einzelnen Kraft, etwa dem Großkapital, diktatorisch ausgeübt. Vielmehr beteiligen sich alle wie in Ekstase daran, einen Film, eine Band, eine Ferieninsel in den Himmel zu loben, zum »Kult« zu erklären und jeden Preis zu bezahlen, um dieses Objekts der allgemeinen Begierde habhaft zu werden. Als ich die Beatles zum ersten Mal im Hamburger Top Ten Club sah, waren sie eine gewöhnliche, Lederklamotten tragende Unterhaltungscombo, bei der sich mein Schwager Horst Ansin regelmäßig für ein Bier »Ain't she sweet« bestellen konnte. Eine Kassettenaufnahme aus dem Top Ten Club besitze ich heute noch. Zwei Jahre später – und ohne dass sich an ihrer Kunst Wesentliches geändert hätte – waren sie die Supernovas am Popfirmament, und ich konnte 1964 in Amerika miterleben, wie die »Beatlemania« das ganze Land in Verzückung versetzte und die Mädchen beim bloßen Anblick ihrer selbst gemachten Götter in Ohnmacht fallen ließ. Es war die gleiche hysterische Übertreibung, die man heute im Wirtschaftlichen einen Hype nennt.

Übrigens war mein altes Haus in Greenwich nicht der erste Fall einer Immobilienblase, der mich zum Staunen brachte. Als Bundespräsident Roman Herzog im April 1997 seine erste Japanreise antrat, lud er mich als BDI-Präsidenten ein, ihn zu begleiten, wohl auch, weil ich eine deutsch-japanische Wirtschaftsinitiative gegründet hatte. Diese basierte nicht nur auf meiner heimlichen Vorliebe für das Land der aufgehenden Sonne, sondern auch auf der nüchternen Erkenntnis, dass die zweitgrößte Volkswirtschaft der Welt nur unser elftgrößter Kunde war und weitaus mehr Waren an uns verkaufte, als sie von uns zu kaufen bereit war.

Da ich das ändern und um Sympathie für unsere Unternehmen und Produkte werben wollte, nahm ich die Einladung gerne an, die ein Galadiner mit Kaiser Akihito und seiner Gemahlin einschloss. Ich brauche wohl nicht eigens zu betonen, welch tiefen Eindruck der zeremonielle Staatsakt im Kaiserpalast, die Gespräche mit der kaiserlichen Familie und ein Spaziergang durch die umliegenden Gärten bei mir hinterließen. Vor allem der unglaublich kunstvoll gestaltete, von Tempeln, Brücken und uraltem Baumbestand geprägte Park, der außer am japanischen Neujahrstag und am Geburtstag des Kaisers für die Öffentlichkeit gesperrt ist, hatte es mir angetan.

Während unseres Spaziergangs war das Gespräch auf Japans explodierende Grundstückspreise gekommen, die gerade in der Hauptstadt astronomische Höhen erklommen hatten.

»Was glauben Sie, wie viel das Grundstück wert ist, auf dem

die kaiserlichen Anlagen stehen?«, fragte mich einer unserer japanischen Begleiter auf Deutsch. Mir schien die Frage fast etwas indiskret, aber natürlich interessierte es mich auch, und so zeigte ich mich neugierig und nannte eine beliebige Zahl. Der Herr – ich glaube, ein Dolmetscher – lachte. »Viel zu niedrig. Dieses 110 000-Quadratmeter-Grundstück im Herzen Tokios ist so teuer wie sämtliche Grundstücke Kaliforniens zusammen.«

»Wirklich?«, sagte ich, ehrlich erstaunt.

»Aber das ist noch gar nichts«, setzte er nach. »Der Boden Tokios ist so viel wert wie alle Grundstücke der Vereinigten Staaten zusammengenommen.«

Damals fragte ich mich, ob das, was etwas wert ist, dies auch wirklich wert ist – will sagen, ob eine solche Wertansetzung Objektivität beanspruchen kann. Die Antwort war natürlich: nein. Und zugleich ja, denn wenn ein Hype entsteht und eine Blase sich aufbläht, werden alle objektiven Maßstäbe außer Kraft gesetzt. Dann wird gezahlt, und zwar nicht nach objektivem Wert, sondern je nachdem, was einem »die Sache wert ist«. Als ich mit Hans vor dem bambusumstandenen Haus in Greenwich/Connecticut stand, gab es für mich keinen Zweifel: Weder objektiv noch subjektiv war es zwei Millionen wert.

Aber der Preis war gezahlt worden. Bei einem Hype zählt eben nur die »normative Kraft des Faktischen«. Über ein Jahrzehnt lang hatten sich die Amerikaner dem Hype der Immobilien hingegeben, und da Preise mit der Nachfrage steigen, kletterten sie in absurde Höhen, die unter normalen Umständen kein Mensch zu zahlen bereit gewesen wäre.

Eine Blase ist ein Ausnahmezustand, dem sich keiner entziehen kann und will. Was der Nachbar tut, das tue ich auch, und am besten setze ich noch eins drauf! Dabei handelt es sich nicht in erster Linie um ein ökonomisches, sondern um ein psychologisches Phänomen, bei dem allerdings die Politik, wie gezeigt, kräftig nachgeholfen hat – und zwar mehr, als ich ursprünglich vermutet habe.

Wer mich ein wenig kennt, weiß um meine Bewunderung für die Amerikaner. Seit meiner Jugend hatte mich ihr Freiheitswille beeindruckt, der sich wie bei allen angelsächsischen Ländern auch in der Liberalität des Arbeitsmarktes niederschlug. Wo Wettbewerb und Eigeninitiative nicht wie bei uns durch künstliche Fesseln niedergehalten wurden, wuchs die Wirtschaft wesentlich schneller und schuf infolgedessen mehr Arbeitsplätze, wodurch die Arbeitslosenrate auf ein Drittel des bei uns üblichen Standes gesenkt wurde. Je stärker Amerika in den neunziger Jahren prosperierte, umso größer wurde meine Bewunderung.

Leider hat meine positive Einstellung durch die Krise einen schweren Dämpfer erhalten. Mein Fehler bestand darin, den Aufschwung dieser Volkswirtschaft hauptsächlich auf die Liberalisierung des Arbeitsmarktes zurückzuführen. Diese hatte zwar tatsächlich einen großen Anteil daran, aber entscheidend wirkte sich ein anderer Faktor aus. Den eigentlichen Kraftstoff dieser gewaltigen Konjunkturlokomotive, die die ganze Welt mitzog, bildete eine Niedrigzinspolitik, die ich nachträglich als unverantwortlich bezeichnen muss. Ein Großteil des Reichtums, der die Welt blendete, wurde nicht erwirtschaftet, sondern mit künstlich verbilligtem Geld erkauft.

Amerikas über viele Jahre betriebene Niedrigzinspolitik war – neben der politischen Entscheidung zugunsten billiger Eigenheime – der Hauptgrund für das Entstehen der Immobilienblase. Und diese expansive Geldpolitik, die von Bill Clinton bis George W. Bush fortgeführt wurde, trägt einen Namen: Alan Greenspan. Der Mann, der fast zwanzig Jahre lang an der Spitze der amerikanischen Notenbank Federal Reserve stand und wie ein souveräner Orchesterdirigent den Ehrentitel »Maestro« trug, erwies sich in der Rückschau als weit weniger virtuos, als man angenommen hatte. Seine Politik bestand im Wesentlichen daraus, billiges Geld in die Märkte zu pumpen.

Rückblickend lassen sich die zahlreichen Krisen, von denen die Weltwirtschaft in den letzten Jahren erschüttert wurde, auch darauf zurückführen: die Asienkrise 1997, die russische Finanzkrise 1998, der Zusammenbruch des *New-Economy*-Marktes 2000, bei dem Internet- und Computerfirmen, die es im Vorjahr noch nicht gegeben hatte, mehr wert gewesen waren als DAX-Unternehmen. Kaum war die Blase geplatzt, kaum waren Milliarden auch an deutschem Anlagegeld verbrannt, senkte Greenspan wieder den Leitzins, innerhalb von drei Jahren von sechs auf ein Prozent.

Als die amerikanische Wirtschaft schließlich zu Beginn dieses Jahrzehnts unübersehbare Erhitzungseffekte zeigte, hätte Greenspan eine Zinserhöhung beschließen müssen. Aber genauso wenig wie in den vorangegangenen Krisen war er jetzt zu einer Dämpfung des Marktes bereit. Im Gegenteil, er weitete die Geldmenge immer mehr aus. Wenn das Land frische Liquidität benötigte, ließ er einfach Geld drucken.

»Nachdem die Dollar-Geldmenge (die für den Geldmarkt zur Verfügung stand) im Oktober 2005 erstmals die Menge von 10 Billionen Dollar überschritten hatte« – so die deutsche Mittelstandszeitschrift *P.T. Magazin* –, beschloss die Fed einfach, »die seit 1959 regelmäßig publizierte Geldmenge nicht mehr veröffentlichen zu wollen«. Das bedeutete unter anderem, dass Gläubiger außerhalb der USA die Verluste nicht mehr einschätzen konnten, die ihnen durch die Dollarinflation entstanden.

Da sich aber die Konjunktur weiterhin positiv entwickelte, ließ man den »Maestro« schalten und walten, ja man schrieb ihm sogar, da nach jeder Krise eine Erholung erfolgt war, fast magische Kräfte zu. Wenn Greenspan den Mund aufmachte, hielten die Börsen den Atem an. Außerdem schien Amerika, im Gegensatz zu Europa, kaum nennenswert unter Inflation zu leiden, was auf viele Ursachen zurückgeführt wurde. Die eigentliche Ursache aber blieb, wie noch zu zeigen sein wird, unbemerkt.

Ein kleiner Exkurs sei an dieser Stelle gestattet: Auch wenn das in Deutschland nicht gerne gesehen wird, hängen Inflation und Lohnpolitik eng zusammen. Von Befürwortern steigender Löhne wird oft ins Feld geführt, dass diese Kosten nur einen relativ kleinen Anteil an der Gesamtkalkulation eines Unternehmens ausmachen. Doch das liegt allein daran, dass die Produktion meist auf fertigen Teilen basiert, die nur im Materialkostenanteil erscheinen. Je mehr man also fertig einkauft, umso geringere Personalkosten fallen an – scheinbar.

In Wahrheit sind die Personalkosten im Preis der angelieferten Werkstücke bereits enthalten – und das, was dem Unterlieferanten an Material geliefert wurde, war ebenfalls schon mit Lohnkosten belastet, genau wie die Rohstoffe, die zuvor lohnintensiv aus der Erde gefördert wurden. Der Personalkostenanteil ist in einer Volkswirtschaft weit höher als angenommen und übt einen kaum bemerkten, aber umso größeren Einfluss auf die Inflation aus.

Nun hat Amerika den großen Vorteil, über einigermaßen vernünftige Gewerkschaften zu verfügen. Bekanntlich geht dies auf einen landesweiten Fluglotsenstreik zurück, den Präsident Reagan 1981 beendete, indem er ohne weiteres über 11 000 Streikende an die Luft setzte. Vorübergehend wurde die Luftwaffe mit deren Aufgaben betraut, bis neue Leute eingestellt werden konnten, von denen es genug gab. Mit Reagans Befreiungsschlag – einen ähnlichen stellten seine drastischen Steuersenkungen dar – nahm auch die seit Jimmy Carter notleidende Wirtschaft wieder

Fahrt auf, und die Gewerkschaften, deren Mitglieder vom Boom profitierten, nahmen eine verantwortlichere Haltung ein. Durch moderate Lohnabschlüsse konnte die Inflation niedriger gehalten werden, als es der boomenden Konjunktur entsprochen hätte – jedoch nicht so niedrig, wie offiziell angegeben.

Zu den Dämpfern, die meine Amerikabegeisterung in den letzten Jahren erhalten hat, trug auch die Einsicht bei, dass die US-Inflationszahlen getürkt waren. Dies konnte deshalb unentdeckt bleiben, weil es zwar stets einen Warenkorb gab, der als Grundlage für das allgemeine Preisniveau diente, der Inhalt dieses Warenkorbs aber nicht konstant blieb. Um die gewünschten Ergebnisse zu erzielen, änderte man ihn nach Belieben.

Teure Güter wurden durch billige ersetzt, weil man vom Verbraucher preisbewusstes Einkaufen erwartete. Güter, deren Preis gleich blieb, wurden als inflationsmindernd eingestuft. Hatte beispielsweise ein Handy seinen Preis gehalten, wurde dies als Verbilligung registriert, weil es im Vergleich zu seinem Vorgänger über mehr Funktionen verfügte: Man zahlte zwar das Gleiche, so hieß es zur Begründung, aber dafür kriegte man mehr. Reale Preissteigerungen, die man als Konsument etwa bei Gemüse, Obst oder Fleisch nur zu deutlich erfahren musste, wurden dadurch kompensiert.

Gerne wurden auch neue Produkte in den Warenkorb aufgenommen, etwa ein Laptop, dessen enormer Anfangspreis von mehreren Tausend Dollar rapide sank, während seine Leistungsfähigkeit ebenso rapide stieg, wodurch sich erhebliche Inflationsabzüge errechnen ließen. Dabei wurde übersehen, dass Jahre zuvor niemand auch nur einen Cent für einen Laptop ausgegeben hatte, weshalb der Vergleichsmaßstab fehlte. Nebenbei machte der Preissturz bei Hightech-Produkten die täglichen Aufwendungen der Normalverbraucher keinen Deut billiger. Durch solche Manipulationen wurde, laut *P.T. Magazin*, »seit Mitte der

1990er Jahre die Inflationsrate systematisch um etwa drei bis acht Prozent heruntergerechnet«.

Durch die unablässig eintreffenden *good news* von der Inflationsfront, hinter denen sich tatsächliche Preissteigerungen verbargen, ließ sich Greenspan nur zu bereitwillig in seiner Niedrigzinspolitik bestätigen. Denn wo es keine Inflation gab, musste auch kein Zinssatz erhöht, keine heißlaufende Konjunktur gebremst werden. Ob er den Warenkorbtrick kannte, weiß ich nicht. Vielleicht wollte er auch nicht so genau wissen, wie das *Bureau of Labour Statistics* zu seinen Zahlen kam, sonst hätte er ja seinen Geldhahn zudrehen müssen.

Noch schwerer als die Fälschung der Inflationswerte wog die des Bruttoinlandsprodukts (BIP), das sich aus dem Wert der verkauften Waren und Dienstleistungen errechnet. Aussagekräftig wird das BIP jedoch erst, wenn man es um die aktuelle Inflation »bereinigt«, da die gestiegenen Preise ja keiner realen Leistung entsprechen. Also muss man sie abziehen, damit man sehen kann, ob die Volkswirtschaft wächst, stagniert oder schrumpft. Wird eine zu niedrige Inflationsrate angegeben, erscheint deshalb auch das BIP zu positiv. So wird der Geldwertverlust verschleiert und die Produktivität nach oben geschönt. Eigentlich hätte Greenspan das sehen müssen, aber seine Zinssenkungspolitik ließ eher das Gegenteil vermuten – dass alles in bester Ordnung war und dass es für das Ausland kaum Risiko bedeutete, sein Geld in Amerika anzulegen.

Auch auf andere Weise wurde der Leistungsindikator BIP manipuliert: Während meiner Zeit bei IBM haben wir unser Geld mit dem Verkauf und der Vermietung von Soft- und Hardware verdient. Als Hardware nicht mehr so einträglich war, kam uns die Idee, unseren Kunden ihre Datenverarbeitungsabteilungen abzukaufen und in ihrem Auftrag zu betreiben. Dasselbe konnte man sich mit anderen Abteilungen vorstellen, etwa Programmierung oder Organisation, deren Personalstärke bei Großunternehmen wie zum Beispiel Conti in die Tausende geht. Diese Idee, die von der Gesamt-IBM übernommen wurde, heißt heute *Outsourcing* und erfreut sich großer Beliebtheit.

Wie hängt dieses Auslagerungsmodell mit der Verfälschung des BIP zusammen? Nun, die Arbeit, die zuvor etwa bei Conti geleistet wurde, tritt nach dem *Outsourcing* erstmals als Umsatz auf. Ohne dass auch nur die geringste Zusatzleistung erbracht wird, erscheint der Umsatz der IBM-Deutschland um genau den Betrag höher, den Conti ausgelagert hat, während der Umsatz von Conti selbst nicht zurückgegangen ist. Dort sind nur die Kosten gesunken.

Prinzipiell habe ich nichts gegen dieses Geschäftsmodell einzuwenden, das für viele Firmen von Vorteil ist. Problematisch wird es nur, wenn dann die Statistiker kommen und wunderbare Umsatzvermehrungen feststellen. Da in Amerika seit langem in gigantischem Ausmaß *outgesourced* wird, und zwar nicht nur die Datenverarbeitung, sondern praktisch alle denkbaren Abteilungen, ist durch das ständig wachsende BIP eine Scheinproduktivität entstanden, der in der Wirklichkeit kein echtes zusätzliches Wachstum entspricht. Aus Wind wurde Mehrwert.

Steht nun eine *outsourcing*-intensive Wirtschaft wie die amerikanische im Vergleich mit einer anderen, in der, wie in der deutschen, diese Methode noch nicht so umfassend angewandt wird, ergeben sich für Letztere Nachteile, die zwar nur auf dem Papier existieren, aber im realen Geschäftsleben viele tatsächliche Nachteile mit sich bringen – etwa weil ein Investor sein Geld lieber dort anlegt, wo es mehr Wirtschaftswachstum und weniger Inflation gibt.

Natürlich stellt sich auch hier die Frage, ob Fed-Chef Greenspan das alles gewusst hat. Wenn ja, hat er sich jedenfalls nicht in seinem Kurs beirren lassen. Denn solange offiziell das Wachstum hoch und die Inflation niedrig waren, schien es keinen Grund zu geben, dem Markt die nötige Liquidität vorzuenthalten. Dank Greenspan fiel der amerikanische Zinssatz, wie Wasser in einem Springbrunnen, Stufe um Stufe nach unten, bis er im Sommer 2003 auf einen historischen Tiefstand von einem Prozent sank. Dass es irgendwann zum großen Wirtschaftskrach kam, lag daran, dass gleichzeitig eine ganze Reihe solcher Luftschlösser zusammenbrachen. Als Greenspan zu spät die Notbremse zog und die Zinsen anhob, konnten plötzlich die vom billigen Greenspan-Geld abhängigen *subprime*-Kunden ihre Kredite nicht mehr zurückzahlen. Die Immobilienblase platzte, und die Banken saßen auf Milliardenschulden, die sie in ihrer Existenz bedrohten.

Weit weniger spektakulär vollzog sich das Platzen einer anderen Blase, die ebenfalls durch billiges Geld überdehnt worden war: die *Leasing*-Blase. Bekanntlich kaufen die Amerikaner auch ihre Autos auf Pump. Das heißt, sie *leasen* sie, und wenn das Mietverhältnis abgelaufen ist, geben sie den benutzten Wagen zurück. Dieses System, bei dem man auch ohne das nötige Kleingeld in den Genuss eines Autos kommt, hat mich schon bei meinem ersten USA-Aufenthalt beeindruckt. Zusammen mit einem Freund leaste ich 1964 einen nagelneuen Plymouth Valiant für nur 99 Dollar im Monat, worauf wir ohne Kilometerbeschränkung durch das Land der unbegrenzten Möglichkeiten tourten – 45 000 Meilen in sechs Monaten. Heute kann man seinen Wagen für diese Summe nicht einmal drei Tage im Parkhaus abstellen.

Das Leasing-Geschäft funktionierte, solange die von den amerikanischen Autofirmen gegründeten Banken, die die Verträge finanzierten, einen gewissen Restwert der zurückgegebenen Autos erlösen konnten. Als infolge der Krise die Leasingverträge nicht mehr bedient wurden, bekamen die Banken zwar ihre Autos zurück, wurden sie aber nicht mehr los, weil zwischenzeitlich auch der Automobilmarkt zusammengebrochen war. Für die Banken ein Alptraum: Neben den Millionen unverkaufter Häuser hatte sich ein Millionenheer unverkäuflicher Autos angesammelt.

Die dritte Blase, weniger auffällig als die anderen, aber ebenso fatal für die Volkswirtschaft, entstand durch die Kreditkarten. Viele Amerikaner bezahlen ja bevorzugt mit ihrer *credit card* – und zwar nicht, weil sie wie die Deutschen gern ohne Bargeld ausgehen oder Meilen sammeln, sondern weil sie ab dem 20. des Monats darauf angewiesen sind, das nötige Geld von der Bank vorgestreckt zu bekommen. Während die Kreditkarte bei uns eher als »Debit«-Karte benutzt wird, liegt für die Amerikaner die Betonung auf »Kredit«.

Deshalb ist es auch nicht nur ein Statussymbol, wenn beim Bezahlen das Portemonnaie aufgefaltet und die bunte Kartensammlung präsentiert wird, die ihnen, ausgestellt von allen möglichen Banken, Clubs, Kaufhäusern und Tankstellen, ein Leben auf Pump ermöglicht. Auf einen amerikanischen Haushalt kommen heute durchschnittlich zwölf solcher Plastikchips, womit der Durchschnittsamerikaner über einen Kreditrahmen von immerhin 18 000 Dollar verfügt. Heute befürchten viele, dass es auch zu einem Platzen der Kreditkartenblase kommen wird – es ist nur eine Frage der Zeit, wann die Banken die durch Kreditkarten verursachte Schuldenlast von rund einer Billion Dollar nicht mehr bewältigen können.

Meine erste Kreditkarte ließ ich mir 1969 in München von American Express ausstellen, und zwar nicht, weil ich mein Portemonnaie auffalten und sie als Statussymbol präsentieren wollte, sondern weil ich auf meinen Amerikareisen nicht ohne auskam: Wollte ich in ein Hotel einchecken, verlangte man kategorisch die *credit card*. Wer nicht damit dienen konnte, wurde schief angesehen und musste die Übernachtung im Voraus bezahlen. Wollte man eine größere Anschaffung mit Bargeld begleichen, löste man dieselbe Misstrauensattacke aus, im schlimmsten Fall wurde man für einen Dealer oder Mafioso gehalten. Mit anderen Worten: Wer keine Kreditkarte besaß, konnte über keinen Kredit verfügen, und wem das in Amerika passierte, der war entweder ein Gauner oder ein armes Schwein.

Eine andere Methode, problemlos an einen zinslosen Kredit zu kommen, besteht in der Scheckzahlung, da es erfahrungsgemäß einige Tage dauert, bis der Scheck den Adressaten und dieser die Bank erreicht, auf deren Konto der Scheck einzulösen ist. Ob für Miete, Wasser, Strom oder ausstehende Ratenzahlungen, immer bietet sich ein Scheck an, um wenigstens ein paar Tage Zeit zu gewinnen. Eine der in den USA oft verwendeten unglaubwürdigen Aussagen ist neben *»Darling, I promise to make love to you in the morning«* und *»I come from headquarters and I want to help«* der Satz: *»The check is in the mail!«*

Zwar spiegelten diese vielfältigen Kreditmöglichkeiten dem Durchschnittsamerikaner einen Reichtum vor, über den er nur dank der Banken verfügte – doch andererseits erwies sich dieses System als die beste Methode, den Konsum anzukurbeln, der nun einmal das Rückgrat einer gesunden Wirtschaft bildet. Konsum gehört in Amerika nicht nur zu den Notwendigkeiten, die für eine bestimmte Lebensweise unabdingbar sind, sondern scheint geradezu diese Lebensweise selbst zu verkörpern. Entsprechend legen die Amerikaner ihr Geld nur ungern auf die hohe Kante. In den Boomjahren verzeichnete die US-Statistik teilweise eine negative Sparquote, zwischen 2005 und 2007 lag sie um null. Dagegen tragen die Deutschen über zehn Prozent ihrer Einkünfte auf die Bank.

Natürlich lag der rigorosen, auf Krediten basierenden Konsumlaune der Amerikaner eine Voraussetzung zugrunde, die man jahrelang ignoriert hatte, bis sie sich von selbst mit alarmierenden Symptomen zurückmeldete. Damit komme ich auf »Maestro« Greenspan zurück. Dank der raffiniert kleingerechneten Inflationsraten fühlte er sich zu einer Niedrigzinspolitik ermuntert – ich unterstelle einmal, dass nicht umgekehrt die Niedrigzinspolitik zum Herunterrechnen der Inflationsraten ermunterte –, die wiederum die erwähnte Konsumfreude seiner Landsleute in schwindelerregende Höhen trieb. Womit die Blase da war.

Generell zwingt die Inflationsstatistik jede Regierung, den Geldhahn zuzudrehen, wobei sie als Nebenwirkung sinkende Popularitätswerte in Kauf nehmen muss: Höhere Zinsen haben immer etwas Unpopuläres, Spielverderberisches an sich. Was man sich gestern noch leisten konnte, rückt plötzlich außer Reichweite. Doch wenn sich eine Regierung diesem Sachzwang verweigert, kommt es zu unliebsamen Nebeneffekten. So konnte man in den letzten Jahren in Argentinien beobachten, wie das dort herrschende Ehepaar Kirchner systematisch die Inflationsraten nach unten manipulierte, um das Scheitern der eigenen Wirtschaftspolitik nicht eingestehen zu müssen. Natürlich half es nichts, denn Wähler lassen sich zwar täuschen, die reale Wirtschaftslage jedoch nicht. Inzwischen ist auch die argentinische Blase geplatzt – und die Bevölkerung hat die Folgen zu tragen.

Um es deutlich zu sagen: Ich messe der Kontrolle der Inflation entscheidende Bedeutung bei. Nicht nur, weil wir Deutschen mehrmals Bekanntschaft machen mussten mit einer außer Kontrolle geratenen Inflation, sondern weil diese Kontrolle aus sozialen Gründen einfach unverzichtbar ist. Wenn Ex-Bundeskanzler Helmut Schmidt einmal behauptete, fünf Prozent Inflation seien nicht so schlimm wie fünf Prozent Arbeitslosigkeit, war das falsch, ja verantwortungslos. Hier handelt es sich nämlich nicht, wie er unterstellte, um Alternativen – vielmehr hängen Inflation und Arbeitslosigkeit untrennbar zusammen: Länder, die ihre Inflation erfolgreich unter Kontrolle halten, können mit niedrigen Arbeitslosenzahlen aufwarten, während alle Experimente, über ein Anheizen der Inflation neue Arbeitsplätze zu schaffen, zum Scheitern verurteilt sind.

Warum halte ich Inflationskontrolle für ein eminent soziales Anliegen – und entsprechend jede Inflationsverharmlosung für verantwortungslos? Schlicht und einfach deshalb, weil keine Bevölkerungsgruppe mehr unter der Geldentwertung leidet als die »kleinen Leute«. Menschen, die keine Immobilien oder Güter besitzen, sind zum Überleben nun einmal auf Bargeld angewiesen, dessen Wert von der Inflation abhängig ist. Wenn die Inflation steigt, steigt der Preis des Hauses, das man besitzt, aber eben auch der Preis der Lebensmittel, die man nicht besitzt. Und wer nichts hat, leidet am meisten.

Auch für Deutschland gilt: Die beste Sozialpolitik besteht darin, die Inflation so niedrig wie möglich zu halten. Wer etwa die Mehrwertsteuer erhöhen will, betreibt unsoziale Politik zulasten jener, die einen Großteil ihres Einkommens für den täglichen Konsum brauchen. Deshalb gilt es auch als Hauptverdienst der brasilianischen Präsidenten Cardoso und Lula, den Innenwert der Landeswährung Real relativ stabil gehalten und damit die unteren Bevölkerungsschichten vor Teuerung geschützt zu haben.

Wenn aber Inflation solch gewaltige gesellschaftspolitische Flurschäden anrichtet, gibt es dann überhaupt jemanden, der von ihr profitiert? Ja, einen gibt es: den Schuldner. Und in unseren Tagen ist das hauptsächlich der Staat. Wer Geld geliehen hat, freut sich natürlich, wenn er Tag für Tag weniger davon zurückzahlen muss. Hat er, wie etwa die Vereinigten Staaten, mit 11,5 Billionen Dollar – das sind über achtzig Prozent des jährlichen BIP – den größten Schuldenberg der Welt angehäuft, freut er sich umso mehr.

Viele deutsche Politiker und Wirtschaftswissenschaftler, die statt auf nötige Reformen lieber auf neue Ausgaben setzen, plädieren für eine Mehrwertsteuererhöhung, weil sie bereits den Nebeneffekt der Inflation ins Kalkül ziehen. Man macht Schulden, doch zugleich verringert man sie »inflationsbedingt«. Als ich dem »Wirtschaftsweisen« Manfred Bofinger in der TV-Sendung *Was erlauben Strunz* die Frage stellte, wie man jemals den wachsenden Schuldenberg zurückzahlen kann, antwortete der gewerkschaftsnahe Ökonom: »Da wachsen wir doch raus ...« Auf die Präzisierung »... durch die Inflation« hat er wohlweislich verzichtet.

Möglicherweise hat Alan Greenspan das genauso gesehen. Doch bis heute weigert er sich, die Wirtschaftskrise mit seiner Politik des billigen Geldes und der getürkten Inflations- und Produktivitätsstatistik in Verbindung zu bringen. Ein wenig erinnert er mich an den DDR-Wirtschaftsminister Günter Mittag, der seine Politik ebenfalls auf fiktiven Annahmen basieren ließ, was man auch mit dem Ausdruck »sich in die eigene Tasche lügen« umschreiben kann. Als Mittag 1988 voll Stolz die Anzahl der in der DDR produzierten PCs bekanntgab, die bei 20 000 lag, griff er zu dem Zaubermittel, der Zahl eine Null anzuhängen, womit er nicht nur Ansehen und Kreditwürdigkeit des Staatsunternehmens Robotron schlagartig erhöhte, sondern auch einen Anschluss an die West-Technologie fingierte, den es in Wahrheit nicht gab. Erst nach der Wende fiel sein Lügengebäude in sich zusammen.

Heute wissen wir, dass auch die Wirtschaft der USA bei weitem nicht so positiv zu bewerten war, wie es statistisch ausgewiesen wurde, dass die Niedrigzinspolitik also auf tönernen Füßen stand. Alan Greenspan will das nicht wahrhaben. »Die Fed hat die Immobilienblase nicht verursacht«, schrieb er im Frühjahr 2009 dem *Wall Street Journal*, sondern eine »spekulative Euphorie«, die nicht etwa durch den Niedrigzins der Notenbank, sondern durch die niedrigen Hypothekenzinsen ausgelöst wurde, an denen er aber keine Schuld trüge. Doch selbst diese seien nicht hauptursächlich für die Katastrophe, sondern das »Wirtschaftswachstum Chinas« und, so seine dunkle Formulierung, »globale Mächte jenseits der Kontrolle einheimischer Geldpolitik«. Mit anderen Worten: Das Ausland war's.

Vielleicht hätte Greenspan bei der Beurteilung der wirtschaftlichen Lage Amerikas tatsächlich mehr auf das Ausland blicken sollen – vor allem auf die einschlägigen Erfahrungen in Fernost, von denen selbst ein Fed-Chef mit der Aura der Unfehlbarkeit noch etwas hätte lernen können. Ich spreche von Japan und der dortigen Immobilienblase, die ich zu Beginn dieses Kapitels erwähnt habe.

Mein Sohn Hans hat im Sommer 2009 an der Uni Tübingen eine Diplomarbeit über die japanische Krise eingereicht, die er als »Lehrstück für Deutschland« verstanden wissen will. Durch seine Studie habe ich unter anderem erfahren, dass die Japaner – in Erinnerung an das Motto, mit dem der neue Kaiser Akihito 1989 seine Regierungszeit begann – ihrer schweren, das Land jahrelang lähmenden Rezession den Namen »Heisei« verliehen haben. »Heisei« heißt »Friede und Erfolg«. Ob man Japanern einen europäischen Sinn für Humor unterstellen kann, weiß ich natürlich nicht.

Durch Hans' Arbeit lernte ich, wie verblüffend ähnlich sich die japanischen und die amerikanischen Blasen entwickelt hatten. Die Symptome waren dieselben, und auch die Ursachen glichen einander. Ausgangspunkt des »Heisei«-Hypes war eine 1985 erfolgte Aufwertung des Yen gegenüber dem Dollar, die, infolge des massiven Ankaufs von Immobilien und Aktien, zu enormen

Preissteigerungen führte. Da sich dadurch japanische Exportgüter verteuerten, erlebte die exportabhängige Wirtschaft einen Abschwung, der zu Gewinneinbrüchen führte.

Alarmiert durch diese Negativentwicklung, ging die Regierung zu einer Niedrigzinspolitik über, durch die sich der Diskontsatz langfristig halbierte. Sogleich wurde, wie man sich denken kann, die Kreditnachfrage ausgeweitet, die Geldmenge jährlich um zehn Prozent erhöht. Da gleichzeitig den Unternehmen erlaubt war, Beteiligungen zu ihrem Marktwert und nicht wie bei uns üblich zum Niederstwert zu bilanzieren, ergab sich das trügerische Bild einer positiven Entwicklung, das wiederum die Kreditnahme erleichterte. Zwischen 1986 und 1990 erlebte die japanische Wirtschaft ein gewaltiges Wachstum, dessen Profite erneut in Immobilien und Aktien flossen. Die Preise gingen durch die Decke, was, wie eingangs beschrieben, zu den absurdesten Konsequenzen führte.

Bald hing die gesamte Konjunktur am Zustand des ins Wahnwitzige übersteigerten Immobilienmarktes. Als die Regierung, »um die Euphorie auf den Märkten einzudämmen«, wie sie es ausdrückte, erst die Mehrwertsteuer und dann den Leitzins erhöhte, wuchs die Blase zwar weiter, hatte aber einen winzigen Nadelstich bekommen – es folgte kein Knall, sondern ein kontinuierliches, in der Summe gewaltiges Schrumpfen. Der Nikkei-Index, der auf seinem Höhepunkt 1989 fast 40 000 Punkte erreicht hatte, war zehn Jahre später bei 10 000 Punkten angelangt.

Der Rest, möchte man sagen, ist Geschichte. Japan, einst Zugpferd der Weltwirtschaft, hat sich von dieser Immobilienkrise nie erholt. Gegen Nullwachstum und Deflation wurde ein Konjunkturpaket nach dem anderen aufgelegt. Doch schnell erwiesen sich diese als reine Strohfeuer. Aus Verzweiflung verteilte der Staat sogar Gutscheine an die Bevölkerung, um den Konsum anzuregen. Das war auch schon eine Art Abwrackprämie, die es allerdings dem Konsumenten selbst überließ, ob er Fernseher, Kleidungsstücke oder sein Auto abwracken wollte. Aber all diese aktionistischen Maßnahmen und Gedankenspiele waren vergeblich, und die Staatsverschuldung stieg auf das Doppelte des Bruttoinlandsprodukts. Da das Ergebnis des »Heisei«-Hypes bis heute am Nikkei-Index abzulesen ist, erscheint es mir umso erstaunlicher, dass zuerst Amerika und dann die restliche Welt offenen Auges in die gleiche Falle getappt sind.

Während eines Hypes bemerkt natürlich keiner, dass man langsam in eine Falle tappt – vielmehr erfüllt einen das Gefühl des wachsenden Erfolgs, des allgemeinen Aufstiegs in ungeahnte Wohlstandshöhen. Diese sukzessive Bewegung gleicht dem Aufstellen wackeliger Dominosteine. In den USA waren auf den ersten Stein, den ich in Jimmy Carters philanthropischem Eingriff in das Finanzwesen sehe, zahlreiche weitere gefolgt, die mit den Namen der jeweiligen Präsidenten verbunden sind. Besonders ragen zwei Dominosteine aus der unübersehbar langen Kette heraus, die ebenfalls durch staatliche Maßnahmen gebildet wurden.

Ich spreche von »Freddie Mac« und »Fannie Mae«, deren verspielte Namen Abkürzungen sind von Federal Home Loan Mortgage Corporation und Federal National Mortgage Association. Ehrlich gesagt, hatte ich bis zu dieser Krise fest geglaubt, dass die großen Hypothekenbanken in den USA rein privatwirtschaftlich organisiert sind. In diesem Land, das für mich Vorbild und Inbegriff einer freiheitlichen Marktwirtschaft war, konnte ich es mir einfach nicht anders vorstellen.

Nicht nur in diesem Punkt habe ich umlernen müssen. Beide Organisationen, so erfuhr ich, hatten zwar eine private Rechtsform, wurden aber nach Vorgaben der Regierung als *government sponsored enterprises*, als gemeinwirtschaftliche Unternehmen, geführt. Deren Gründung war nötig geworden, weil der Druck auf die Banken, *subprime*-Kredite zu geben, offenbar nicht genügt hatte, um alle Institute zum Mitspielen zu bewegen. Aufgabe der Organisationen sollte es sein, Kreditansprüche von Hypothekenbanken zu erwerben und das damit verbundene Risiko zu verstaatlichen, soweit es ein bestimmtes, großzügig definiertes Maß nicht überstieg.

Da Freddie und Fannie im Fall von Liquiditätsproblemen auf eine Kreditlinie des amerikanischen Finanzministeriums zurückgreifen konnten, erhielten sie erstklassige Bonitätsbewertungen. Um nicht auf den Risiken, die sich über Nacht in Schulden verwandeln konnten, sitzenzubleiben, wurden die in ihren Sammelbecken zusammengelaufenen Kreditansprüche verbrieft und, wie bei allen Hypothekenbanken, als zinsbringende Wertpapiere auf den Markt geworfen. Als es zum Crash kam, saßen die beiden Staatsunternehmen auf Krediten im Wert von fünf Billionen Dollar – knapp die Hälfte des jährlichen Bruttosozialprodukts der USA.

Wie funktionierte diese Verbriefung? Kurz gesagt, die Hypotheken wurden in Risikoklassen eingeteilt und in verzinsliche Wertpapiere umgewandelt, die mit *ratings* versehen wurden. »Ratings«, so definierte es der Chef der Agentur Moody's, »sind unsere Sicht der Wahrscheinlichkeit, dass eine Schuld rechtzeitig und in voller Höhe zurückgezahlt wird.« Dabei brachten die besonders wertvollen Immobilien mit hohen Ratings naturgemäß weniger Zinsen als die riskanten *subprime*-Kredite von fragwürdiger Provenienz. Doch aus Sicht der Käufer waren selbst die riskantesten Papiere noch attraktiv: Sie trugen zwar kein *triple A (AAA)*, wie die Bestnote lautete, sondern nur ein *double A (AA)* oder *A plus*, brachten dafür aber höhere Zinsen.

An sich hatte man es also mit einem durchschaubaren System zu tun, wenn auch mit lotteriemäßigem Einschlag. Die individuelle Abstufung der Risiken ließ sich an den Papieren ablesen – je schlechter das Rating, umso höher die Zinsen. Wirklich problematisch wurde es erst, als man die einzelnen Papiere zu mischen begann und Papieren mit guten Ratings schlechtere und auch ganz schlechte zur Seite stellte, womit, so glaubte man zumindest, die allgemeinen Risiken einigermaßen austariert waren. Die so entstandenen *asset backed securities* (ABS), zu Deutsch »forderungs-« oder »anlagebesicherten Wertpapiere«, hinter denen immerhin *assets*, also Vermögenswerte standen, brachten für den Emittenten den Vorteil, dass am Ende niemand mehr durchschauen konnte, wie viel Wert die gesammelten Anlagen eigentlich hatten, wie viel Risiko also tatsächlich in einem Wertpapier steckte.

Gerade die großen amerikanischen Rating-Agenturen Moody's, Standard & Poor's und Fitch zogen letztlich viel Kritik auf sich, ja sie wurden sogar als die eigentlich am Zusammenbruch Schuldigen ausgemacht. Und da ihre Bewertungen die Grundlage für alle wichtigen Kaufentscheidungen bildeten, übten sie tatsächlich einen enormen Einfluss aus. Der Verdacht lag nahe, dass sie diesen Einfluss missbraucht hatten, und dieser Vorwurf schien angesichts der massenhaft missglückten Ratings durchaus plausibel.

Vor einigen Jahren bin ich selbst in Kontakt mit einer US-Rating-Agentur gekommen. Damals rief mich der deutsche Statthalter einer der »Großen Drei« an, sein *Chairman* würde gerne ein Gespräch mit mir führen. Bei unserem Treffen in Deutschland eröffnete mir der Aufsichtsratsvorsitzende dann, dass sein Gremium sich um einen Ausländer erweitern wolle und Interesse an mir geäußert hätte. Ich schwankte, ließ mich aber zu einer Einladung in die Konzernzentrale überreden.

Mein Interesse, den Laden einmal von innen kennenzulernen, war natürlich groß. Seit langem war mir die Bedeutung der Rating-Agenturen auch für deutsche Firmen bekannt. Alle Unternehmen, in deren Aufsichtsrat ich sitze, pflegen bei den Präsentationen ihres Jahresgeschäfts neben Umsatz und Gewinn auch auf das Rating zu verweisen, das ihnen aus Amerika zugeteilt wird. Was vor zehn Jahren noch völlig unüblich war, gehört heute zu den wichtigsten Informationen. Ein gutes Rating ist wie ein Orden, den sich ein Unternehmen an die Brust heften kann.

Gespannt betrat ich den verglasten Wolkenkratzer in New Yorks *Financial District* und bemerkte sofort, dass eine solche Agentur viel größer war und auch deutlich mehr Personal beschäftigte, als ich mir vorgestellt hatte. Das wiederum hing damit zusammen, dass von den Tausenden Mitarbeitern weitaus mehr *geratet* wurde als nur Wertpapiere, *asset backed securities* oder Unternehmen. Wie man mir nicht ohne Stolz erzählte, wurde hier die Kreditwürdigkeit ganzer Länder, übrigens auch der einzelnen deutschen Bundesländer und ihrer Landesbanken, mit Noten versehen. Mir kam es allerdings etwas arrogant vor, dass eine in New York ansässige Privatfirma auf diese Weise über Wohl und Wehe von Volkswirtschaften entschied.

Schnell wurde mir klar, dass sich hinter der unscheinbaren Fassade einer Rating-Agentur geballte politische und wirtschaftliche Macht verbirgt, die durch Notenvergabe globalen Einfluss ausübt. Während der Führung spürte ich in mir eine Aversion gegen derlei unkontrollierte Machtausübung aufsteigen, die schließlich durch keinerlei Mandat gedeckt ist. Ob meine Gastgeber wohl wussten, dass ich mich, leider vergebens, als BDI-Präsident für die Einführung einer staatlich betriebenen europäischen Rating-Agentur eingesetzt hatte?

Andrerseits galt: Solange es weder eine europäische noch eine internationale UN-Rating-Institution gab, waren Kreditgeber nun einmal auf private Evaluationen angewiesen. Meine Frage, wer für diese Dienstleistung eigentlich bezahlt, war schnell beantwortet: Niemand anderes als die Firmen selbst, die *geratet* werden, bezahlen die Rechnungen der privaten Agenturen, womit sie, ob gewollt oder nicht, im selben Boot sitzen. Niemanden darf es also wundern, wenn dabei fragwürdige Noten herauskommen. Von einem Mitglied des Hamburger Sportvereins, der das Spiel HSV gegen Werder Bremen pfeift, würde man auch keine objektive Schiedsrichterleistung erwarten. Dabei machen die Ratings nur einen Teil des Agenturgeschäfts aus. Zu den Serviceangeboten gehören Empfehlungen, wie sich ein Unternehmen oder ein Land präsentieren muss, um gute Noten zu erhalten. Obwohl damit theoretisch die Möglichkeit gegeben ist, per Scheckbuch auf die Ratings Einfluss zu nehmen, möchte ich das nicht unterstellen. Als ich mich danach erkundigte, versicherte man mir: »We have Chinese walls« – das heißt, man hatte eine Chinesische Mauer zwischen der beratenden und der benotenden Tätigkeit errichtet. Als ich kurz darauf zum ersten Mal die echte Chinesische Mauer besuchte, fiel mir auf, dass sie zwar sehr lang ist, aber nicht sehr hoch – eine Beobachtung, auf die mich der Banker Andreas Dombret schon früher in einem anderen Zusammenhang hingewiesen hatte. Rückschlüsse auf das Rating-Geschäft lassen sich daraus aber sicher nicht ziehen.

Auch die Mitglieder des Aufsichtsrats lernte ich kennen. Nebenbei bemerkt, gehört es zu den Vorteilen des amerikanischen corporate-governance-Systems, dass es nicht wie bei uns in der alleinigen Macht des Vorstands- oder Aufsichtsratsvorsitzenden liegt, wer neu in das Gremium aufgenommen wird, sondern dass alle Mitglieder des Aufsichtsrats befragt werden und der Neuberufung zustimmen müssen. Bald entwickelte sich zwischen mir und den Aufsichtsräten eine lebhafte Diskussion, bei der ich mit einigen gehörig zusammenrasselte, weil ich kein Hehl aus meiner Meinung über die monopolartige Struktur der Rating-Agenturen machte und Positionen vertrat, die für amerikanische Ohren gewöhnungsbedürftig waren.

Dass ich bald darauf einen Brief bekam, in dem von meiner Berufung Abstand genommen wurde, wunderte mich nicht – eher schon, dass man damit überhaupt auf eine Erweiterung des Gremiums verzichtete. Zuvor war mir nämlich erzählt worden, dass sich die Agentur unbedingt ein internationaleres Profil geben wollte, da in ihrem Aufsichtsrat, trotz ihrer weltweiten Tätigkeit, nur Amerikaner saßen. Mit anderen Worten: Ich wäre der erste Ausländer gewesen – und dass ich es nicht wurde, lag vermutlich daran, dass sie von meinem »internationalen« Blickwinkel bereits genug hatten.

Dennoch möchte ich eine Lanze für die Rating-Agenturen brechen, zumindest was ihre Bewertungskriterien betrifft. Erst durch die Krise wurde mir klar, dass diese Firmen gar nicht leisten können, was man von ihnen erwartet, weshalb die Empörung über ihre Fehler teilweise unberechtigt ist.

Die Basis ihrer Ratings, von denen man sich einen Blick in die Zukunft erwartet, sind ausnahmslos Daten aus der Vergangenheit. Das geht auch gar nicht anders, denn wo sonst sollte eine Agentur Vergleichsdaten auftreiben? Man verfolgt also die *performance* eines Unternehmens oder eines Landes über die Jahre, sammelt alle greifbaren Fakten und zieht daraus eine Bilanz, die zwar auf die Zukunft hin interpretiert werden kann, in Wahrheit aber nur Aufschluss über die Vergangenheit gibt.

Was nun die besagten *asset backed securities* betraf, deren drastischer Wertverlust zu einem ebenso drastischen Ansehensverlust der Rating-Agenturen führte, so basierten deren auffallend positive Benotungen auf der auffallend positiven Preisentwicklung am amerikanischen Immobilienmarkt. Die Daten, die in die Ratings einflossen, spiegelten nur die Euphorie wider, die am Markt geherrscht hatte. Zumindest in diesem Punkt zeigte Greenspan eine gewisse, wenn auch späte Einsicht: »Das moderne Risikomanagement hat jahrzehntelang funktioniert«, schrieb er 2008.

»Aber dann, im letzten Sommer, ist es kollabiert, weil die Risiko-modelle nur mit Daten aus Zeiten der Euphorie gefüttert wur-den.«

Kurz gesagt: Weil sich eine Blase gebildet hatte, inflationierten auch die guten Noten. Das ist verständlich, aber man fragt sich schon, wozu man überhaupt Rating-Agenturen braucht, wenn sie nur wiedergeben, was man ohnehin schon weiß. Und auch die andere Frage muss gestellt werden: Warum haben Banker, die treuhänderisch mit Milliardensummen umzugehen hatten, nichts von dieser Problematik gewusst und blindlings das, was einmal gewesen war, für das genommen, was für die Zukunft galt? Als hieße einmal *triple A* immer *triple A*! Doch wahrschein-lich gehört eine solche Selbsttäuschung zu den Symptomen eines Hypes. Man starrte auf die kompliziertesten Luftschlösser und erblindete dabei für die banale Wirklichkeit.

Vor allem wollte man nicht wahrhaben, dass jederzeit die Möglichkeit eines *worst case scenarios* bestanden hatte. Wie bei allem, was von Menschen geschaffen und betrieben wurde, gab es auch bei Immobilien – das japanische Beispiel zeigte es über-deutlich – die Möglichkeit eines GAUs. Man verließ sich jedoch auf die Ratings, die bei den *asset backed securities* ausgleichend durchmischt schienen: Hatte man sich durchaus vorstellen kön-nen, dass gewisse *subprime*-Objekte dramatisch an Wert verlie-ren – an die Möglichkeit, dass mit einem Schlag alle, also auch die wertvollen Immobilien, in die Knie gehen könnten, hatte keiner gedacht.

Genau das geschah. Das ganze kunstvoll errichtete und aus-tarierte Gebäude brach zusammen. Wie sich zuvor eine Spirale nach oben gebildet und den Wert der Häuser ins Astronomische getrieben hatte, kam es nun zu einer Abwärtsspirale, die sich zudem erheblich schneller bewegte. Der weltweite Hype um die-se seltsamen Mischpapiere hatte mehrere Jahre angehalten – ein paar Wochen genügten, um ihn vollends abstürzen zu lassen. Nebenbei bemerkt, waren die Hauptleidtragenden dieser galoppierenden Wertbriefentwertung zuerst die Reichen. Statistiken zeigen, dass durch die Krise die Anzahl der Millionäre und Milliardäre weltweit gesunken ist, wodurch sich die Schere zwischen Arm und Reich, die sich jahrzehntelang immer weiter geöffnet hatte, wieder merklich schloss.

Dass sich hinter der Blase eine kriminelle Absicht oder gar eine Verschwörung »Amerika gegen den Rest der Welt« verbarg, bezweifle ich. Ich sehe darin auch nicht, wie der *Spiegel* es wortspielerisch nannte, ein »Kapital-Verbrechen«. Es war nicht eigentlich Betrug, was man praktizierte, sehr wohl aber der Versuch, bestehende Risiken weiterzureichen, drohende Schulden auf andere Schultern abzuwälzen und mit Risiko Geld zu verdienen. Es war ja durchaus nicht gesagt, dass die Konstruktion irgendwann zusammenbrechen würde – aber ebenso wenig sicher war, dass sie nicht irgendwann zusammenbrechen würde. Unbemerkt waren Banker, die sich sonst für den Inbegriff von Seriosität gehalten hatten, zu Hasardspielern geworden. Das Wort vom »Kasino-Kapitalismus«, das Hans-Werner Sinns Buch ziert, ist durchaus nicht aus der Luft gegriffen.

Um dieses Risikospiel spielen zu können, wurden in Amerika neben den *asset backed securities* eine Reihe anderer, ebenso schwer durchschaubarer Instrumente erfunden, mit deren Namenskürzeln ich den Leser nicht langweilen will. Von offenem Betrug zu sprechen, halte ich jedenfalls für falsch. Man hat ja nicht aus einem Kredit über fünf Millionen einen Zehn-Millionen-Kredit gemacht. Man ist bei den fünf geblieben, hat allerdings das Risiko, das damit verbunden war, nicht richtig kommuniziert.

Man hat nicht gelogen, aber oft genug über die Wahrheit geschwiegen. Grenzte das schon an Unehrlichkeit, waren auch die angegebenen fünf Millionen nicht mehr wirklich fünf Millionen, sondern nur noch viereinhalb, weil durch die Transaktionen schon diverse Gebühren und Provisionen angefallen waren. Was nach außen wie eine Wertschöpfungskette wirkte, wurde zur Wertvernichtungskette, die nach dem Prinzip funktionierte: je länger die Kette, desto geringer der Wert.

Zu dieser Kette kam es, da die *asset backed securities* wie der Schwarze Peter von Bank zu Bank weitergegeben wurden. Je besser ein Manager einschätzen konnte, mit welchem Risiko diese »Forderungssicherheiten« behaftet waren, umso schneller versuchte er, sie wieder loszuwerden. Sein einziges Problem bestand darin, dass er ein solches Papier niemals an jemanden verkaufen konnte, der genauso viel wusste wie er.

Er musste also jemanden finden, der weniger wusste. Einem solchen potenziellen Käufer sagte er vermutlich nur: Für dieses Papier, mit *AA* geratet, bekommst du drei Prozent Zinsen, du selbst kriegst dein Geld für zwei Prozent, also gewinnst du ein Prozent, und das ist eine gute Marge. Und der Käufer akzeptierte, ohne zu ahnen, dass er damit das Ende einer Kaskade des Nichtwissens bildete und in der Kette der Dummen den vorläufig Dümmsten abgab.

Heute meinen wir zu wissen, dass dieses Spiel irgendwann enden musste. Aber musste es das wirklich? Und vor allem, was ist wirklich verlorengegangen? 1471 Milliarden Dollar, so errechnete die Nachrichtenagentur Bloomberg im Sommer 2009, sind durch die Krise verbrannt worden. Ich halte dagegen: Das meiste ist nicht verlorengegangen – es war nie da. Und die 1471 Milliarden sind auch nicht verbrannt – man ist nur zu der ernüchternden Feststellung gekommen, dass es sie nie gegeben hat.

Es war wie in der Fabel vom Hund, der ein Stück Fleisch im Maul hält. Als er sein Spiegelbild im Wasser sieht und dazu die lockende Verdoppelung seiner Fleischreserve, schnappt er gierig zu – wodurch er gleichermaßen den vorgespiegelten wie den realen Besitz verliert. Ohne Zweifel war es ja reales Geld, das von Klein- und Großanlegern investiert wurde. Aber es wurde in Objekte investiert, deren Wert nur vorgespiegelt war und den alle sich gern vorspiegeln ließen.

Doch im Gegensatz zum Fleischstück des Hundes sind die Objekte nicht verschwunden. Es gab ja weder Krieg in Amerika noch ein landesweites Erdbeben. Die *assets*, deren Wert so dramatisch gefallen ist, sind alle noch da. Die Einfamilienhäuser stehen noch, ebenso die Eigentumswohnungen. Die Bürokomplexe blieben ebenso erhalten wie die Shopping Malls oder die Fabrikgebäude. Das Problem besteht nicht darin, dass sie heute weniger wert sind als früher, sondern dass ihr Wert früher viel zu hoch angesetzt wurde. Sie waren niemals so viel wert, wie man zu Hochzeiten der Blase, im Rausch des Hypes, geglaubt hatte.

Heute sind diese Werte nur auf Normalmaß zurückgeschrumpft – wie die Volkswagenaktie, die 2008 über tausend Euro wert war, weil vielleicht zehn Leute jeweils eine zu diesem Preis gekauft hatten, wodurch der Aktienkurs eben auf diesem Niveau zum Stehen kam. Durch diese kleine Transaktion war Großaktionär Piëch mit seinen drei Milliarden plötzlich sechs Milliarden schwer gewesen, allerdings nur so lange, wie der Kurs Bestand hatte. Sobald er auf Normalwert zurücksank, hatte Piëch einen ebenso großen Verlust zu beklagen. Dennoch würde keiner auf die Idee kommen, von tatsächlich vernichteten Werten zu sprechen.

Deshalb besteht für mich auch ein wesentlicher Unterschied zwischen Werten, die vernichtet wurden, und Werten, die es nie gegeben hat. Bei den Flächenbombardements deutscher Städte im Zweiten Weltkrieg sind Werte vernichtet worden. Ich habe es selbst erlebt, am 26. Juli 1943 in Hamburg, als an der Stelle, wo unser Haus gestanden hatte, nur noch eine rauchende, verkohlte Ruine stand. Damals waren wirklich Immobilien vernichtet und Städte verbrannt worden, von den Hunderttausenden Todesopfern ganz zu schweigen. Wer heute durch Amerika fährt, wird keine verbrannten Städte und zerstörten Häuser sehen. Es ist alles noch da. Und die Millionäre und Milliardäre, die eine Menge Geld verloren haben, haben es nicht wirklich verloren – in Wahrheit sind sie nie so reich gewesen, wie sie geglaubt hatten. Nein, die Häuser stehen alle noch. Nur die Fata Morgana, die uns einen wahnwitzigen Wert vorgegaukelt hatte, ist verschwunden. Und dieses Trugbild war nicht von einer Clique gerissener Manager fabriziert worden – vielmehr war es als Phänomen der Massenpsychologie entstanden, an dem, vom Präsidenten bis zum Slumbewohner, vom Investmentbanker bis zum Immobilien-*flipper*, alle mitgewirkt hatten, weil alle daran glaubten. Alle hoben sie ab, und hinterher folgte der Katzenjammer.

Einen Schuldigen hatte man auch schnell gefunden.

KAPITEL DREI

Der »Schwarze Montag« und die Folgen

Der Banker steht im öffentlichen Bewusstsein als Schuldiger fest. Wer sonst könnte für die Finanzkrise verantwortlich sein? Seine Gier, die von vielen auch noch als Erfolgsrezept gepriesen wird, hat die Welt in den Abgrund gestürzt. Der dümmliche Slogan »Geiz ist geil« empört Deutschlands moralische Elite. Reinhard Marx, Erzbischof von München und Freising, tritt auf die Kanzel: Wenn das »Lob der Gier« gesungen wird, so predigt er, »da müssen wir aufstehen und sagen: Wir lassen nicht zu, dass die Sünde gelobt wird«. Literaturprofessor Jochen Hörisch steht auf und sagt: »Der Kapitalismus ist satanisch.« So einfach ist die Welt.

Als ich kürzlich wieder einmal in Goethes *Faust* las, fiel mir tatsächlich eine Ähnlichkeit auf zwischen dem »teuflischen« Investmentbanker und Goethes zynisch-brillantem Teufel Mephistopheles. Der empfiehlt dem Kaiser, der unter Geldnot leidet, den Druck von Papiergeld, das sich beliebig multiplizieren lässt. »Der Zettel hier ist tausend Kronen wert«, lässt er auf den Geldschein drucken. »Ihm liegt gesichert als gewisses Pfand Unzahl vergrabnen Guts im Kaiserland.« Will sagen, die Schätze, die noch unentdeckt in der Erde schlummern, werden als Sicherheit herangezogen. Das System der wundersamen Geldvermehrung funktioniert, und bald blüht der Handel.

Natürlich wollte Goethe, in dessen Zeitalter das Papiergeld

eingeführt wurde, damit seine Zweifel an diesem System zum Ausdruck bringen. Dieselben Zweifel wären auch im Fall der *asset backed securities* angebracht gewesen. Wie Mephistos Scheinchen behielten auch sie ihren Wert nur so lange, wie die Schätze, in diesem Fall die unzähligen Immobilien und sonstigen Sicherheiten, tatsächlich existierten und einen Wert besaßen. Verloren sie diesen, wurden auch die gedruckten Papiere wertlos.

Dennoch verdammt Goethe seinen Musterteufel nicht, sondern weist ihm eine bedeutende Rolle zu. Gerade weil Mephisto raffiniert und brutal, gierig und neidisch – kurz, ein Ausbund an egoistischen Untugenden – ist, dient er der menschlichen Gesellschaft als wichtiger Ideen- und Anstoßgeber. Ohne seine Dynamik würde sich wenig bewegen. Er sei »ein Teil von jener Kraft«, bekennt Mephisto zähneknirschend, »die stets das Böse will und stets das Gute schafft«. Er folgt nur seiner privaten Gier und bewirkt doch, völlig unbeabsichtigt, gesellschaftlichen Nutzen. So sah es Goethe.

Er war der Erste nicht. Für Adam Smith, den Vater der modernen Ökonomie, gehörte diese Erkenntnis zu den Grundprinzipien der Volkswirtschaft. Der berühmte Satz »*private vices become public benefits*« drückt die Einsicht des Mephisto aus: »Private Untugend bewirkt gesellschaftlichen Nutzen.« Im Gegensatz zu den Gutmenschen unserer Zeit, die jedes Handeln unter den alleinigen Maßstab der Tugend stellen, pries der englische Zeitgenosse Goethes den Eigennutz als Hauptmotor wirtschaftlicher Unternehmungen. Seine anschauliche Erklärung lautete: »Nicht vom Wohlwollen des Metzgers, Brauers und Bäckers erwarten wir das, was wir zum Essen brauchen, sondern davon, dass sie ihre eigenen Interessen wahrnehmen.« Ist dies gewährleistet, so Smith, dann führen die ungezählten egoistischen Unternehmungen nicht ins Chaos, sondern in eine durch Angebot und Nachfrage sich selbst regulierende schöpferische Ordnung.

Prinzipiell erwies sich dies als entscheidender Wegweiser zur modernen Marktwirtschaft, wobei man sehr bald entdeckte, dass man mit Selbstregulierung allein nicht sehr weit kommt. Da jeder Unternehmer am liebsten keinerlei Konkurrenz hätte und deshalb nach Monopolen und Kartellen strebt, die leidige Mitbewerber ausschließen, muss es Regeln geben, die den Wettbewerb garantieren und fair gestalten. Und noch ein Einwand kann Adam Smith entgegengehalten werden: Wenn es nur so wäre, dass Unternehmer strikt dem Eigeninteresse folgen, der berechenbaren »satanischen Gier« also, könnte man die Wirtschaft durch die richtigen Gesetze und Regeln immer am Laufen halten.

Doch oft genug sind die Gestalter des Wirtschaftsgeschehens eben nicht berechenbar. Die Banker haben in den vergangenen Jahren ein auffällig sprunghaftes Verhalten gezeigt. Gewiss, die beliebte Gier war auch dabei. Entscheidend wirkten sich jedoch andere Eigenschaften aus, die weniger mephistophelisch als menschlich, allzu menschlich scheinen.

Wie ich in diesem Buch zeigen werde, konnte sich die Krise auch deshalb ungebremst entfalten, weil sich zu viele Banker von Sorglosigkeit und Selbstüberschätzung, Vertrauensseligkeit und schließlich panischer Überlebensangst leiten ließen – allerdings auch, und zwar vom glorreichen Anfang bis zum bitteren Ende, von regelrechter Dummheit. Ich gebe zu, mir sind Industrielle lieber als Banker und Investmentbanker. Nie würde ich auf die Idee kommen, diese auf eine Stufe mit wirklichen Unternehmern zu stellen – und die Klugen unter ihnen haben diesen Anspruch auch gar nicht. Aber davon später mehr.

Die Bankenkrise in den USA baute sich, wie gesagt, über mehrere Phasen auf – die erste war eher harmlos, ausgelöst durch Gutmenschentum und den *Run* auf billige Kredite. Man hatte den Eindruck, dass die daraus resultierende Finanzkrise nicht allzu dramatisch auf die Realwirtschaft durchschlagen könnte. Ich machte mir auch keine großen Sorgen, dass es wieder zu einem jähen Kursrutsch kommen könnte. Dabei war mir der große Börsencrash vom 19. Oktober 1987 in deutlicher Erinnerung geblieben, jener »Schwarze Montag«, an dem der Dow-Jones-Index um über zwanzig Prozent abgestürzt war. Dreizehn Jahre später, als sich die Zukunftsfantasien vieler Internetfirmen in Luft auflösten, platzte die New-Economy-Blase, und viele deutsche Anleger mussten ihren Ersparnissen nachtrauern. Welterschütternd kam der 11. September 2001, als die Türme des World Trade Centers einstürzten und in der Folge auch die Weltbörsen, die unter den Kriegen, die durch die Terrorattacke ausgelöst wurden, weiter zu leiden hatten. Doch insgesamt war die Bilanz eher ermutigend. Die Wirtschaft hatte sich immer wieder erholt, ihre Verluste wettgemacht. Auch diesmal, so dachte ich, würde es zu Turbulenzen am Geldmarkt kommen – aber mit dem Tsunami, der dann über die Weltwirtschaft hereinbrach, hatte keiner gerechnet.

Dass der 15. September 2008 all diese Unglückstage in den Schatten stellen würde, konnte ich am Morgen dieses Tages nicht ahnen. Gewiss, amerikanische Finanzinstitute waren in Not geraten, an der Wall Street herrschte Krisenstimmung. Aber noch hatte die US-Regierung alles unter Kontrolle. Staatsgeld, so schien es, heilte alle Wunden.

Am Morgen dieses »Schwarzen Montags« – oder war es am Tag danach? – telefonierte ich mit dem Vorstandsvorsitzenden der Deutschen Bank, Josef Ackermann. Wir wollten über die Arbeit im »Konvent für Deutschland« sprechen, der mit seiner Hilfe gegründet worden war, um den blockierten Entscheidungsstrukturen unseres Landes ihre Handlungsfähigkeit zurückzugeben. Ich kannte Josef Ackermann seit langem, hatte ihn in persönlichen Begegnungen und Telefonaten als angenehm ausgeglichenen, ruhigen Zeitgenossen schätzen gelernt. Der Schweizer, der aus einem Bergtal des Kantons St. Gallen stammt, ließ sich durch nichts aus dem Gleichgewicht bringen.

Seit 2006 Kapitän am Ruder der stolzen Deutschen Bank, hatte er so manchen Sturm abgewettert und sich, wie ich finde, sehr couragiert seinen medialen Widersachern entgegengestellt, denen schon ein Victory-Zeichen genügte, um bundesweite Kampagnen auszulösen. Nach derlei künstlich entfachten Turbulenzen stand Ackermann, dank guter Geschäftsergebnisse, regelmäßig besser da als zuvor und meist auch als seine Konkurrenten. Kurz gesagt, wie ein guter Kapitän hielt er unbeirrt Kurs, und schon das wirkte auf seine Gegner wie eine Provokation.

Die amerikanische Finanzkrise, die sich seit 2007 bemerkbar machte, hatte er mir gegenüber mit demselben bewundernswerten Gleichmut kommentiert, so dass ich keinen Anlass hatte, irgendeinen Wandel seiner Einschätzung zu erwarten. Doch an diesem 15. September 2008 war alles anders.

Kaum hatte ich, wie gewöhnlich, das Gespräch mit der Frage »Was gibt's Neues?« begonnen, erzählte er mir im Ton tiefster, geradezu persönlicher Betroffenheit von der Insolvenz, die die New Yorker Investmentfirma Lehman Brothers in der Nacht eingereicht hatte. Zwar war die Pleite in den Morgennachrichten erwähnt worden, doch hatte ich den Vorfall nicht besonders ernst genommen. Schließlich war der amerikanische Staat in allen vorangegangenen Fällen als Helfer in der Not eingesprungen, warum nicht auch jetzt?

Ackermanns Reaktion öffnete mir die Augen. Weniger an dem, was er sagte, als an der Art, wie er es sagte, spürte ich, dass die Krise eine katastrophale Dimension angenommen hatte. Was sich da in der letzten Nacht an der Wall Street ereignet hatte, war, so Ackermann, keine gewöhnliche Pleite. Vielmehr brachte es das weltweite Finanzgefüge ins Wanken, und sehr bald würde auch

Deutschland, das traditionell stark in den USA investiert war, in Mitleidenschaft gezogen werden. Ich musste an die Hurrikans denken, die sich im Golf von Mexiko austoben, bevor sie nach langer Wanderung über den Atlantik als ungefährliche Tiefdruckgebiete bei uns ankommen. Dieser Hurrikan würde als Hurrikan bei uns ankommen, und schneller, als uns lieb sein konnte.

Mit 28 000 Mitarbeitern war Lehman Brothers, 1850 von jüdischen Unternehmern aus Franken gegründet, die viertgrößte Investmentbank der USA. Zum ersten Mal war sie ins öffentliche Bewusstsein getreten, als beim Angriff auf das World Trade Center auch drei von Lehman belegte Stockwerke mit eingestürzt waren. Der 15. September, der manchem Beobachter wie das finanzpolitische Pendant zum 11. September erschienen war, hatte, wie dieser, ebenfalls unvergessliche Bilder produziert: Noch immer sehe ich die Knall auf Fall entlassenen Banker vor mir, ihre Habseligkeiten notdürftig in Kartons gepackt, wie sie auf die Straßen herausströmen, teils das blanke Entsetzen, teils stoische Ruhe oder bittere Ironie im Gesicht. Jeder von ihnen hatte sich als »Master of the Universe« gefühlt, wie Tom Wolfe den Helden seines Wall-Street-Romans *Fegefeuer der Eitelkeiten* nannte, und jetzt waren sie in diesem Fegefeuer verbrannt.

Durch die reale Vernichtung angesparter Milliardenwerte kam das gesamte Bankensystem ins Wanken. Keine Bank traute mehr den anderen, weil keine wusste, wer als Nächster den Lehman-Weg beschreiten und seine Schulden nicht mehr bezahlen würde. Doch wenn die Banken sich untereinander kein Geld mehr liehen, das ahnte ich, dann dauerte es nicht lange, bis das ganze System auf der Kippe stand. Dass es überhaupt so weit gekommen war, gilt als entscheidender Fehler der Wirtschaftspolitik George W. Bushs, die im kritischen Augenblick die Hilfeleistung gegenüber Lehman verweigert hatte.

Alle Rettungsschirme, die von der Politik aufgespannt werden mussten, einschließlich der universalen Spargroschengarantie der Bundeskanzlerin, waren nicht eigentlich Folge der allgemeinen Finanzkrise, sondern konkret der Lehman-Pleite. »Wir sagen den Sparerinnen und Sparern«, verkündete eine ernste Angela Merkel drei Wochen danach, »dass ihre Einlagen sicher sind.« Der deutsche Staat hatte sich mit seinem ganzen Gewicht in die Waagschale geworfen – werfen müssen. Denn Lehman war als Dominostein groß genug, um die ganze Kette zu Fall zu bringen.

Natürlich hatte es auch in der deutschen Geschichte schon große Bankenpleiten gegeben. Erinnert sei nur an die Herstatt-Bank, die 1974 mit Devisenspekulationen fast eine halbe Milliarde Mark verlor. Damals hatte der Solidarverband der deutschen Banken mit seinem »Feuerwehrfonds« die Sparer großzügig entschädigt. Solche Skandale bewegten die Medien, doch das Gefüge der Finanzwirtschaft brachten sie nicht in Unordnung.

Was Größe und internationales Ansehen betraf, handelte es sich bei Lehman Brothers jedoch um eine vielfach höhere Gefährdungsstufe. Wie seine amerikanischen Konkurrenten Goldman Sachs, J. P. Morgan, Merrill Lynch oder Bear Stearns hatte Lehman ein weltweites Renommee aufgebaut, aufgrund dessen seine Zertifikate und Wertpapiere nicht nur bei deutschen Kunden als erstklassige Anlagen galten. Wer solche »bombensicheren« Zertifikate erworben hatte, musste schmerzlich erfahren, dass es nur auf die Größe der Bombe ankam. Und jene, die am 15. September 2008 explodiert war, vernichtete alles, was bis dahin als »bombensicher« gegolten hatte. Allein in Deutschland standen 40 000 Anleger mit leeren Händen da.

Natürlich fragte ich mich, warum diese bedeutende Investmentbank im Gegensatz zu anderen nicht gerettet worden war. Ich weiß es bis heute nicht. Deshalb kann ich nur auf die teils realistischen, teils fantasievollen Spekulationen verweisen, die darüber kursieren. Tatsache ist, dass Henry Paulson, seit 2006 Bushs Finanzminister, kurz vor dem Lehman-Crash noch die überschuldeten Hypothekenbanken Freddie Mac und Fannie Mae sowie die Investmentbank Bear Stearns vor der Insolvenz gerettet hatte.

Warum gerade jene, so fragten sich die Wall-Street-Auguren, Lehman aber nicht? Eine der Verschwörungstheorien verweist darauf, dass ein großer Teil der Gläubiger außerhalb der Vereinigten Staaten lebte. In seiner Titelgeschichte über die Lehman-Pleite spekulierte der Spiegel sogar, die Firma, die in den USA kein Privatkundengeschäft unterhielt, wäre mit ihren hochriskanten Zertifikaten gezielt auf deutsche Anleger zugegangen, die ohne das nötige Gespür für Risiken auf hohe Zinserträge geschielt hätten. »Es sah«, orakelte der Spiegel, »nach einem gezielten Angriff aus.« Ob das wirklich so war, lässt sich schwer beweisen – dass vor allem deutsche Banken und im Besonderen die IKB und andere staatlich kontrollierte Landesbanken bombardiert wurden, dagegen schon.

Sehr wohl wusste man in Washington, dass von dieser harten Entscheidung nicht in erster Linie die eigenen Wähler betroffen sein würden. Und da man irgendwann ein Exempel statuieren musste, dass der Staat nicht unbegrenzt Banken und Unternehmen retten konnte, bot es sich förmlich an, dafür eine stark international ausgerichtete Firma heranzuziehen. Wenn es vor allem Europäer traf, so mochte Paulson kalkuliert haben, konnte man den Amerikanern leichter verkaufen, dass man eine Finanzlegende offenen Auges zugrunde gehen ließ.

Tage vor dem Zusammenbruch der Bank hatte der Finanzminister die Wall-Street-Größen in die Zentralbank eingeladen, um über mögliche Rettungsmodelle zu diskutieren. Der Chef der Bank of America, Kenneth Lewis, der per Telefonkonferenz zugeschaltet war, signalisierte Bereitschaft, Lehman aufzukaufen, vorausgesetzt, der Staat übernähme die faulen Papiere. Als sich die Regierung dazu außerstande erklärte, trat der GAU ein.

Seitdem habe ich mir oft überlegt, was passiert wäre, wenn Lehman Brothers nicht pleitegegangen wäre. Möglicherweise hätte es keine große Finanzkrise gegeben, und die Realwirtschaft wäre bei einem weit geringeren Minuswachstum gelandet. Auch das Vertrauen der Banken untereinander hätte kaum gelitten. Möglicherweise wäre man glimpflich davongekommen. Andererseits glaube ich, dass man ohne die bittere Lehman-Lehre, die der Finanzwelt erteilt worden ist, bei nächster Gelegenheit in dieselbe Falle getappt wäre.

Diese Lehre kam vor allem bei jenen an, die bislang, wie ich selbst, streng ordnungspolitisch gedacht hatten und den Einfluss des Staates auf Unternehmen möglichst gering halten wollten. Man kann nicht einfach Steuergeld nehmen, um Banken zu retten, so dachte ich bis zum September 2008. Wie andere Unternehmen auch sollten sich Banken dem Wettbewerb stellen und, falls sie versagten, dem Untergang oder – mit Schumpeter gesprochen – der »schöpferischen Zerstörung« anheimfallen.

Seit langem bewundere ich Joseph Schumpeter, der den Begriff der »schöpferischen Zerstörung« geprägt hat. Der österreichische Volkswirtschaftler, der in Bonn und Harvard lehrte, wo er 1950 starb, entdeckte dieses Phänomen, das zum Verständnis der modernen Marktwirtschaft unerlässlich ist. Was also bedeutet dieser scheinbar paradoxe Begriff der »schöpferischen Zerstörung«? Normalerweise wehren sich die Menschen, vor allem aber die Gewerkschaften, gegen jede Art von Veränderung. Doch gerade davon, so lehrt Schumpeter, lebt die moderne Wirtschaft. Alte Produktionsverfahren und Warenarten werden von neuen, besseren verdrängt, um selbst wieder von der nächsten Generation überholt und zum alten Eisen geworfen zu werden. Wer das bedauert, der bedauert den Wohlstand und dessen luxuriöseste Blüte, den Sozialstaat.

Die Geschichte der Moderne, als kontinuierlicher Prozess der Erneuerung und Verbesserung verstanden, ist damit auch eine Geschichte der fortgesetzten Zerstörung. Dabei würde niemand, der sich ein neues Auto oder einen neuen PC kauft, auch nur einen Gedanken darauf verschwenden, dass damit alle Vorgängermodelle so erledigt sind wie etwa die gestrige Ausgabe der Tageszeitung. Niemand, der sich einen Rasierapparat mit revolutionärem Schersystem anschafft, schert sich darum, dass er damit dem Produzenten konventioneller Schersysteme gleichsam das Totenglöckchen läutet. Aber er tut es, und das gilt für jede Art von Ware, für jede Art von Unternehmen. Was nicht auf dem aktuellsten Stand ist, landet auf dem Schrotthaufen der Geschichte. Es ist eine Form von Grausamkeit, an die wir uns alle gewöhnt haben, weil wir uns nur mit dem Neuesten und Besten zufriedengeben.

Für mich gehört Schumpeter, dieser Prophet der kontinuierlichen Innovation und Verbesserung, zu den Hauptvertretern der neoliberalen Philosophie. Ohne die ständige Bereitschaft, sowohl Waren als auch deren Produktionsweisen und Organisationsformen auf den aktuellsten Stand zu bringen, gäbe es keinen Wohlstand und auch keinen Sozialstaat, dessen Steuern sich gerade der »schöpferischen Zerstörung« verdanken.

Mit dem 15. September 2008 stieß dieses Denken an seine Grenzen. Bislang galt, dass jede Ware und jedes Unternehmen, das eine Ware produziert, untergehen darf, vorausgesetzt, es wird dadurch einem anderen Unternehmen ermöglicht, mit verbesserten Waren auf den Markt zu gehen. Von nun an gibt es eine Ausnahme: Die Schumpeter-Regel gilt nicht für Banken. Bei ihnen, die allesamt über ein komplexes Kreditsystem miteinander verbunden sind, führt die »schöpferische Zerstörung«

sehr schnell zum Totalschaden. Deshalb war der Lehman-Kollaps für unsere Wirtschaft ebenso nützlich wie eine schwere Infektion für den menschlichen Körper – hat dieser den ersten Angriff überlebt, produziert er Immunstoffe, die ihn vor der nächsten Infektion schützen.

Aus dieser Erfahrung ergibt sich: Produzierenden Unternehmen, über denen der Pleitegeier schwebt, sollte man die bequeme Staatshilfe verweigern. Wenn sie nicht selbstständig am Markt bestehen können, müssen sie anderen Platz machen, die dazu in der Lage sind. Bedrohten Finanzinstituten dagegen muss diese Hilfe gewährt werden. Ich würde sogar sagen: Sämtliche Sonnen- oder Regenschirme, die der Staat aufzuspannen bereit ist, sind in diesem Fall gerechtfertigt. Wenn nötig, sollte der Staat die notleidenden Banken auch ganz übernehmen. Denn sonst könnte es, wie der 15. September 2008 gezeigt hat, zu einem Gesamtkollaps kommen.

Wie sich ebenfalls gezeigt hat, unterscheiden sich die Funktionen wesentlich, die Unternehmen und Banken in einer Volkswirtschaft erfüllen. Vergleichen wir ein bankrottes Unternehmen etwa mit dem Hautkrebs, der sich am Körper der Wirtschaft gebildet hat, dann muss der Arzt, zur Rettung des ansonsten gesunden Körpers, die erkrankte Stelle entfernen, bevor sie Metastasen bildet. Das Bankensystem dagegen gleicht dem Blutkreislauf, bei dem, ob Herz oder Arterien, alle Teile gleich wichtig sind, um den Körper mit Blut zu versorgen. Kollabiert dieser Kreislauf, besteht unmittelbare Lebensgefahr. Bringt man ihn nicht umgehend mit anregenden Mitteln und Transfusionen wieder in Gang, stirbt der Patient – und zwar selbst dann, wenn er über gesunde Organe und eine makellose Haut verfügt.

Das hierfür geprägte Wort, das seit der Lehman-Pleite durch die Medien geht, lautet »systemisch« oder »systemrelevant«. Das soll bedeuten, dass das System von der Funktionsfähigkeit jedes einzelnen seiner Teile abhängt, wie der menschliche Organismus von der seiner Organe. Streikt die Leber, geht es auch dem Herzen schlecht. Streikt das Herz, kann auch die Leber einpacken.

Noch niemand hat beschrieben, was mit einer Volkswirtschaft geschieht, in der der Geldfluss stockt, in der die Banken weder Geld aufnehmen noch ausgeben können, in der man nichts mehr kaufen und verkaufen kann, weil keiner mehr dem andern traut. Sämtliche Projekte kommen zum Stillstand wie in einem Dornröschenschloss. Ohne den Lehman-Schock, so glaube ich, hätte man dieses Wesen des »Systemischen« gar nicht erkannt. So erwies sich ein fatale Fehleinschätzung der Bush-Regierung nachträglich als Lehrstück für die Weltwirtschaft.

Nach einem »systemischen« Fall wie der Lehman-Pleite wird man in den Lehrbüchern vergebens suchen, denn diese werden immer erst hinterher geschrieben. Als ich in den neunziger Jahren Mitglied des Verwaltungsrats der Treuhandanstalt war, deren Aufgabe darin bestand, Volkseigene Betriebe der Ex-DDR in die Marktwirtschaft der Bundesrepublik zu integrieren, standen wir vor der Herausforderung, ein völlig marodes und heruntergewirtschaftetes Land an ein hoch entwickeltes Hightech-Land anschließen zu müssen. Natürlich half kein Blick in die Lehrbücher. Zwar gab es Hunderte, in denen präzise und unwiderleglich beschrieben wurde, wie der Kapitalismus an seinen eigenen Widersprüchen zugrunde gehen und, auf evolutionärem oder revolutionärem Weg, im Kommunismus aufgehen müsste. Doch fand sich kein einziges, das den umgekehrten Weg beschrieben hätte. Es gab diesen Weg nämlich nicht, und wir von der Treuhand mussten ihn finden.

Eine Folge des Lernprozesses, den die Lehman-Pleite ausgelöst hat, ist die Unterscheidung zwischen *Finanzwirtschaft* und *Realwirtschaft*. Es hat ihn schon immer gegeben, aber man hat ihn nicht thematisiert. Wer über Wirtschaft mitreden wollte – und wer redete nicht über Wirtschaft mit –, zog hier keine Trennlinie. Wirtschaft galt als Wirtschaft, und der Unterschied zwischen Unternehmern und Bankern bestand lediglich darin, dass die einen das Geld horteten, das die anderen verdienten. Und beide bedienten sich dabei kapitalistischer Methoden.

Entsprechend wurde das Versagen der Finanzwirtschaft, das in der Lehman-Pleite gipfelte, von vielen als Versagen der gesamten Wirtschaft, am besten des gesamten Kapitalismus, ausgegeben. Endlich glaubte man, den Beweis zu haben, dass die großen Unternehmenschefs – die »Bosse« – ebenso wie die Zehntausenden mittelständischen Unternehmer allesamt Zocker, Hasardeure und Etikettenschwindler waren, die sich von den Investmentban kern nur dem Namen nach unterschieden.

Keinem der triumphierenden Medienvertreter und Sozialpolitiker, die endlich ihre Theorien bestätigt glaubten, fiel dabei auf, dass die Realwirtschaft selbst zum Opfer der Finanzwirtschaft geworden war. Bei vielen Linksintellektuellen dürfte sich hinter dieser Ignoranz zudem die Hoffnung verborgen haben, aus dem Zusammenbruch der Finanzwirtschaft die Notwendigkeit ableiten zu können, die gesamte Marktwirtschaft abzuschaffen und durch ein neues System zu ersetzen: Brüder zur Sonne, zur Freiheit!

Seit langem hege ich, wie bereits erwähnt, Vorbehalte gegenüber einigen Vertretern der Finanzwirtschaft. Denn leider sind nicht alle Josef Ackermanns, weshalb viele Banken auch nicht so glimpflich aus dem Crash hervorgegangen sind wie dessen Institut. Offensichtlich hat er es verstanden, die Deutsche Bank genau so zu führen, wie ich es von den meisten großen Industrieunternehmen gewohnt bin. Das heißt, er hat sich an seinen Kunden und am Wettbewerb orientiert und dadurch sein Unternehmen konkurrenzfähiger gemacht als andere Banken. Er hat Ziele ausgegeben wie die 25-prozentige Eigenkapitalrendite, mit denen er seine Führungskräfte motivierte. So wussten seine Mitarbeiter immer, was sie zu tun hatten und warum. Und deshalb haben sie ihre Ziele meist auch erreicht.

Josef Ackermanns 25-Prozent-Ziel hat für viel Aufregung gesorgt. Die SPD empörte sich über den »Skandal« dieser »irrwitzigen Renditevorgabe«; die CDU, die sich nicht links überholen lassen wollte, mahnte, derlei ehrgeizige Vorgaben setzten das »falsche Signal«; Oskar Lafontaine, der sich für keine Plattitüde zu schade ist, nannte Ackermanns Plan »schlicht und einfach verrückt«. Den Vogel schoss der evangelische Bischof Wolfgang Huber ab, der von der Kanzel herab klagte, Ackermanns 25 Prozent seien »eine Form von Götzendienst«. Womit es nicht mehr weit war zum »satanischen« Kapitalismus, der in seinen Tresorräumen schwarze Messen feiert.

Man war es dem eigenen Tugendideal einfach schuldig, sich gründlich darüber zu entrüsten, dass Josef Ackermann selbst während der »Krise des Kapitalismus« unbeirrt an seinem sündhaften Rendite-Ziel festhielt – und das auch noch mit Erfolg. Vielleicht wäre man mit der moralischen Verdammung etwas vorsichtiger gewesen, wenn man gewusst hätte, dass es wohl in keinem anderen Industrieland irgendjemandem einfallen würde, eine solche wirtschaftliche Zielsetzung einer Bank als arrogant, überzogen und unmoralisch abzukanzeln.

Nebenbei gesagt, handelte es sich bei diesem kollektiven Entrüstungssturm ohnehin um einen Treppenwitz. Man wusste gar nicht, wovon man sprach. Denn die scheinbar so unsittliche Zahl war ganz anders zu verstehen, als Parlamentarier und Pfarrer sich zusammenreimten. Die 25-Prozent-Rendite bezog sich nämlich nicht auf das gesamte eingesetzte Kapital, sondern nur auf das Eigenkapital, das bestenfalls zehn Prozent der Gesamtsumme ausmacht. Verzinst man das Ergebnis, das eine Bank mit hundert Prozent ihres Kapitals – also zehn Prozent eigenem und neunzig Prozent Fremdkapital – erzielt, mit bescheidenen drei Prozent, dann werden daraus, bezogen auf das Eigenkapital, dreißig Prozent. Und das ist auch nötig: Denn je mehr Fremdkapital eine Bank aufnimmt, um den Wirtschaftskreislauf in Gang zu halten, umso höher muss die Eigenkapitalrendite sein, damit sie das Gesamtrisiko für die hundert Prozent abdecken kann.

Schon 2007, bei einer Podiumsdiskussion vor rund achthundert mittelständischen Unternehmern, zu der die Sparkasse Leverkusen Oskar Lafontaine und mich eingeladen hatte, war dieser über Ackermanns »unverschämte und unmoralische« Eigenkapitalrendite hergefallen. Als ich das Zerrbild zurechtrücken wollte, löste mein Versuch bei den Zuhörern zunächst Unmut aus, da sie Lafontaines Empörung – anders als seine sonstigen Überzeugungen – zu teilen schienen. Aber nachdem ich das Missverständnis dann doch aufklären konnte, gab es rauschenden Beifall. Lafontaine, der dies schweigend zur Kenntnis nahm, ließ sich dennoch nicht davon abhalten, bei seinen Reden vor dem Bundestag oder bei seinen Auftritten vor der Bundespressekonferenz wieder über Ackermanns »unverschämte und unmoralische« Strategie herzuziehen.

Dass sich manche Politiker wider besseres Wissen äußern, habe ich auch bei Ex-Bundeskanzler Gerhard Schröder lernen können. Im Bundestagswahlkampf 2005 verkündete er indirekt und schön verpackt auf allen Marktplätzen, Angela Merkels Wunsch-Finanzminister Paul Kirchhof hege die Absicht, einer kleinen Sekretärin dieselbe Steuerlast aufzubrummen wie ihrem Chef, dem Generaldirektor. Die Massen zeigten sich entrüstet. Dass es nicht um die gleiche Summe, sondern um den gleichen Prozentsatz gegangen war, haben viele nicht verstanden.

Fast wider Willen habe ich mich während der Finanzkrise als Verteidiger der Banken engagieren müssen. Denn von den Bankern selbst war nichts zu sehen. Josef Ackermann war der Einzige, der sich der Öffentlichkeit gezeigt und die Hiebe eingesteckt hat, die von den Medien großzügig ausgeteilt wurden. Ich erinnere mich, wie der Deutsche-Bank-Chef bei Maybrit Illner auch auf die Frage nach der »unmoralischen« 25-Prozent-Rendite eine überzeugende Antwort gab. Doch schon am nächsten Tag schienen Medien und Öffentlichkeit sie wieder vergessen zu haben.

Auf Banker einzudreschen, ist seit der Lehman-Pleite Mode geworden. Selbst unser Bundespräsident, der während seiner Karriere als Sparkassenchef und IWF-Direktor fast ausschließlich mit Geld und Finanzbudgets beschäftigt war, glaubte, sie vor seiner Wiederwahl im Mai 2009 heftig kritisieren zu müssen. Da auch die Talkshows am *banker bashing* teilhaben wollten, wurde ich häufig von den Sendern angerufen, um sozusagen den Part des Advocatus Diaboli zu übernehmen. Auf meine Frage, warum sie die Banker sich nicht selbst verteidigen ließen, wurde regelmäßig geantwortet: »Die wollen nicht, die sind abgetaucht.« Irgendwie verstand ich das auch, denn man hatte sie dermaßen beschimpft und beleidigt, dass sie ihr ganzes Selbstvertrauen verloren hatten und sich nicht mehr an die Öffentlichkeit wagten. Andererseits finde ich es heilsam, dass jene Finanzspezialisten, die das hart verdiente Geld der Realwirtschaft verwaltet und dann verzockt haben, endlich einmal kleinere Brötchen backen müssen.

Schon immer habe ich es für unpassend gehalten, wenn Banker meinten, sich auf Augenhöhe mit Führungspersönlichkeiten der Realwirtschaft zu bewegen und mit ihrer pompösen Sprache den Eindruck erweckten, auch sie würden, auf ihre Weise, Produkte entwickeln und produzieren. Als wären ein Kredit, den sie vergeben, oder eine pfiffige Kombination von Aktien, die sie zusammenstellen, wirklich neu geschaffene Werte. Wann immer sie von ihren »Finanzprodukten« sprachen, als würden sie wirklich etwas produzieren, statt nur Zahlen umzuverpacken, empfand ich das als eine Art Etikettenschwindel. Wenn man in diesem Zusammenhang überhaupt von »produzieren« sprechen will, kann man die Banker höchstens als Produzenten einer Infrastruktur für Wirtschaftskredite bezeichnen. Diese erfüllt zwar eine vitale, jedoch der Realwirtschaft dienende Funktion. Zum Glück hat der amerikanische Begriff von der *banking industry* hierzulande noch keine Nachbeter gefunden.

Die Selbstüberschätzung vieler Banker lässt sich am Auftreten einiger ihrer sogenannten »Chefvolkswirte« ablesen, die ihre Prognosen regelmäßig vor laufenden Kameras zum Besten geben. Seit Jahren ist mir diesbezüglich der Chefvolkswirt der Deutschen Bank, Norbert Walter, aufgefallen, der mit seiner Ein-Mann-Konjunkturprognose vor allem deshalb oft richtig liegt, weil er sie oft genug abgibt. Als er sich einmal mit absurden Argumenten für die Einführung der Ökosteuer in Deutschland aussprach, wandte ich mich an den damaligen Vorstandssprecher der Deutschen Bank, Rolf-Ernst Breuer, der mir sinngemäß antwortete, diese Leute hätten bei ihnen Hofnarrenstatus, sie nähmen die selbst nicht ernst. Worauf ich beschloss, es ebenso zu halten.

In meinem beruflichen Leben habe ich immer für eine strikte Trennung zwischen Real- und Finanzwirtschaft plädiert. So oft ich Einfluss auf die Zusammensetzung von Aufsichtsräten nehmen konnte, habe ich mich um Vertreter aus der Industrie bemüht und einen großen Bogen um Banker gemacht. Zu meiner Zeit saßen im Aufsichtsrat der IBM-Deutschland mein Vorgänger im BDI-Amt, der Mittelständler Tyll Necker, der damalige Mercedes-Chef Helmut Werner, der Familienunternehmer Hans-Peter Stihl und Heinrich Weiss, der sein weltweites Familienunternehmen für Anlagenbau bis heute ohne Entlassungen auch durch diese Krise gesteuert hat. Ein Banker war nicht darunter.

Natürlich machen die meisten Banker einen guten Job. Neben Josef Ackermann fällt mir da etwa der Chef der Bank of America ein. Als Mitglied des Beirats dieser Bank in Deutschland hatte ich Gelegenheit, Kenneth »Ken« Lewis persönlich kennenzulernen. Der im Südstaat Mississippi in einfachen Verhältnissen geborene Lewis ist der typische Selfmademan alter amerikanischer Prägung. In seiner Karriere, die er 1969 als Kreditanalyst bei einer Provinzbank in Charlotte/North Carolina begann, blieb er stets demselben Institut treu, das durch Zukauf immer neuer Institute endlich zur größten Bank der USA aufstieg. Der Schritt an die Spitze wurde möglich, als 1998 die in San Francisco ansässige Bank of America übernommen wurde, deren CEO Ken Lewis 2001 wurde.

Als ich vor ein paar Jahren gebeten wurde, in den Beirat der Bank of America einzutreten, spürte ich eine gewisse Aversion. Denn diese Bank war mir nicht nur durch ihren wunderschönen Wolkenkratzer in San Francisco mit der berühmten Adresse 555 California Street in Erinnerung geblieben, sondern auch durch die Pleite, von der sie Ende der neunziger Jahre betroffen war. Ehrlich gesagt, hatte es mich gewundert, wie eine bankrotte Bank plötzlich den Status eines internationalen Primus einnehmen konnte, der als Investmentbank nun auch in Deutschland auftauchte – bis mich der damalige Deutschland-Chef Andreas Dombret über den Aufstieg der kleinen Provinzbank in Charlotte und die parallele Karriere des Ken Lewis aufklärte.

Damals fiel mir auch wieder mein erstes Konto bei der State Bank of Connecticut ein, die den Kredit für mein Haus in Greenwich bereitgestellt hatte. Auch nach meiner Rückkehr nach Europa war ich der Bank treu geblieben, wenn auch nur ein paar Hundert Dollar auf dem Konto standen. Eines Tages bekam ich einen Brief, in dem man »die Freude hatte«, mir mitzuteilen, dass die State Bank of Connecticut nun von der Fleet Bank übernommen worden sei, »wodurch sich für Sie nichts ändert«, außer dass ich neue Scheckbücher bekam. Nach einiger Zeit erhielt ich wieder einen Brief aus Amerika, in dem man »die Freude hatte«, mir die Übernahme der Fleet Bank durch die Bank of America mitzuteilen. Damit war ich zum Kontoinhaber bei der weltgrößten Bank geworden, auch wenn meine Einlage zu den kleinsten gehört haben mag.

Und nun stand ich dem Selfmademan aus North Carolina gegenüber, der für diesen märchenhaften Aufstieg einer Provinzbank verantwortlich war. Zuerst war ich erstaunt, denn Ken Lewis ist ein bescheidener, unauffälliger Mann, der zuhört, keine Sprüche klopft und schon in seinem ganzen Verhalten zeigt, dass er die Bodenhaftung nie verloren hat. Wie angenehm, dachte ich, ein Banker, der sich nicht aufbläst. Ein Finanzmogul, der nicht mit pompösen Phrasen um sich wirft.

Als ich gemeinsam mit Ken Lewis den damaligen Wirtschaftsminister Michael Glos und anschließend die Bundeskanzlerin besuchte, erfüllte mich ein gutes Gefühl, das unsere Gesprächspartner zu teilen schienen, da sie in ihm keinen typischen Bankchef, sondern einen stillen Mann von sanftem, zurückhaltendem Wesen kennenlernten. Statt sich ins rechte Licht zu rücken, gab er lieber den beiden Politikern Gelegenheit dazu.

Zweimal wurde Ken Lewis in Amerika zum Banker des Jahres gewählt, zuerst 2001, dann im Crashjahr 2008. Leider hat diese Krise auch für ihn unerfreuliche Entwicklungen mit sich gebracht, die man, da er offensichtlich unschuldig daran ist, durchaus als tragisch bezeichnen kann. Nachdem er es im September 2008 abgelehnt hatte, die bankrotten Lehman Brothers ohne staatliche Hilfe zu übernehmen, wurde er noch am selben Tag von Finanzminister Paulson und anderen Bush-Mitarbeitern gedrängt, stattdessen die drittgrößte Investmentbank Amerikas, Merrill Lynch, zu kaufen. Man hatte ihn also mit Lehman davonkommen lassen, damit er bei Merrill Lynch einsteigen konnte. Das war auch dringend nötig. Denn dieses ebenfalls legendäre Investmenthaus war der nächste Dominostein, der umzufallen drohte. Sollte er nicht als Retter einspringen, so gab man Ken Lewis zu verstehen, würde sich die Lehman-Katastrophe verdoppeln, mit unabsehbaren Folgen für die ganze Welt. Ken Lewis ließ sich überreden und setzte sich am folgenden Wochenende mit dem Merrill-Lynch-Chef John Thain zusammen, der bislang an der Wall Street als »makelloser Bankerstar« galt. Da Ken Lewis nichts Nachteiliges entdecken konnte, wurde die Übernahme des bedrohten Investmenthauses durch die Bank of America beschlossen – für einen Betrag von 50 Milliarden Dollar über Aktientausch.

Wäre an den Bilanzen von Merrill Lynch wirklich nichts auszusetzen gewesen, hätte die Übernahme für Ken Lewis sehr viel Sinn ergeben. Da die Bank of America die größte Einlagenbank der Welt war, hätte eine Investmentbank die perfekte Ergänzung bedeutet. Leider musste Ken Lewis bald darauf feststellen, dass ihm während der Prüfung mit Thain etwas Entscheidendes verborgen geblieben war – womöglich auch vor ihm verborgen worden war: Merrill Lynch steckte voller Schrottpapiere.

Sofort wurde Ken Lewis bei der Regierung vorstellig, um den Deal mit der Pleite-Bank rückgängig zu machen – doch das erwies sich als ausgeschlossen. Henry Paulson und Notenbank-Chef Ben Bernanke zwangen ihn, die Übernahme durchzuführen. Dadurch war die einst mächtige Bank of America mit einem Schlag selbst auf Milliarden an Staatsgeldern angewiesen, um, wie die *Süddeutsche Zeitung* schrieb, »die Fusion mit einem Schwarzen Loch zu überleben«.

Thain, der kurz vor der Übernahme noch vier Milliarden Dollar Bonuszahlungen an seine Merrill-Lynch-Kollegen ausgeschüttet hatte, wurde von Lewis entlassen, was an der fatalen Situation aber nichts mehr änderte. Heute muss sich der bescheidene Mann aus North Carolina vor Regierungsausschüssen gegen den Vorwurf wehren, er habe durch die ehrgeizige Übernahme von Merrill Lynch das Debakel selbst ausgelöst. An den Druck, der auf ihn ausgeübt wurde, will sich keiner mehr erinnern. Es steht ihm auch niemand mehr zur Seite; selbst die Aktionäre, die sich jahrelang steigender Renditen erfreuen konnten, enthoben ihn seines Amtes als Chairman, während er das wichtigere Amt, das des Vorstandschefs, weiterführt. Ende 2009 tritt Ken Lewis auch von diesem Amt zurück und geht in den Ruhestand.

Auch Josef Ackermann, in Deutschland ähnlich erfolgreich wie Ken Lewis in Amerika, kann kaum auf die Solidarität seiner Kollegen zählen. Ich musste mich schon sehr wundern, wie die Banker auf Ackermanns Weigerung reagierten, Staatsgeld anzunehmen. Statt stolz auf einen Kollegen zu sein, der mit seinem Institut der Allgemeinheit nicht zur Last fallen will, überschütteten sie ihn mit Tadel und herben Worten.

Als er gar, wie der *Spiegel* kolportierte, im Oktober 2008 vertraulich gesagt haben sollte, er würde »sich schämen, wenn wir in der Krise Staatsgeld annehmen würden«, brach ein neuer Sturm moralischer Entrüstung los. Wieder distanzierten sich seine Kollegen von ihm, vermutlich weil es politisch opportun war und man nicht auf die staatlichen Zuwendungen verzichten wollte. Dass Ackermann mit seinen Worten vor allem seine Mitarbeiter hatte motivieren wollen, wurde übersehen. Fortan würden diese sich nämlich Konkurrenten gegenüber sehen, die dank der generösen Staatshilfe günstigere Kredite vergeben konnten.

Bundeskanzlerin Merkel, der ich in diesem Fall ein glücklicheres Händchen gewünscht hätte, ließ ihren Regierungssprecher Thomas Steg ausrichten, Ackermanns Bekenntnis sei »äußerst bedenklich, unverständlich und unakzeptabel«. Bischof Huber nannte es »ganz verkehrt«, und CDU-Fraktionsgeschäftsführer Norbert Röttgen mutmaßte bei Anne Will, der Deutsche-Bank-Chef wolle sich nur »einen Wettbewerbsvorteil« sichern und »hätte besser geschwiegen«. Dabei war es Ackermann nur darum gegangen, dem Steuerzahler nicht unnötig in den Beutel zu greifen. In unserer Transferleistungsrepublik war das offenbar Skandal genug.

Übrigens sollte Ackermann gegen den Klagechor seiner Kritiker Recht behalten. Er kam ohne Staatshilfe durch, führte sein Unternehmen tadellos durch die Krise, konnte 2009 steigende Gewinne und auch die angepeilte 25-Prozent-Rendite ausweisen. Im Juli dieses Jahres wurde seine Bank auch deshalb als »*Best Bank in Germany*« und »*Best Global Risk Management House*« ausgezeichnet.

Vielleicht sollten die Banker, die über ihn hergefallen waren, einmal darüber nachdenken, ob nicht sie sich schämen sollten – dafür, dass sie sich erst Schrottpapiere haben andrehen lassen, um anschließend von Vater Staat mit Steuermilliarden ausgelöst zu werden.

Und vielleicht sollten sich jene gesellschaftlichen Tugendapostel, in deren Sündenkatalog die »Gier der Manager« ganz oben steht, die Frage stellen, ob nicht vielleicht auch sie Grund haben, sich zu schämen – etwa für die Schamlosigkeit, mit der sie »falsch Zeugnis reden wider ihren Nächsten«.

KAPITEL VIER

Die Posse um die IKB

Unser Land leidet an einem Mangel an Realitätssinn und einem Übermaß an Moralität – wohlgemerkt, nicht an Moral. Der Deutsche kann die Wirklichkeit nicht betrachten, ohne sogleich ins Moralisieren zu geraten. Immanuel Kant, Vordenker einer sittlichen Vernunft in unreligiösen Zeiten, hat einmal gesagt, dass »jenes Gefühl, welches das Moralgesetz in uns bewirkt«, nicht nur durch die »Einschränkung der Selbstliebe« hervorgerufen wird, sondern vor allem auch durch »die Niederschlagung des Eigendünkels«.

Während die Deutschen im ersten Punkt wahre Höchstleistungen vollbringen und sich bei Naturkatastrophen regelmäßig als Spendenweltmeister bewähren, sieht es bei der Frage des Eigendünkels ziemlich düster aus. Es scheint sogar, als würde sich bei uns die Moral grundsätzlich mit der Arroganz verbünden. Wer moralisiert, erhebt sich begeistert über jene, denen sein Verdammungsurteil gilt, und der bescheidene Hinweis des Evangeliums, man möge sich zuerst mit dem »Balken im eigenen Auge« befassen, wird im blinden Eifer des Gutmenschentums gerne übersehen.

In Wirtschaftsdingen glaubt man sogar, dass Tugendpredigt und Sittenrichterei die ernsthafte Beschäftigung mit der Wirklichkeit überflüssig machen. Nicht erst seit Ausbruch der weltweiten Finanzkrise sind sich deutsche Politik und Öffentlichkeit grundsätzlich einig, dass die Wirtschaft unter zwei Widersprüchen leidet, die nicht ins Gebiet der ökonomischen Wissenschaft fallen, sondern der Moral.

Der eine, so glaubt man, ist der alte Klassengegensatz, der durch die Tarifvereinbarungen nur notdürftig überbrückt wird – ein beklagenswerter Umstand, den der Staatsphilosoph des sozialdemokratischen Deutschlands, Jürgen Habermas, mit den Worten umschreibt: »Die rechtliche Institutionalisierung der Tarifautonomie ist zur Grundlage einer reformistischen Politik geworden, die eine sozialstaatliche Pazifizierung des Klassenkonflikts herbeigeführt hat.« Das heißt, gelöst ist der Konflikt nicht, nur »pazifiziert« wie ein unterworfenes Land.

Der andere Widerspruch, der die Moralisten auf die Palme bringt, ist der zwischen dem teuren Sozialstaat Deutschland und den Billiglohnländern außerhalb. Man empört sich darüber, dass es den anderen nicht so gut geht wie uns selbst, und dass wir nicht mehr gegen deren Ausbeutung unternehmen – und unter den Begriff »Ausbeutung« fällt dabei alles, was sich unterhalb der deutschen Arbeitstarife und Sozialgesetze sowie der großzügig bemessenen Armutsgrenze bewegt.

Kann man mit diesem »Unrecht« bei den Deutschen schon genügend schlechtes Gewissen hervorrufen, so lässt sich noch wirkungsvoller davon predigen, dass sich deutsche Unternehmer an diesem unerträglichen Zustand bereichern und Arbeitsplätze in andere Länder verlagern, sprich: wehrlose Menschen ausbeuten, die sich nicht unter dem Schutzschirm der deutschen Gesetzgebung befinden. Wie schön wäre es doch, so gibt man stillschweigend zu verstehen, wenn an unserem Sozialwesen die ganze Welt genesen könnte.

Moralisieren wird bei uns zum Ersatz für die Beschäftigung mit der Wirklichkeit. Der allgemein beklagte Umstand etwa, dass deutsche Arbeitsplätze und deutsches Kapital ins Ausland abwandern, liegt indes nicht an Unmoral und Gier der deutschen Bosse, sondern an einem Grundprinzip der Wirtschaft. Dies Grundprinzip ist so unverzichtbar, dass man mit seiner Abschaffung gleich die ganze Wirtschaft abschaffen könnte – was vermutlich den Wunschtraum aller Tugendprediger von der klassen- und warenlosen Gesellschaft erfüllen würde.

Zu den Gründungsvätern der Nationalökonomie gehört der Brite David Ricardo, auf den ich mich in meinen Vorlesungen an der Universität Mannheim zum Thema »Internationales Management in einer globalisierten Welt« immer wieder gern beziehe. Er war ein Zeitgenosse Goethes und Smiths, der nicht nur den Gegensatz der Klassen entdeckt hat, sondern auch den Pferdefuß des modernen Sozialstaats: »Wenn jeder Mensch, der Unterstützung benötigt, sicher sein könnte, sie zu erhalten, und zwar in einem Ausmaß, dass dadurch sein Leben angenehm würde«, so schrieb der Wirtschaftswissenschaftler, »dann würde die Anstrengung des Arbeiters sich allein darauf konzentrieren, diese Unterstützung zu erlangen« – eine Binsenweisheit, die ich allen Predigern des »bedingungslosen Grundeinkommens« ins Stammbuch schreiben möchte.

Berühmt wurde Ricardo aber mit der Entdeckung jenes Grundprinzips, an dem alles hängt: die Warenproduktion wie der Handel, der Wohlfahrtsstaat wie die Globalisierung – auch wenn sich deren Zusammenhang einer moralistischen Betrachtung nicht unmittelbar erschließt. In seiner »Theorie des komparativen Kostenvorteils« von 1817 erklärte er, welche Vorteile der Handel allen Ländern bietet, und zwar gerade weil in manchen von ihnen billiger produziert wird als in anderen. Sowohl die Länder, die mit diesem Standortvorteil arbeiten, als auch die Abnehmer ihrer Produkte, die ihre dadurch eingesparte Arbeitskraft dort einsetzen können, wo sie selbst gegenüber anderen Ländern Vorteile haben, profitieren von diesem Gefälle.

Wer Geld investieren will, wird also dorthin gehen, wo er mit geringstmöglichen Arbeitskosten den höchstmöglichen Nutzen, sprich: die beste Verzinsung, erzielt. Nach Ricardo nutzt er damit nicht nur sich selbst, sondern dem gesamten Wirtschaftszusammenhang, was sich heute übrigens am dramatisch steigenden Lebensstandard der Billiglohn- und Schwellenländer demonstrieren lässt.

Was nun die vielbeklagte Zockermentalität der Investoren betrifft, so verbirgt sich dahinter die leider unvermeidliche Tatsache, dass es bei Geldanlagen, zumal im Ausland, völlige Planungssicherheit nicht geben kann. Im Gegensatz zum Einkauf, der in der Gegenwart stattfindet, ist eine Anlage immer auf eine Zukunft hin orientiert, die sich zwar nach Erfahrung und Wahrscheinlichkeit berechnen, nie aber mit letzter Sicherheit voraussagen lässt.

Womit wir beim Risiko wären: Jede Anlage ist damit behaftet, und je höher der erwartete Zins ausfällt – so kann man über den Daumen sagen –, desto höher steigt das Risiko, das man eingeht. Bankkunden, die beim Crash ihre hochverzinslichen Anlagen verloren haben, sollten sich nicht nur über die kurzsichtigen Bankberater beklagen, die oft genug ihren eigenen Wunschvorstellungen zum Opfer fielen, sondern auch über die eigene Blindheit oder gar Gier, die sie über bestehende Risiken hinwegtäuschte. Auch die Anleger nehmen nun einmal an diesem Risikospiel teil.

Die Risiken, die sich aus der amerikanischen Immobilienblase ergaben, waren ziemlich genau die gleichen, die schon einmal zu einem furchtbaren Börsenkrach mit nachfolgender Depression geführt hatten. Ich spreche vom sogenannten »Schwarzen Freitag« des Jahres 1929, der seitdem als Menetekel über allen riskanten Spekulationen steht. Grund für den damaligen Crash, der in Deutschland indirekt zum Aufstieg Adolf Hitlers führte, war eine

Aktienblase gewesen, die wiederum durch billige Bankkredite angeheizt wurde. Wie damals in Amerika alle Gesellschaftsschichten darin wetteiferten, das zinsgünstige Geld auf den Aktienmarkt zu tragen, so wurde es zu Beginn des 21. Jahrhunderts in den Immobilienmarkt gesteckt.

Heute wie damals platzte die Blase, als die Konjunktur abflaute und jedermann um jeden Preis seine Aktien beziehungsweise Immobilien wieder loswerden musste. Man hätte also gewarnt sein können, als während eines bereits überhitzten Häuserbooms die hochverzinslichen Papierchen aus dem Mutterland des »Schwarzen Freitags« zu uns herüberflatterten.

Bevor ich zu der Frage komme, weshalb so viele dieser Schrottpapiere gerade in Deutschland gelandet sind, möchte ich daran erinnern, dass die deutschen Unternehmen und Banken im eigenen Land relativ wenig verdienen – im Gegensatz zu allem, was von Politikern, Gewerkschaftlern und Kirchenleuten verkündet wird. Deutschland ist kein Billiglohnland, sondern ein Hochlohnland und entsprechend ein Niedrigrenditeland. Das ist eine ganz entscheidende Tatsache, von der sich nicht nur die Ursachen unserer speziell deutschen Krise ableiten lassen, sondern auch die Auslöser einer noch größeren Krise, mit der wir nach Ende der gegenwärtigen konfrontiert sein könnten.

Über die Wirtschaft moralisieren die Deutschen viel und wissen wenig. Fragt man den »Mann (oder die Frau) auf der Straße« nach der Nettoumsatzrendite, also dem Gewinn der deutschen Industrie nach Abzug aller Kosten, Abgaben und Steuern, so lautet die Antwort im Durchschnitt »zehn Prozent« oder mehr.

In Wirklichkeit lag die Rendite in den vergangenen Jahren zwischen zwei und drei Prozent. Das ist also nicht nur viel weniger, als die Leute denken; es ist auch weniger, als es noch vor dreißig Jahren war. Damals lag die Nettoumsatzrendite fast doppelt so hoch. Noch schwerer wiegt, dass sie viel niedriger ist als in den meisten anderen Ländern. Es darf also niemanden wundern, wenn das Ausland seit Opel in Eisenach, BMW in Leipzig und mehreren mit opulenter Staatshilfe errichteten Chipwerken in Sachsen schon lange keine neuen Fabriken mehr in Deutschland gebaut hat – umgekehrt aber inländische Firmen ihre Fabriken fast nur noch im Ausland errichten. Das hat mit Ricardos Erkenntnissen zu tun, aber auch mit der Hartnäckigkeit der Deutschen, vor wirtschaftlichen Tatsachen die Augen zu verschließen.

Natürlich gibt es auch in Deutschland Firmen, die mehr verdienen – vielfach aber nur, weil sie im Ausland tätig sind. Bayer in Leverkusen, in deren Aufsichtsrat ich sitze, verdient vor allem deshalb meist mehr als die genannten zwei oder drei Prozent, weil diese Firma über 85 Prozent ihres Umsatzes im Ausland erwirtschaftet. Da man dort mehr verdienen kann, zeigen die entsprechenden Firmen auf konsolidierter Basis eine höhere Nettoumsatzrendite, was nicht nur der Firma selbst, sondern der gesamten Wirtschaft und auch dem Sozialstaat zugutekommt.

Dagegen bleibt der typische deutsche Mittelständler, der nun einmal an seinem heimischen Standort festgenagelt ist, an den – im internationalen Vergleich armseligen – zwei bis drei Prozent hängen. Die Abwanderung der deutschen Industrie ins Ausland, die in den letzten Jahren massiv stattgefunden hat, ist schlicht und einfach dem Umstand geschuldet, dass man hier im Vergleich zu früher und zum Ausland zu wenig verdienen kann. Doch das genaue Gegenteil gilt in unserem Land als unverrückbare Tatsache. Versucht man diese Fabel in Talkshows oder Podiumsdiskussionen zurechtzurücken, stößt man auf Unglauben oder löst gar helle Empörung aus.

»Deutschland hatte 2006 eine gesamtwirtschaftliche Ersparnis von 268 Milliarden Euro«, schreibt Hans-Werner Sinn, »verbrauchte davon aber nur 84 Milliarden Euro für eigene Nettoinvestitionen und exportierte 184 Milliarden Euro ins Ausland. Das ist das Ergebnis der von vielen Ökonomen seit Jahren monierten Standortschwäche des Landes« – eines Landes, das bei weitem das »höchste Niveau der Stundenlöhne unter allen großen Industrieländern« aufweist. »Vielfach wurde auch ganz auf Investitionen verzichtet, so dass die für Investitionen verfügbaren Ersparnisse über das Bankensystem in die weite Welt verteilt wurden« – vor allem in das »*land of plenty*«, das Land der vermeintlich risikolosen Geldvermehrung: Amerika.

Ganz besonders galt dieser Trend für unsere Banken, da sie im Vergleich mit ihren ausländischen Kollegen ebenfalls deutlich weniger verdienten. Was unter anderem daran lag, dass sich schon vor der Krise über die Hälfte des deutschen Bankensystems in den Händen des Staates befand. Die Kreditanstalt für Wiederaufbau (KfW) gehört Bund und Ländern und zeichnet wiederum selbst als größter Aktionär der IKB (Deutsche Industriebank AG). Die Landesbanken wiederum gehören den jeweiligen Bundesländern respektive Sparkassen, die zumeist im Besitz der Kommunen sind. Deutschlands Finanzwirtschaft musste also gar nicht, wie die Tugendprediger von jeher fordern, verstaatlicht werden – sie war es zur Hälfte schon.

Nur leider nicht zum Nutzen, sondern zum Schaden der Finanzwirtschaft. Nicht nur, weil Politiker im Bankenwesen oft fehl am Platze sind, sondern auch wegen einer Einrichtung, die den staatlichen Banken ebenso nützte, wie sie den privaten Banken schadete: Sie trug den Titel »Gewährträgerhaftung« und bedeutete, dass die Landesbanken an günstigere Staatskredite herankamen, die ihnen aus dem Steuertopf zugeschanzt wurden. Außerdem mussten der Staat und seine braven Steuerzahler im Notfall für ihre Verluste aufkommen.

So konnten sich die Landesbanken billiges Staatsgeld besorgen und in Wettbewerb mit den Privatbanken treten, die ihrerseits nun billigere, ihre Gewinne schmälernde Kredite anbieten mussten. Ein weiterer Nachteil für die Privatbanken ergab sich daraus, dass jede staatliche Bank automatisch ein ebenso gutes Rating bekam wie das Land, in dem sie residierte, nämlich *AAA.*

Die Landesbanken haben sozusagen »das Geschäft kaputt gemacht«, weil sie im Notfall den Steuerzahler, der nichts davon ahnte, in die Pflicht nehmen konnten. Sie lebten von unsichtbaren Subventionen. Da mir persönlich jede Art staatlicher Förderung, die den fairen Wettbewerb behindert, schon immer suspekt gewesen ist, habe ich mich bereits als BDI-Präsident gegen die Gewährträgerhaftung eingesetzt, wohl wissend, dass Bundeskanzler Helmut Kohl sich in Brüssel seit Jahren erfolgreich für den Erhalt dieser indirekten Subvention für den staatlichen Bankensektor starkmachte.

Ende der neunziger Jahre erhielt ich einen Anruf vom Präsidenten des Deutschen Sparkassen- und Giroverbandes, der mich in einer dringenden Angelegenheit sprechen wollte.

»Herr Henkel«, sagte er, »ich weiß, dass Sie sich für die Abschaffung der Gewährträgerhaftung einsetzen. Ich schlage Ihnen vor, dass Sie sich auf die Dinge konzentrieren, die mit der Industrie zusammenhängen, und sich bei den Banken zurückhalten, so wie ich mich auf die Banken konzentriere und mich bei der Industrie zurückhalte.«

Auf diesen Deal des Sparkassenpräsidenten, er hieß übrigens Dr. Horst Köhler, habe ich mich nicht eingelassen. Ohne behaupten zu wollen, dass meine Stimme besonders ins Gewicht fiel, weiß ich doch, dass ich den mutigen EU-Wettbewerbskommissar Karel van Miert für mein Anliegen gewinnen konnte. Ich gebe zu, damals mit Brüssel »über Bande gespielt« zu haben, um mitzuhelfen, diese und andere für Deutschland schädliche Wettbewerbsverzerrungen aufzuheben. Herr van Miert hat mir später bestätigt, dass dies bei seiner Entscheidung auch eine Rolle gespielt habe. War es ihm doch, wie mir selbst, um faire Wettbewerbsbedingungen für die Privatbanken gegangen, die langfristig nicht in der Lage waren, genügend Eigenkapital anzusammeln, um sich gegen die subventionierte Konkurrenz zu behaupten.

Als die EU im Jahr 2001 die Gewährträgerhaftung aufhob, gestand sie den Landesbanken allerdings eine generöse Übergangsfrist zu, die erst 2005 enden sollte – ein entscheidender Fehler, der zur heutigen Schieflage unserer staatlich kontrollierten Banken führte. Denn was machten die Landesbanken? Schnell wurde ihnen klar, dass sie nicht weiterwussten. Ihr ganzes Geschäftsmodell hatte schließlich darin bestanden, billige Kredite vom Staat gegen höhere Zinsen an die Privatwirtschaft weiterzugeben.

Da sie das lukrativer betreiben konnten als die Privatbanken, die sich ihre Kredite am freien Markt zu höheren Zinsen besorgen mussten, blieb genügend Gewinn übrig, um nach Beamtengeschmack prunkvolle Bauten zu errichten oder abgehalfterte Politiker auf angenehme Posten zu hieven, wo sie Kulturprojekte sponsern und auf Auslandsreisen, assistiert von stolzen Landesbankern, ordentlich investieren konnten. Kein Wunder, dass der Name fast jeder Landesbank mit irgendeinem peinlichen Skandal verknüpft ist, weil Politiker, die nichts vom Verdienen, aber sehr viel vom Ausgeben verstanden, hier ihre Selbstverwirklichung und Selbstbedienung suchten und öffentliche Gelder im notleidenden Ausland beziehungsweise in ihrem eigenen notleidenden Geldbeutel versenkten.

Plötzlich war den Landesbanken ihr schönes Geschäftsmodell verhagelt, und ein anderes hatten sie nicht gelernt. War jemals bei einer Landesbank ein Konto eingerichtet worden? Hatten sie jemals Vermögen verwaltet? Oder im Auftrag von Kunden Aktien gekauft oder verkauft? Nichts davon. Sie hatten lediglich Kredite, günstig vom Staat geliehen, mit Aufschlag weitergereicht und die

Profite versemmelt. Die EU setzte dieser goldenen Zeit ein Ende. Ab 2001 standen die Landesbanker vor dem Abgrund. Allerdings öffnete er sich nicht unmittelbar vor ihnen – er war noch weit weg: Vier Jahre würde man Zeit haben. Statt nun neue Geschäftmodelle zu erproben und es einmal mit harter Arbeit zu versuchen, beschloss man, den bequemen Weg so lange wie möglich weiterzugehen. Für interessante Verbriefungen, wie sie aus Übersee angeboten wurden, zeigte man sich deshalb mehr als aufgeschlossen.

Um die heiklen Transaktionen nicht in der Bilanz präsentieren zu müssen, gingen die Landesbanken in Steueroasen wie die Kanalinsel Jersey oder den US-Bundesstaat Delaware und gründeten Geheimfilialen, sogenannte *Conduits* – wörtlich Rohrleitungen –, mit denen sie eine Zeit lang großes Geld verdienen konnten, ohne zugleich, wie bei Banken erforderlich, den Eigenkapitalanteil anheben zu müssen. Die große Stunde dieser zweckmäßigen Einrichtungen, die deshalb auch Zweckgesellschaften genannt wurden, schlug 2001, als die Gewährträgerhaftung fiel.

Nun wollen wir uns nochmal ordentlich vollpacken mit billigen Staatskrediten, sagten sich die Landesbanker und ließen die Verkaufsgenies der einschlägigen US-Investmenthäuser ihre Koffer öffnen. Da lagen lauter *triple-A-* und *double-A-* und *A-plus-*Juwelen drin, und wenn sich doch einmal herausstellen sollte, dass das alles nur Strass und Tinnef war, dann stand man vielleicht schon gar nicht mehr in der Verantwortung, sondern genoss den wohlverdienten Ruhestand.

So sind also die soliden Herren Landesbanker, den Abgrund vor Augen, nochmal richtig in die Vollen gegangen und haben das Steuergeld, Milliarde um Milliarde, gegen die ABS-Wunderpapiere eingetauscht. Man musste ja auf Vorrat anschaffen, was anzuschaffen war, und als sich in Amerika bereits die ersten Erschütterungen des Kartenhauses bemerkbar machten, kamen immer größere Koffer aus Übersee an, um, im Tausch gegen ihren dubiosen Inhalt, prallvoll mit deutschen Banknoten heimzukehren. Das Bild ist kaum übertrieben: Bis 2008 wurden von deutschen Banken vermutlich rund 300 Milliarden Euro in die wackeligen Verbriefungen investiert.

Natürlich verfügte jede dieser Landesbanken über einen Aufsichtsrat voll namhafter Politiker. Liest man deren Namen, glaubt man eine Ehrenhalle verdienter Parteisoldaten zu betreten, ein Museum einstiger Entscheidungsträger, darunter auch abgeschobene oder zwischengeparkte, warmgehaltene oder kaltgestellte, die sich allesamt der Aufgabe gewachsen glaubten, eine Bank zu kontrollieren.

Ich fürchte, sie hatten nicht den Hauch einer Ahnung, und nicht einmal das ahnten sie. Als ihre Banken in den Abgrund stürzten, hat nur ein Einziger dieser erlesenen Schar die Konsequenzen gezogen: Sachsens Ministerpräsident Georg Milbradt, obwohl seit 2001 gar nicht mehr im Aufsichtsrat der Sachsen LB, trat 2008 zurück. Das war anständig, vielleicht zu anständig. Denn alle anderen haben sich diskret aus der Schusslinie zurückgezogen und schimpfen heute noch auf die Gier der Manager, die an der Milliardenpleite der Landesbanken schuld seien.

Meine persönlichen Erfahrungen mit dieser fatalen Entwicklung habe ich als BDI-Präsident bei der Düsseldorfer IKB sammeln können, deren Aufsichtsrat und Präsidium ich von 1996 bis 2004 angehörte. Außerdem war ich Vorsitzender des Beirats der IKB, einem illustren Gremium aus rund dreißig mittelständischen Unternehmern. Ich kenne die IKB also ganz gut. 1924 gegründet, um die im Versailler Vertrag festgelegten Reparationszahlungen an die Alliierten zu finanzieren, kümmerte sie sich nach 1945 um die Versorgung des Mittelstands mit langfristigen Krediten. Obwohl sie nicht unmittelbar zu den Landesbanken gehörte, stand sie unter staatlichem Einfluss, da die Kreditanstalt für Wiederaufbau KfW ihr Hauptaktionär war.

Irgendwann hat die IKB festgestellt, dass ihre Geschäftsmöglichkeiten sich durchaus nicht auf die dröge Mittelstandsfinanzierung beschränken mussten, sondern, dank staatlicher Refinanzierungsmöglichkeiten und guter Ratings, in ganz andere Dimensionen der Geldvermehrung vorstoßen konnten. Das Beispiel der Landesbanken diente plötzlich als Vorbild. Deshalb zeigte man sich gegenüber den schneidigen Investmentbankern aus Amerika besonders aufgeschlossen, deren Musterkoffer, beklebt mit den Edeletiketten von Lehman, Goldman Sachs oder UBS, die IKB-Manager ins Träumen brachten. Die Chance auf Renditen ohne Risiko ließ die letzten Hemmungen fallen. Der Glaube an die Emissäre des schnellen Kapitals verdrängte die Grundsätze des altmodischen Bankgeschäfts. Wie die staatlichen Landesbanker nannten die IKB-Manager dieses Geschäft »Kreditersatzgeschäft«, nur dass das Volumen dieses »Ersatzgeschäfts« das des Kerngeschäfts bald um ein Vielfaches übertreffen sollte.

Vielleicht hat die Psychologie dabei eine größere Rolle gespielt als der Taschenrechner. Ein paar Jahre lang durfte man sich für Global Players halten, bei denen die amerikanischen Überholspur-Manager Dauergäste waren. Schon bevor ich im Beirat der Bank of America in Deutschland saß, hatte ich des Öfteren Gelegenheit, mit den smarten Spezialisten für Einkäufe, Zukäufe und Verkäufe zu sprechen, diesen gewieften Verkaufsstrategen, die Kredite gewähren oder verweigern, Verbriefungen zusammenstellen, Firmen fusionieren oder auseinanderlegen – im Grunde ähneln sie alle Tom Wolfes »*Masters of the Universe*«, die unbemerkt von der Öffentlichkeit so lange »Gott spielen«, bis sie irgendwann selbst vom Blitz der Pleite getroffen werden.

Ihre oft erstaunlich hohen Vermögen häufen Investmentbanker dadurch an, dass sie für ihre paar guten Ideen stets eine Gebühr berechnen, die zwar prozentual sehr klein sein mag, im Verhältnis zum Geschäftsvolumen aber sehr groß ist und weitaus größer als das Gehalt eines klassischen Bankers. Zwar bezieht Josef Ackermann von allen DAX-Vorständen das höchste Gehalt, doch verdienten die Investment-Spezialisten seiner eigenen Bank oft ein Vielfaches, unter anderem, weil es bei ihnen nicht auf langfristige Strategien, sondern auf das sprichwörtliche »schnelle Geld« ankommt. Sie sind Kurzstreckenläufer, denen deshalb auch bald der Atem ausgeht.

Persönlich finde ich diese Art der Bezahlung extrem anrüchig. Sie verführt zur Waghalsigkeit, von der Hybris ganz zu schwei gen. Irgendwie erinnert mich dieses Vorgehen an die Verhältnisse im Fußballgeschäft, wo die Kicker beim FC Chelsea oder bei Real Madrid zig Millionen pro Jahr verdienen und mit einer Milliarde Ablöse gehandelt werden. Dass ein solcher Wahnsinn auch in den Banken einreißen konnte, liegt unter anderem daran, dass die Investmentstars so wechselfreudig sind wie Ronaldo oder Ribéry. Droht ein guter Investment-Abteilungsleiter zur Konkurrenz zu gehen und zwanzig seiner Leute mitzunehmen, weil dort das Doppelte gezahlt wird, bleibt auch dem gediegensten Bankmanager nichts anderes übrig, als selbst zu verdoppeln. Andernfalls muss er eine neue Investment-Abteilung anheuern, für die er vermutlich genauso viel bezahlt wie die Konkurrenz.

Diese extrem schnellen, erfolgsverwöhnten Typen mit den prallen Portfolios traten nun also in die Büros der IKB-Banker und boten ihre faszinierenden Papiere an, hinter denen, wie es hieß, solide Immobilien als Sicherheiten standen.

»Aber wie sicher ist das?«, fragte der Banker. »Könnte das nicht riskant sein?«

»Aber nein«, so hieß es, »wir haben bewusst für ein ausgeglichenes Risiko gesorgt, indem wir Industrie- und Geschäftsimmobilien, Privat- und Bürohäuser gemischt haben. Von ›Risiko‹ kann hier kaum mehr die Rede sein.«

»Und wie«, so könnte der IKB-Banker nachgesetzt haben, »wird das von Ihren Rating-Agenturen bewertet? Was sagen Moody's oder Standard & Poor's dazu?«

»Eine hervorragende Frage«, lautete die Antwort. »Wir haben natürlich nur gute bis ausgezeichnete Bewertungen, *triple A, double A, A plus* – alles dabei.«

»Und trotz des geringen Risikos kriegen wir so viel Zinsen dafür?«

»Worauf Sie sich verlassen können.«

»Also her damit. Je mehr, desto besser. Wie? Sie wollen eine Milliarde? *No problem.*«

War das Gespräch zu solch einem befriedigenden Abschluss gekommen, blieb eigentlich nur noch eine Frage, bevor das große Scheffeln losgehen konnte: Wie würde sich das ganze Geld, das man dafür aufzunehmen hatte, in der Bilanz ausnehmen? Nicht gut, das war gewiss. Doch zum Glück konnte man es auslagern. Dazu gründete die IKB, wie zuvor die Landesbanken, die passenden Zweckgesellschaften, deren Name *Conduits* nichts Schlimmes vermuten ließ.

Aus meiner Zeit im IKB-Aufsichtsrat erinnere ich mich daran, wie der seltsame Begriff erstmals in einem Geschäftsbericht auftauchte. Da es sich damals noch um bescheidene Beträge handelte, die dorthin »geleitet« wurden, war die Angelegenheit im Aufsichtsrat nicht einmal einer Nachfrage wert. Die IKB besaß zwei solcher Zweckgesellschaften: Rhinebridge Funding im irischen Dublin und Rhineland Funding im US-Bundesstaat Delaware – Letztere hatte, während sie mit Milliarden jonglierte, gerade einmal 500 Dollar Eigenkapital. Das ist kein Druckfehler – es handelte sich wirklich nur um 500 Dollar! In Delaware tummelten sich übrigens auch die *Conduit*-Manager der Bayern LB, der

Sachsen LB, diverser Privatbanken und der Hypo Real Estate (HRE).

Eine Regel, wonach man solche »weitergeleiteten« Geschäfte in die Bilanz stellen musste, fehlte damals in Deutschland. Dass man sich dieses zwar legalen, aber kaum legitimen Tricks überhaupt bediente, widersprach völlig den Usancen, die ich von der IKB gewohnt war. Während meiner Zeit im Aufsichtsrat gehörte die Bank zu den solidesten Instituten überhaupt. Wie oft habe ich mir als Mitglied des Aufsichtsrats in den endlos langen Hauptversammlungen von den Aktionärsvertretern anhören müssen, dass unser Geschäftsgebaren geradezu »langweilig« wäre. Während die Aktienkurse der anderen Banken ab den neunziger Jahren nach oben gingen, dümpelte die IKB so vor sich hin, weil sie eben nur Geschäfte mit dem anscheinend nicht minder langweiligen Mittelstand tätigte. Warum, so wurden wir bedrängt, besorgten wir uns nicht im Ausland »interessantere Papiere«, die mehr Rendite brachten?

Noch heute sehe ich die Männer in Nadelstreifen mit zur Krawatte passendem Einstecktuch vor mir, die diese Bank jahrelang geführt haben: jeder von ihnen eine Inkarnation der Solidität, der Zuverlässigkeit, der Langeweile. Beispielsweise Dr. Alexander von Tippelskirch, der bereits 1968 in die IKB eingetreten war und 1990 zum Vorstandssprecher ernannt wurde. Auch bei privaten Begegnungen mit diesem IKB-Urgestein gewann ich den Eindruck, dass dieser Mann nie im Leben auf die Idee kommen könnte, irgendwelche gewagten Geschäfte zu machen. Derlei schien mir völlig unvorstellbar. Tippelskirchs IKB war eine todlangweilige, grundsolide Bank.

Die Langeweile sollte bald ein Ende haben, denn Herr von Tippelskirch hegte große Pläne. Während meiner Zeit im Aufsichtsrat erfuhr ich, dass die Großaktionärin Allianz ihren Anteil an der IKB loswerden wollte und dass unser Vorstandsvorsitzender sehr daran interessiert war, dieses beachtliche Aktienpaket an die KfW weiterzureichen, die zu achtzig Prozent dem Bund, zu zwanzig Prozent den Ländern gehört. Da sich, wie gesagt, in unserem Land bereits über fünfzig Prozent der Banken in Staatshand befanden, samt der sich daraus ergebenden Wettbewerbsverzerrung, erschien mir dies als ordnungspolitischer Fehler. Außerdem besaß die Privatbank IKB eine gewachsene Nähe zum BDI, der unter anderem dafür sorgte, dass zehn Prozent der Dividende in die Industrieforschung gesteckt wurden. Zuerst im vierköpfigen Präsidium, dann auch öffentlich habe ich mich gegen die geplante Unterordnung unter die KfW ausgesprochen und mich damit in Widerspruch zu Herrn von Tippelskirch begeben.

Nachdem ich mich zu Recht hatte belehren lassen müssen, dass es nicht Aufgabe des Aufsichtsrats sein konnte, der Allianz vorzuschreiben, an wen sie ihr Aktienpaket verkaufte, musste ich einsehen, dass Herr von Tippelskirch über die stärkeren Bataillone verfügte. 2001 ging das Paket an die Staatsbank KfW, und – um Hildegard Knef zu zitieren – von nun an ging's bergab.

Schon nach kurzer Zeit erschien der damalige KfW-Vorstandsvorsitzende, Hans W. Reich, im Aufsichtsrat der IKB. Eigentlich war daran nichts auszusetzen, denn als Großaktionär, der rund dreißig Prozent besaß, kam ihm dieses Recht zu. Allerdings befand sich zur selben Zeit unser Vorstandsvorsitzender, Alexander von Tippelskirch, im Aufsichtsrat der KfW. Und daran war sehr wohl etwas auszusetzen.

Denn während Herr von Tippelskirch im Aufsichtsrat der KfW deren Vorstandsvorsitzenden Reich observierte, observierte Herr Reich im Aufsichtsrat der IKB deren Vorstandsvorsitzenden von Tippelskirch. Es war also die meiner Meinung nach skandalöse Konstellation entstanden, dass zwei Männern die Aufgabe zufiel, sich gegenseitig auf die Finger zu schauen. Selbst wenn man die Möglichkeit ausschloss, dass sie sich miteinander verbündeten und in geheimer Absprache gemeinsam und gänzlich unkontrolliert regierten, bestand doch die Gefahr, dass jeder angesichts der Schwächen des anderen ein Auge zudrückte, um nicht selbst für mögliche eigene Fehler belangt zu werden.

Nachdem ich bereits den ordnungspolitischen Sündenfall hatte hinnehmen müssen, dass eine Privatbank auf kaltem Weg in staatliche Obhut gegeben wurde, glaubte ich mich in diesem Fall auf der sicheren Seite. Die Missbrauchsgefahr war allzu offensichtlich. Sobald ich im Präsidium darauf hingewiesen hatte, meinte ich, würde Herr von Tippelskirch sich bei mir bedanken und schleunigst den Hut nehmen.

Aber ich lag falsch. Da es zu meinen nicht sonderlich beliebten Eigenschaften gehört, Menschen offen auch solche Dinge zu sagen, die sie nicht unbedingt gern hören, brachte ich den Fall wieder und wieder vor dem Präsidium und in Anwesenheit Herrn von Tippelskirchs zur Sprache – nur um wieder und wieder auf taube Ohren zu stoßen. Ich hatte das Gefühl, gegen eine Gummiwand zu rennen. Nach diesen vergeblichen Versuchen ging ich endlich zum Aufsichtsratsvorsitzenden, Dr. Ulrich Hartmann, und bat ihn, er möge als oberste Kontrollinstanz den wenig geneigten Dr. Alexander von Tippelskirch anweisen, sein Mandat im KfW-Aufsichtsrat niederzulegen.

Von Herrn Hartmann darauf angesprochen, setzte sich von Tippelskirch wortreich zur Wehr, unter anderem mit dem Argument, nur so könne er die vielen Kontakte pflegen, die ihm die Nähe zur KfW eröffnet habe – vom Finanz- und Wirtschaftsminister bis hin zu den Vorsitzenden der großen deutschen Gewerkschaften. Wer wollte da gern weichen? Mein Gegenargument lautete schlicht, dass sich solche Kontakte auch anderswo pflegen ließen – ohne dass damit die Kontrolle des Mannes verbunden war, der einen selbst kontrollieren sollte.

Als dem Aufsichtsratsvorsitzenden klarwurde, dass ich nicht lockerlassen würde, versprach er, »einmal darüber nachdenken« zu wollen, worauf ich erwiderte, dass es darüber nichts nachzudenken gebe: Der Fall lag klar, eine Entscheidung musste her. Die kam auch. Bald darauf erhielt ich einen Brief mit dem mehrseitigen Gutachten einer Anwaltskanzlei, welches Dr. Ulrich Hartmann in seiner Überzeugung bestätigte, dass an dieser Überkreuzkontrolle nichts auszusetzen sei.

Denn, so die für mich erstaunliche Begründung, das Verbot solcher Verflechtungen gelte nur für Unternehmen an der Börse. Da jedoch nur die IKB, nicht aber die KfW börsennotiert sei und die eigentliche Aufsicht über die KfW ohnehin beim Finanzministerium liege, ließe sich juristisch gesehen nichts gegen diese Verflechtung einwenden. Ich konnte es kaum glauben: Wollte Ulrich Hartmann allen Ernstes mit einem solchen Advokatentrick einen moralisch zweifelhaften Zustand für ewig festschreiben?

Bald darauf erreichte mich ein weiterer Brief des Aufsichtsratsvorsitzenden, in dem er mir zu verstehen gab, dass man mich nicht länger in diesem Gremium haben wollte. Doch könne ich, falls gewünscht, weiterhin als Vorsitzender des dreißigköpfigen Beirats fungieren. Mit anderen Worten: Herr Hartmann wollte mich loswerden und mir gleichzeitig, durch die Offerte einer anderen Stelle, einen Maulkorb anlegen. Da ich mich nie im Leben kaufen lassen würde, bereitete es mir ein besonderes Vergnügen, auf der Stelle meine Ämter als Aufsichtsratsmitglied, Mitglied des Präsidiums und Vorsitzender des Beraterkreises niederzulegen und mir, wie es in der Bibel so schön heißt, »den Staub von den Füßen zu schütteln«.

Mein Insistieren schien dennoch, wenn auch mit Zeitverzögerung, eine gewisse Wirkung zu zeigen. Bei den Beratungen des Aufsichtsrats, so las ich im IKB-Geschäftsbericht 2007/08, sei »in zwei Fällen ein Interessenkonflikt aufgetreten, der von dem betreffenden Aufsichtsratsmitglied offengelegt wurde. Das betroffene Aufsichtsratsmitglied hat sich bei der entsprechenden Abstimmung der Stimme enthalten bzw. an der Behandlung der Tagesordnungspunkte nicht teilgenommen«. Na bitte, dachte ich mir. Allerdings hätten sich nach dieser Logik die Herren Reich und von Tippelskirch unablässig aus den Sitzungen verabschieden müssen.

So habe ich also im März 2004 – leichten Herzens, wie ich sagen muss – die IKB verlassen. Wenige Entscheidungen haben mich in der Rückschau so glücklich gemacht. Hätte ich geschwiegen und wäre im Aufsichtsrat geblieben, oder hätte ich auch nur das Hartmannsche Lockangebot angenommen, wäre ich nach dem Platzen der Verbriefungsblase gemeinsam mit dem gesamten Vorstand und Aufsichtsrat schmählich untergegangen und zu Recht durch den medialen Fleischwolf gedreht worden. Rückblickend wirkt es fast unheimlich auf mich, dass erst nach meinem Weggang mit der massenhaften Akkumulation toxischer Papiere begonnen wurde.

Auch dies stellte einen Bruch mit der Tradition dar. Noch zu meiner Zeit pflegte sich die IKB bei ihren Geschäften auf den Mittelstand zu konzentrieren – mit der bereits geschilderten Folge, dass sie für die deutsche Volkswirtschaft sehr nützlich, in ihrer Außenwirkung aber eher langweilig war. Doch bereits darin lag ein Missverständnis: Solides Wirtschaften bietet nun einmal wenig Unterhaltungswert. Stattdessen eiferte man nun dem Beispiel der staatlichen Banken nach und wagte sich auf »interessanteres Terrain« vor.

Natürlich habe ich mir die Frage gestellt, wie ich reagiert hätte, wenn ich bei der IKB geblieben wäre und man dort ganz offen über unsere *Conduits* gesprochen hätte. Zwar waren sie schon zu meiner Zeit gegründet worden, aber damals noch mit ganz bescheidenen Zahlen. Erst nach meinem Ausscheiden wurde das

Geheimunternehmen richtiggehend hochgepumpt. Vielleicht hätte ich bei einer Verwaltungsratssitzung den neuen Vorstandsvorsitzenden direkt gefragt, worauf sich folgender Dialog hätte entwickeln können: »Sehr geehrter Herr Ortseifen, was machen Sie da eigentlich in Dublin?«

»Ja, sehr geehrter Herr Henkel«, wäre die Antwort gewesen. »Da haben wir ein Conduit.«

»Bitte erklären Sie mir das«, hätte ich vermutlich gesagt.

»Ach, das wissen Sie nicht? Also, mit dem Conduit besorgen wir uns vor allem aus Amerika interessante Papiere. Aufgrund unserer hohen Bonität und unseres schönen Ratings haben wir Zugriff zu günstiger Refinanzierung.«

Als Nichtbanker hätte ich dann weiter nachgefragt, was darunter zu verstehen sei.

»Ganz einfach: Wir kriegen ordentlich Zinsen und zahlen selbst deutlich weniger Zinsen.«

Nach meiner Verwaltungsratserfahrung wären die Kollegen angesichts solcher Naivität langsam ungeduldig geworden. Nehmen wir an, ich hätte mich trotz vorwurfsvoller Blicke und eines genervten Vorsitzenden nicht damit abspeisen lassen.

»Was sind das für Papiere aus Amerika«, wäre meine nächste Frage gewesen, »die Ihnen eine solche Traumrendite bringen?«

»Berechtigte Frage, Herr Henkel. Es handelt sich um *asset backed securities*, also Wertpapiere, deren Zins- und Kapitaldienst von einem fest definierten Portfolio abhängt.«

»Und was steckt in diesem Portfolio drin? Ich meine, welche *assets* stehen hinter diesen *securities*?«

»Also wissen Sie«, hätte er vermutlich noch genervter geantwortet, »da sind die verschiedensten Immobilien versammelt ...«

»Aber sind die in Amerika nicht ziemlich teuer geworden?«, hätte ich ihn, sein ironisches Lächeln ignorierend, unterbrochen.

»Ich war gerade mit meinem Sohn in Greenwich, wo unser Haus, das realistisch 210 000 Dollar wert war, heute mit über zwei Millionen gehandelt wird.«

»Das stimmt«, hätte er vielleicht geantwortet, »aber unsere *securities* sind deshalb so sicher, weil sie gemischt sind, nicht nur Privatimmobilien, wie Ihr ehemaliges Haus, sondern auch Ladenpassagen, ganze Einkaufszentren, und nicht nur im teuren Osten, sondern auch im Süden und Westen und Norden ... Nicht zu vergessen, dass sich auch Leasing-Verträge aus dem amerikanischen Automobilmarkt darunter befinden, Kreditverträge der großen Banken ...«

»Und das wurde risikomindernd gemischt? Haben wir denn Leute, die etwas davon verstehen?«

»Nicht nötig, Herr Henkel«, hätte er möglicherweise mit bedeutungsvollem Blick in die Runde gesagt. »Das müssen wir doch nicht selbst machen – dafür gibt es die Experten in Amerika.«

»Eine letzte Frage, Herr Ortseifen. Wenn Sie dort mehr Zinsen kriegen, als Sie hier bezahlen, dann muss doch dort zwangsläufig das Risiko höher sein als hier. Ist das nicht richtig?«

Wahrscheinlich hätte ein souveränes Lächeln Ortseifens Gesicht erhellt. »Lieber Herr Henkel, diese Papiere aus Amerika werden von den Rating-Agenturen besser bewertet als wir selbst.«

»Besser als wir selbst?«

Und Herr Ortseifen hätte genickt, und alle Kollegen am runden Tisch hätten mich traurig angeblickt, als wollten sie sagen: Nun ist aber genug mit Ihren dämlichen Fragen! Und man wäre mit zufriedener Miene zum nächsten Tagesordnungspunkt übergegangen.

Ungefähr so wäre wohl mein Versuch ausgegangen, Licht in das dunkle Geschäft mit den Verbriefungen zu bringen. Niemals hätte man zugegeben, dass der Bruch mit der Tradition solider

Bankenführung längst vollzogen war und dass man das Risikomanagement leichtfertig aus der Hand gegeben hatte. Andererseits, wie hätte man das auch zugeben können, wo man es selbst nicht einmal bemerkte? Selbstkritisch sei angefügt: Als Mitglied des Aufsichtsrats hätte vermutlich auch ich nichts bemerkt.

Solange ich bei der IKB war, verfügten wir über eine ausgezeichnete Risikobewertung. Dank dieses Frühwarnsystems war man in der Lage, bei Tausenden mittelständischen Kunden relativ zuverlässig vorherzusagen, ob man einen Kredit geben konnte, und wenn ja, zu welchen Bedingungen. Ich erinnere mich, wie uns dieses Klassifizierungssystem nicht ohne Stolz in jeder Aufsichtsrats- und Präsidiumssitzung präsentiert wurde. Dabei hatte man die Kunden in verschiedene Kategorien eingereiht, die von Jahr zu Jahr angepasst wurden, so dass es zu ständigen Veränderungen im Ranking kam. Mit bösen Überraschungen musste man kaum rechnen.

Durch dieses Kontrollsystem gelang es der Bank, die zu einem bestimmten Zinssatz erworbenen Kredite zu einem etwas höheren Zinssatz sicher weiterzugeben, also mit der Aussicht auf zuverlässige Rückzahlung. War diese gewährleistet, erbrachte die Zinsdifferenz nicht nur den Gewinn des Unternehmens als Honorierung seiner Leistung, sondern bot auch eine Sicherheit für den Fall, dass doch einmal ein Kunde nicht zahlen konnte. Darin bestand der Clou des Ganzen. Wer hier versagte, konnte das Geschäft an den Nagel hängen.

Gewiss hatten wir während meiner Jahre auch einige Ausfälle zu beklagen, darunter bekannte Firmen, deren Scheitern wir trotz des Risikowarnsystems nicht vorausgesehen hatten. Dennoch funktionierte unser System besser als das der Konkurrenz, vermutlich war es das beste in Deutschland. Und die Vorstandsmitglieder, so langweilig sie gewesen sein mochten, waren gerade deshalb gute Banker.

Das heißt nicht, dass sie auch gute Unternehmer gewesen wären. Nicht einen dieser Vorstände hätte ich bei der IBM-Deutschland auch nur zum Geschäftsstellenleiter ernannt. Dazu waren sie mir einfach nicht dynamisch genug. Dasselbe galt übrigens für die KfW. Als ich dort in den Aufsichtsrat eintrat, fiel mir sofort auf, dass deren Vorstände es in Sachen Langweiligkeit durchaus mit denen der IKB aufnehmen konnten. Die Herren traten genauso tadellos gekleidet, korrekt und beamtenhaft zuverlässig auf – und das musste auch so sein, selbst wenn einem dabei die Füße einschliefen.

Dann kam das große Beben, und nichts mehr war wie vorher. Am 30. Juli 2007 veröffentlichte die IKB eine Blitzmeldung: Aufgrund der *subprime*-Krise in den USA war die Bank in eine existenzbedrohende Schieflage geraten. Stefan Ortseifen wurde gefeuert. Vielleicht waren er und der Aufsichtsratsvorsitzende Ulrich Hartmann bei aller Waghalsigkeit doch etwas zu schläfrig gewesen. Noch Tage zuvor hatten sie in ihrem Quartalsbericht eine positive Gewinnprognose gestellt und mögliche Risiken heruntergespielt. Trotz ihres ausgefeilten Risikomanagements hatten sie der kaum durchschaubaren Risikobewertung amerikanischer Rating-Agenturen vertraut.

Das rächte sich, als die Preise amerikanischer Immobilien zu purzeln begannen und die Ratings entsprechend einbrachen. Nachträglich muss man sich fragen, ob der Zusammenbruch nicht vermeidbar gewesen wäre, wenn man die Entwicklung des amerikanischen Häusermarktes beobachtet hätte. Gelegenheit zum Ausstieg aus den *asset backed securities* hatte es durchaus gegeben, nur wurde sie von den Vorständen nicht genutzt. Einige andere nutzten sie. So hatte die Deutsche Bank ihre ABS an die verschiedenen Landesbanken weitergereicht, die sie ihr förmlich aus den Händen rissen – hätte die Bank sich dem verweigern können?

Weder die Manager der Landesbanken noch die IKB bemerkten etwas. Und so war es einmal mehr Josef Ackermann, der Ende Juli 2007 als Erster das heraufziehende Unglück erkannte, die Notbremse zog und die Kreditlinie für die IKB kürzte. Wohlgemerkt, die Vorstände und Aufsichtsräte der IKB waren kalt erwischt worden. Ihr Warnsystem hatte nicht funktioniert. Das Risikomanagement der IKB bezog sich immer nur auf das Millionenrisiko der Kredite, die an mittelständische Kunden vergeben wurden. Darüber hatte man auch im Aufsichtsrat Rechenschaft abgelegt – über das Milliardenrisiko der Verbriefungen hingegen nie.

Dr. Ulrich Hartmann war sich indes keiner Schuld bewusst. »Der Aufsichtsrat«, sagte er noch bei der Aktionärshauptversammlung im März 2008, »ist seinen Pflichten ordnungsgemäß nachgekommen.«

Betrachtet man die Geschäftsberichte der IKB in den entscheidenden Jahren zwischen 2006 und 2008 genauer, so findet man überall Hinweise auf versteckte Tretminen und Fußangeln. Im Bericht für die Jahre 2006/07 steht ohne besondere Hervorhebung die Bemerkung: »Für das Conduit Rhineland Funding Capital erwarten wir innerhalb von drei Jahren ein Investmentvolumen von 20 Mrd. Euro (derzeit 12,7 Mrd. Euro), für Rhinebridge ein Volumen von 10 Mrd. Euro. Zusammengefasst bedeutet dies, dass der IKB-Konzern auch in den nächsten Jahren weiter wachsen wird.«

Gewaltige Summen in der Tat, über die en passant berichtet wird. Mehr habe ich über das gewaltige, außerhalb geparkte Firmenrisiko in diesem Bericht nicht gefunden. Sieht man sich die »Gesamtaussage zur Risikosituation« im Bericht 2006/07 an, so lesen wir da: »Insgesamt verfügt die IKB mit Blick auf die zur Verfügung stehende Risikodeckungsmasse über ausreichenden Freiraum für das weitere strategische Wachstum. Die Risikotragfähigkeitsüberwachung zeigt, dass selbst extrem unerwartete Risiken unter Worst-Case-Annahmen von der Risikodeckungsmasse abgedeckt sind. Die Entwicklung beeinträchtigende oder das Rating gefährdende Risiken aus den einzelnen Risikoarten waren und sind nicht erkennbar.« Schließlich verfügt man ja über eine »Risikotragfähigkeitsüberwachung« – worin die besteht, wird allerdings nicht berichtet.

Ich war nicht überrascht, als auch Herr Hartmann auf der Stelle, wie man so schön sagt, »die Mücke machte«, und zwar unter Hinweis auf sein fortgeschrittenes Alter. Das hinderte ihn indes nicht daran, weiterhin in anderen Aufsichtsräten zu sitzen.

Und immer wieder stellt sich mir die Frage: Könnten nicht der Einstieg der KfW, den Alexander von Tippelskirch so eifrig betrieben hatte, und die Überkreuzkontrolle, auf der er und Ulrich Hartmann so hartnäckig bestanden hatten, zu dieser unmöglichen Situation beigetragen haben? Könnten der IKB nicht erst durch die Nähe zur KfW all diese wunderbaren Ideen gekommen sein – einer KfW, die laut *Handelsblatt* die »Verbriefungen in Deutschland in Mode« gebracht hat?

Allerdings bin ich mir auch sicher: Weder Hartmann noch von Tippelskirch oder Ortseifen sind Zocker, und ebenso wenig kann man ihnen unterstellen, sie hätten sich diese Risiken in Hinblick auf ihre Bezüge eingehandelt. Alle drei kommen mir wie harmlose, vielleicht zu harmlose Typen vor. Vielleicht waren sie auch zu nachgiebig und haben eben das abgenickt und mitgetragen, was ihnen von anderen nahegelegt wurde. Das ist, wie ich zugebe, reine Spekulation. Wundern würde es mich allerdings nicht.

Die IKB war das erste Bankhaus, das in Deutschland der amerikanischen *subprime*-Krise zum Opfer fiel. Anschließend fielen ihr die deutschen Steuerzahler zum Opfer. Bis zum Frühjahr 2009 hatte die Sanierung der Bank, die mittlerweile an den US-

Finanzinvestor Lone Star verkauft wurde, den Steuerzahler schon rund zehn Milliarden Euro gekostet. Im Juni 2009 wurden weitere sieben Milliarden Euro an zusätzlichen Staatsgarantien beantragt. Im IKB-Geschäftsbericht 2008/09 orakelte der Vorstand, »dass die Rahmenbedingungen für das Kerngeschäft der Bank im weiteren Verlauf des Jahres 2009 und in 2010 noch schwieriger werden«. Mit anderen Worten: Die Herren Dr. Hartmann, Dr. von Tippelskirch und Ortseifen haben unserem Staat ein Fass ohne Boden hinterlassen.

Nicht nur die IKB wurde in den Strudel gezogen, sondern auch die meisten Landesbanken. Allerdings fiel mir auf, dass manche von ihnen überhaupt nicht betroffen waren. Weshalb, so fragte ich mich, geriet die HSH Nordbank in Turbulenzen, nicht aber die Nord/LB? Wieso traf es die Bayerische Landesbank, die Landesbank Berlin jedoch fast gar nicht? Wieso ging die Sächsische Landesbank an der Krise zugrunde, während die WestLB weiterhumpeln konnte?

Nach einigen Recherchen gewann ich den Eindruck, dass die Banken, an denen der Sturm fast spurlos vorüberging, dies nicht etwa nur grundsoliden und risikoscheuen Managern verdanken, die den Fehler der anderen aus Klugheit vermieden haben. Nein, vermutlich kapierten sie die Verbriefungsmodelle einfach nicht, die ihnen vorgetragen wurden. Manche Vorstände etwa waren, aus Sicht der Investmentbanker, einfach nicht clever genug, um die kompliziert strukturierten Papiere zu verstehen. Und haben reagiert, wie man es Landwirten nachsagt, die sich mit unbekannten Speisen konfrontiert sehen. Was der Landesbanker nicht kennt, so sagten sie sich, das kauft er nicht.

Es waren die Schlauen, die auch einmal auf der Überholspur fahren wollten, die in die Falle gegangen sind. Die wirklich Angeschmierten waren also diejenigen, die sich für schlau hielten. Meine Ex-Kollegen von der IKB zum Beispiel. Oder der sozialdemokratische Wirtschaftsbeamte Jörg Asmussen, der natürlich alles verstanden hat.

Jörg Asmussen, Jahrgang 1966, war erstaunlich jung für einen Mann, der unter Bankern »Deutschlands mächtigster Mann« genannt wurde. Er gehört jenem Menschentyp an, den man früher »*Egghead*« genannt hat. Asmussen saß in so vielen Aufsichtsräten und Finanzausschüssen, dass der FDP-Wirtschaftsexperte Hermann Otto Solms einmal spottete, er hätte sich »quasi zweimal selbst kontrolliert«. Das kam mir bekannt vor. Damals saß Asmussen im IKB-Aufsichtsrat und zugleich im Verwaltungsrat der BaFin – der Bundesanstalt für Finanzdienstleistungsaufsicht , die auf die IKB aufpassen sollte. Nebenbei saß er noch im Gesellschafterbeirat der Lobbyorganisation True Sale International GmbH, deren Ziel die Entwicklung des ABS-Marktes war. Also der *asset backed securities*.

Bis zum Regierungswechsel saß Jörg Asmussen noch fest auf seinem Beamtensessel. Dabei warf man ihm unter anderem vor, schon Anfang 2008 über die drohende Schieflage der Hypo Real Estate unterrichtet worden zu sein – BaFin-Chef Jochen Sanio schrieb von Risiken in »möglicherweise erschreckender Größenordnung« – sowie über die Verstöße der HRE gegen das Kreditwesengesetz und das vorgeschriebene Risikomanagement. Asmussen stritt das alles mit dem Hinweis auf einen Kurzurlaub ab. Bei seiner Befragung durch den Bundestagsausschuss Mitte August 2009 wies er alle Vorwürfe von sich und trumpfte sogar mit der Bemerkung auf: »Wir sind nicht die Ober- oder Superaufsichtsbehörde.« Mit »wir« meinte er das Bundesfinanzministerium.

Außerdem wurde Asmussen von einem ehemaligen KfW-Vorstand vorgeworfen, er habe früh genug von der Lehman-Pleite erfahren, um jene Überweisung von 320 Millionen Euro an die bereits bankrotte Bank zu stoppen, die der KfW den Ruf als »Deutschlands dümmste Bank« eingebracht hat.

Bis zum Eintreffen der Katastrophe saß der größte Experte, den das Finanzministerium der Bundesrepublik zur Bewältigung der Krise aufzubieten hat, als IKB-Aufsichtsrat mit am Tisch. Aber vom aufziehenden Ungemach hat diese Finanzkoryphäe der SPD, Peer Steinbrücks rechte Hand, nichts gemerkt. Der junge Mann saß jahrelang da, weil er den Staat und damit auch die staatliche KfW mit ihren dreißig Prozent an der IKB repräsentierte. Nach dem Zusammenbruch der IKB war es »seine« Bank, die den Milliardenschaden zu tragen hatte.

Dass es bei der IKB Zweckgesellschaften mit Auslagerungen in zweistelliger Milliardenhöhe gab, war ihm sehr wohl bekannt. Und auch dass seine Aufgabe als Vertreter des Finanzministeriums darin bestand, das in die Zweckgesellschaften gesteckte Steuergeld der Bundesrepublik Deutschland zu beschützen.

Doch auch hier befand sich Jörg Asmussen in einem Interessenkonflikt. Er hatte, wie Goethes Faust, zwei Seelen in seiner Brust. 2006 vertraute er der Zeitschrift *Kreditwesen* in einem Artikel an, wie wichtig ihm die aus Amerika herüberflutenden *asset backed securities* waren. Unter dem Titel »Verbriefungen aus Sicht des Bundesfinanzministeriums« wies er die deutsche Kreditbranche darauf hin, wie sehr »eine moderne Kapitalmarktgesetzgebung eine Integration in die weltweiten Finanzierungskreisläufe über neue Kapitalmarktprodukte« fördern könne und wie wichtig eine »aktive Begleitung des deutschen ABS-Marktes« sei. »Dabei war es uns« – er meinte das seit elf Jahren SPD-geführte Finanzministerium – »stets wichtig, dass sich auch der Markt für Asset Backed Securities (ABS) in Deutschland stärker als bislang entwickelt.« Deshalb sei bereits im Koalitionsvertrag »der Ausbau des Verbriefungsmarktes« beschlossen worden.

Und weiter: »Die staatseigene KfW, über die das BMF« – das Bundesfinanzministerium – »die Aufsicht führt, hat mit den Promise- und Provide-Programmen zur synthetischen Verbriefung seit 2000 in Zusammenarbeit mit den Banken das wohl größte Verbriefungsprogramm (58 Transaktionen) in Europa geschaffen.« Und weiter: »Folgerichtig hat das BMF die True-Sale-Initiative« – also den Weiterverkauf von Forderungen – »von Anfang an aktiv begleitet.« Die Ähnlichkeit mit dem Firmennamen True Sale International dürfte reiner Zufall sein.

Um den beteiligten Banken kein übertriebenes Risikomanagement zuzumuten, kündigt das Bundesfinanzministerium in Gestalt seines damaligen Ministerialdirektors Asmussen an, »dass den Instituten keine unnötigen Prüf- und Dokumentationspflichten entstehen werden, wenn sie in ›gängige‹ ABS-Produkte mit gutem Rating investieren«. Zudem soll für viele Banken »die Eigenkapitalanforderung an ihre ABS-Bestände sinken und für sie der Erwerb von ABS zur Diversifizierung ihres Portfolios wesentlich erleichtert« werden. Kurz, das BMF passt »die Rahmenbedingungen für den deutschen Verbriefungsmarkt Stück für Stück« der wachsenden Nachfrage an, um beim Milliardentransfer deutschen Steuergeldes in die amerikanischen Tresore ja nicht im Wege zu stehen.

Offenbar weckte man in den Bankchefs richtiggehend Appetit auf die US-Verbriefungen, der sich bald, da die Rahmenbedingungen Stück für Stück verbessert wurden, zu einem unersättlichen Hunger auswuchs. Gut vorstellbar, dass der junge IKB-Aufsichtsrat, der solche Jubelartikel über *asset backed securities* verbreitete, das Milliardenspiel in Delaware und Dublin mit einem von Herzen kommenden »Prima, Leute, weiter so« kommentiert hat. »Und was die Risiken betrifft, könnt ihr übrigens ganz beruhigt sein: Ihr benutzt ja nur die Instrumente, zu denen euch das BMF geraten hat.«

Ich will nicht rückwirkend den Neunmalklugen spielen, der alles besser gewusst hätte. Gerne gebe ich zu, dass mich die Gnade des frühen Ausscheidens davor bewahrt hat, mitschuldig zu werden. Ich habe auch kein Indiz dafür, dass Herr Asmussen das Management der IKB geradezu aufgefordert hätte, ABS zu kaufen – denn wenn das so wäre, würde sich die Sache in mancher Hinsicht ganz anders darstellen.

Zu seinen Gunsten nehme ich einmal an, dass Jörg Asmussen – wie andere auch – den amerikanischen Wertpapieren blind vertraut hat und genauso zum Opfer der Krise geworden ist wie die Bankmanager, deren Gier er wohl mit angestachelt hat. Sicher hatte er gute Gründe, zum 1. Juli 2008, wie es im IKB-Geschäftsbericht heißt, »im Hinblick auf seinen Amtswechsel in die Funktion als Staatssekretär« sein IKB-Mandat niederzulegen.

Finanzminister Steinbrücks Vertrauen in den ABS-Missionar Asmussen wurde durch die ABS-Katastrophe nicht erschüttert. Neben der Funktion als Staatssekretär – übrigens der jüngste in der Regierung Merkel – behielt der SPD-Mann Asmussen all jene Fäden in der Hand, die ihm den Ruf des »mächtigsten Mannes« eingebracht haben: Noch im Sommer 2009 saß er im Lenkungsausschuss des Bankenrettungsfonds (SoFFin), im Verwaltungsrat der Finanzaufsichtsbehörde BaFin und im Wirtschaftsfonds Deutschland, der freihändig über Staatsbürgschaften für Unternehmen entscheidet.

Wie gesagt: Mich selbst hat nur der frühe Austritt aus dem Aufsichtsrat vor der Mitschuld am totalen IKB-Desaster bewahrt. Es ist also nicht Besserwisserei, wenn ich jetzt großen Wert darauf lege, dass die Mitwirkung der deutschen Politik, besonders aber des Finanzministeriums, an den Vorgängen endlich klar dargestellt wird.

Denn gleichzeitig zog Peer Steinbrück, dem die eigene Schuld am ABS-Hype völlig entgangen zu sein schien, mit eisiger Arroganz über die gesamte Finanzwirtschaft her, als hätten nicht sein Adlatus, sein Ministerium und seine KfW das Hohelied auf die amerikanischen Papiere gesungen. Die scheinbare Ahnungslosigkeit des Finanzministers wurde von fast allen Politikern geteilt, deren Selbstdarstellung sich monatelang auf die Anklage der Banker als Inkarnation aller erdenklichen Übel konzentrierte und im Verlauf der Krise auch noch sämtliche Manager der Realwirtschaft auf die moralische Anklagebank zerrte.

Tief betroffen von so viel »Gier und Neoliberalismus« – was immer die Politiker der Linken, der Grünen, der SPD und der Union darunter verstanden –, wütete und schäumte man auf sämtlichen Kanälen. Und vergaß darüber, dass das Finanzministerium ebenso wie »Deutschlands mächtigster Mann« den Hype angeheizt und sich dabei »neoliberaler« benommen hatten als der Neoliberalismus selbst.

Wäre man dem Neoliberalismus, zu dessen Anhängern ich mich zähle, wirklich gefolgt, hätte man auch die nötigen Regeln gehabt, um solches Schindluder zu verhindern. Neoliberalismus heißt nämlich nicht, wie die SPD glaubt, Regellosigkeit, sondern das Gegenteil: wirtschaftliche Ordnung, die fairen Wettbewerb garantiert – durch klare Regeln im nationalen wie internationalen Geschäft. Nicht der Neoliberalismus hat die Regellosigkeit im Finanzwesen empfohlen, sondern die Politik.

Da man aber unbedingt Sündenböcke für den IKB-Zusammenbruch brauchte, hat man sich 2009 die Herren von Tippelskirch und Ortseifen vorgenommen. Ich halte beide, wie gesagt, für harmlose Zeitgenossen, denen man alles Mögliche vorwerfen kann, nur nicht Zockertum und Hasardspiel. Sie haben sich genauso geirrt wie Herr Asmussen und dessen Chef Steinbrück, wobei diesen beiden rein chronologisch der Vortritt zu lassen ist.

Anfang 2009 bekam meine Sekretärin einen Anruf von der Staatsanwaltschaft Düsseldorf: Man würde mich gerne zum Thema IKB einvernehmen. Das freute mich natürlich, denn endlich glaubte ich Gelegenheit zu haben, auf eine Untersuchung der fragwürdigen Überkreuzkontrolle zu dringen, die zu meinem Rücktritt geführt hatte.

Der Staatsanwalt kam in mein Berliner Büro – doch zu meiner Überraschung interessierten ihn die fragwürdigen Verflechtungen zwischen IKB und KfW überhaupt nicht. Er wollte auch nichts über die Zweckgesellschaften in Delaware und Dublin, nichts über *asset backed securities* und verschwundene Steuermilliarden wissen.

Stattdessen fragte er, ob ich mich daran erinnern könne, vor ungefähr fünfzehn Jahren als IKB-Präsidiumsmitglied zusammen mit den beiden anderen Präsidiumsmitgliedern dem damaligen Vorstandsvorsitzenden Alexander von Tippelskirch die Benutzung eines firmeneigenen Hauses genehmigt zu haben.

»Wie bitte?«

»Deshalb bin ich gekommen.«

Ich war perplex. Einmal, weil es mit dem Zusammenbruch der Bank rein gar nichts zu tun hatte, und zum anderen, weil ich mir überhaupt nicht vorstellen konnte, eine solche Erlaubnis je gegeben oder gegengezeichnet zu haben.

»Ich komme aus der IBM«, erklärte ich, »wo man sein Geld bekam und sonst nichts, und ein Privileg wie dieses niemandem auch nur im Traum eingefallen wäre. Eine solche Vermischung von Geschäft und Privatleben, selbst wenn sie einen Teil des zu versteuernden Gehalts ausmachen sollte, ist mir immer vollkommen fremd gewesen. Aber worin besteht eigentlich die Anklage?«, fragte ich nach. »Und vor allem, gegen wen?«

»Dem ehemaligen Vorstandvorsitzenden der IKB, Herrn Ortseifen, wird vorgeworfen«, so erklärte der Staatsanwalt, »gewisse Veränderungen an dem erwähnten Firmenhaus ohne die nötigen Genehmigungen vorgenommen zu haben.«

Einen Moment lang war ich versucht, loszulachen, aber ich erinnerte mich daran, dass mit dem Gesetz nicht zu spaßen ist. So weit war es also schon gekommen, dachte ich, jetzt versuchen sie schon, diesen armen Kerl an den Hinterbeinen zu kriegen, vermutlich, weil er in einem Boot mit Politikern sitzt, die es mehr verdient hätten als er.

»Also haben Sie nun die Benutzungsgenehmigung erteilt oder nicht?«, fragte der Staatsanwalt.

Ich wiederholte mit voller Überzeugung, dass ich weder von dem einen noch dem anderen gewusst und ein solches Vorgehen auch keinesfalls genehmigt hätte. Schon aus Prinzip.

Ohne die Miene zu verziehen, zog er eine Notiz aus seiner Aktentasche und reichte sie mir. Wenn ich mich recht erinnere, war sie von Tyll Necker verfasst, meinem inzwischen verstorbenen Vorgänger als BDI-Präsident und damals auch Vorsitzender des Aufsichtsrats der IKB, und lautete sinngemäß: Wir vom IKB-Präsidium hätten beschlossen, dass der damalige IKB-Chef Herr von Tippelskirch in dem Haus wohnen und gewisse Veränderungen daran vornehmen könne, wie es bei unserer Bank üblich sei. Neben Neckers Unterschrift fanden sich die eines weiteren Präsiden und meine eigene.

»Ist das Ihre Unterschrift?«

»Das ist tatsächlich meine Unterschrift«, sagte ich, »die ist nicht getürkt. Offenbar habe ich diesen Vorgang vergessen.«

Vorwürfe machte mir der Staatsanwalt nicht, aber trotzdem schämte ich mich vor ihm. Nicht weil wirklich etwas daran falsch gewesen wäre, denn der geldwerte Vorteil war von Herrn von Tippelskirch gewiss versteuert worden, sondern weil ich mit solcher Emphase behauptet hatte, so etwas niemals unterschrieben zu haben. Der Staatsanwalt, der bekommen hatte, was er wollte, ging wieder. Und für ein paar Monate hörte ich nichts mehr von der Angelegenheit.

Aber ich dachte an Ortseifen, dem man mit einer solchen Lappalie ans Leder wollte, und nicht wegen der Katastrophe, die unter seiner Ägide über das Unternehmen hereingebrochen war – oder sollte ich sagen: unter der Ägide von Jörg Asmussen, der nach wie vor gemeinsam mit Angela Merkel und Peer Steinbrück über Wohl und Wehe der deutschen Bankenwelt entscheiden durfte.

Anfang Juli kam die Posse zu einem ersten Höhepunkt: Alexander von Tippelskirch wurde in Düsseldorf zu einer Geldstrafe von 60 000 Euro auf Bewährung verurteilt, weil er den Umbau des von Ortseifen bewohnten Firmenhauses bewilligt hatte, ohne dies vom Aufsichtsrat absegnen zu lassen. Der Auftragswert wurde mit 14 000 Euro angegeben. Schwerer wog die Anklage gegen Stefan Ortseifen, er habe im Juli 2007 eine Pressemitteilung des Vorstandes veröffentlicht, in der die Lage der Bank »bewusst irreführend zu positiv dargestellt« wurde, wodurch Anleger vermehrt IKB-Aktien gekauft hätten. Von irgendwelchen Vorwürfen gegen Ulrich Hartmann oder Staatssekretär Asmussen verlautete nichts.

Ende Juli folgte der nächste Akt: Die IKB klagte nun gegen ihren Ex-Chef Ortseifen, endlich aus dem Firmenhaus auszuziehen, das er trotz seines Rausschmisses vor zwei Jahren weiterhin bewohnte, und zwar ohne Miete zu zahlen. Beim Amtsgericht Neuss wurde deshalb Räumungsklage eingereicht. Insgesamt habe Ortseifen die IKB um 120 000 Euro geschädigt, indem er, wie ich der *Financial Times Deutschland* entnehme, »umfangreiche Bauvorhaben an dem Vorstandshaus vornehmen und durch die IKB bezahlen ließ«, etwa die Renovierung der Küche und eine Vergrößerung des Wintergartens. Außerdem forderte die IKB 805 000 Euro an Tantiemen zurück, die der Ex-Vorstandschef ungerechtfertigt eingestrichen haben soll, ganz zu schweigen von einem Satz hochwertiger Lautsprecherboxen, die er sich von der IKB bezahlen ließ.

Das alles klang für die Staatsanwaltschaft Düsseldorf nach Untreue. Dagegen führte der Beklagte ins Feld, sein Dienstverhältnis sei zu Unrecht gekündigt worden, womit er wohl sagen wollte: Ich bin nur ein Bauernopfer gewesen. Da ihm von Rechts wegen sein nicht unbeträchtliches Gehalt weiter zustünde, könne man die ausstehenden Mietzahlungen gegen seine eigenen Forderungen an die Bank verrechnen. Ob Ortseifens Umbauten tatsächlich auf Untreue hinauslaufen oder nicht vielmehr mit »geldwertem Vorteil« zusammenhängen, wird gewiss der weitere Verfahrensverlauf zeigen. Bereits jetzt hat das *Handelsblatt* dem Beklagten den hübschen Titel »Prügelknabe für die Subprime-Katastrophe« verliehen.

Nicht alle IKB-Manager sind damals mit geschlossenen Augen in den Abgrund gelaufen. Manche hielten die Augen offen. Im Jahr 2003, als ich noch im IKB-Präsidium saß, rief mich der Aufsichtsratsvorsitzende Hartmann an – er hätte da einen internen Kandidaten, den er gerne dem Aufsichtsrat als Vorstandskandidaten vorschlagen wolle. Der Mann, Anfang vierzig und seit 1995 bei der IKB beschäftigt, kam in mein Büro bei der Leibniz-Gemeinschaft und stellte sich als Frank Schönherr vor. Mir gefiel er auf Anhieb. Genau der richtige Mann, dachte ich, und signalisierte Hartmann mein Einverständnis.

Schönherr bekam den Job und verantwortete ab 2004 das Vorstandsressort »Strukturierte Finanzierung«. Zwei Jahre später erfuhr ich aus der Presse, dass Schönherr die Bank verlassen hatte, und zwar Knall auf Fall. Gründe wurden nicht angegeben. Für mich bedeutete das eine große Überraschung, und nebenbei ging ein kleines Warnlämpchen an. Aber da ich so lange nicht mehr im Geschäft war, vergaß ich das Ganze.

Bis ich bei der Lektüre des IKB-Geschäftsberichts 2007/08 auf etwas stieß, das mich an meinen damaligen Hoffnungsträger erinnerte. »Noch kurz vor Ausbruch der Krise«, so las ich da, »beschäftigte sich der Aufsichtsrat mit einer Sonderuntersuchung der Deutsche Treuhand-Gesellschaft Aktiengesellschaft Wirtschaftsprüfungsgesellschaft (KPMG), die der Aufsichtsrat aufgrund von Vorwürfen des im Herbst 2006 ausgeschiedenen Vorstandsmitglieds Frank Schönherr in Auftrag gegeben hatte.« Das hieß, Schönherr hatte dem Aufsichtsrat irgendwelche Hinweise gegeben und war danach gegangen – ob freiwillig oder gezwungen, blieb offen –, während der Aufsichtsrat wohl zur Entkräftung möglicher Vorwürfe ein Gutachten durch KPMG anfertigen ließ.

Und was war Gegenstand der Vorwürfe? »Die Sonderuntersuchung durch KPMG«, so hieß es weiter im Geschäftsbericht, »beschäftigte sich mit den Bereichen Risikovorsorge und Zinsrisiko. Der Bericht von KPMG wurde in einer Sondersitzung des Finanz- und Prüfungsausschusses vom 16. April 2007 ... ausführlich beraten. Auch aus der routinemäßigen Prüfung des Prüfungsverbandes Deutscher Banken ... ergaben sich für den Aufsichtsrat keine Anhaltspunkte über drohende Risiken der Bank. Dem Aufsichtsrat wurde in der Sitzung am 27. Juni 2007 über das Ergebnis berichtet. Darin ergab sich kein Hinweis auf die erst am 27. Juli 2007 bekanntgewordenen Subprime-Risiken aus den Portfolioinvestments.« Mit anderen Worten: Noch einen Monat vorher hatte keiner die drohende Katastrophe geahnt – möglicherweise bis auf einen, der nicht mehr an Bord war.

Neugierig geworden, recherchierte ich, was genau dem Ausscheiden Frank Schönherrs vorausgegangen war. Wie ich bald erfuhr, hatte er sich standhaft geweigert, einen seiner Überzeugung nach verharmlosenden Risikobericht zu unterschreiben. Seine Vorstandskollegen hatten wohl darauf bestanden – »Das musst du unterschreiben!« –, und er hatte gesagt: »Das kann ich nicht!« Deshalb haben sie sich von ihm getrennt. Unbequeme Mahner schmeißt man raus. Man will sich seinen Hype schließlich nicht von Miesepetern kaputtreden lassen. Im Geschäftsbericht wurde der Passus über Schönherrs Demission dann so formuliert, als hätte er sich womöglich etwas zuschulden kommen lassen. Anscheinend war aber genau das Gegenteil der Fall: Er hatte den IKB-Bankern vorgeworfen, dass sie sich etwas zuschulden kommen ließen – nämlich mangelndes Risikobewusstsein, was sich bald genug bestätigen sollte.

Natürlich freut es mich, dass ich nicht der Einzige war, der dieses Himmelfahrtskommando verlassen musste. Im Gegensatz zu mir hat Frank Schönherr wohl wirklich heroisch gehandelt. Ich weiß, dass dieses Wort aus unserem Wortschatz verschwunden ist, was aber nicht heißt, dass auch das Phänomen selbst verschwunden wäre.

Außerdem fiel mir auf, dass derselbe Aufsichtsratsvorsitzende, der meine Bedenken wegen der unzulässigen Überkreuzkontrolle abgebügelt hatte, nämlich Ulrich Hartmann, im Fall Schönherr mal wieder auf dasselbe Mittel verfallen war. Während in meinem Fall eine Anwaltskanzlei mit einem Gutachten beauftragt worden war, das meine Warnung als gegenstandslos erscheinen ließ, rief man in Schönherrs Fall die KPMG zu Hilfe, die ebenfalls zu dem nicht überraschenden Ergebnis kam. Worauf der Aufsichtsrat am 27. Juni 2007 konstatierte, dass Schönherr zu Recht das Unternehmen verlassen hatte.

Genau einen Monat später, am 27. Juli 2007, zeigte sich, dass es besser gewesen wäre, wenn statt seiner der ganze Vorstand sowie der komplette Aufsichtsrat das Unternehmen verlassen hätten. Im Geschäftsbericht, der über den beschämenden Vorgang berichtet, findet sich keine Spur von Einsicht. Stattdessen findet sich im Bericht die lakonische Bemerkung: »Dr. Ulrich

Hartmann wurde erstmals am 27. Juli 2007 gegen Mittag vom Sprecher des Vorstands über die drohende Existenzkrise unterrichtet.« Gegen Mittag! Ein früher Warner war abserviert worden, warum, ist nicht klar. In jedem Fall blieb Hartmann unbehelligt, bis heute.

Überall wird im Augenblick nach Schuldigen für das Milliardengrab gesucht. Niemand dagegen spricht von jenen, die ohne Rücksicht auf ihre Karriere für ihre Überzeugung ihren Job* geopfert haben. Ich möchte dies hiermit nachgeholt haben.

---

* Frank Schönherr hat mittlerweile wieder einen guten Job gefunden – als Deutschlandchef der großen italienischen Mediobanca.

Kapitel Fünf

Das Conti-Schaeffler-Drama

Unter Gutmenschen, die gerade in Deutschland so zahlreich vertreten sind, gibt es einen unverrückbaren Glaubenssatz, auf dem ihre ganze Weltanschauung gründet: Die Reichen werden immer reicher und die Armen immer ärmer. Anders kann es einfach nicht sein, und schließlich hat das schon Karl Marx gesagt.

Bischof Reinhard Marx, der in seinem Buch *Das Kapital* mit der Namensgleichheit kokettiert, sagt es ebenfalls. »Ich begegne leider immer mehr Armen in unserem reichen Land«, behauptet er. »Das Ausmaß an Armut, das in Deutschland herrscht, ist ein Skandal.« Vermutlich will er damit sagen, dass unsere jährlichen Sozialausgaben von 124 Milliarden Euro bei weitem nicht genügen.

Weiß der Bischof überhaupt, welche Ansprüche unsere Armen an den Sozialstaat stellen können? Hartz-IV-Empfänger erhalten nicht nur gratis Kost und Logis, sondern auch kostenlos Fernseher, Fahrkarten und Wohnungseinrichtungen. Wie passt all das mit der angeblich von unserer Gesellschaft verschuldeten Armut zusammen?

Obwohl die Moralisten vom Dienst – seien es nun Politiker, Gewerkschaftler, Linksintellektuelle oder Gottesmänner – in den zurückliegenden Jahrzehnten selbst am wachsenden Wohlstand partizipiert haben, was sie automatisch der falschen Seite der Barrikade zuordnet, beklagen sie unablässig die Leiden auf der richtigen, das heißt der gerechten und menschlich hochwertigen Seite.

Dass die Armen durch die Globalisierung reicher geworden sind, dass Millionen Inder und Chinesen, die einst hungern mussten, heute nicht mehr hungern und sich eine kleinbürgerliche Existenz aufbauen konnten und dass in vielen Entwicklungsländern mit der Marktwirtschaft auch Demokratie und Menschenrechte Einzug gehalten haben, passt einfach nicht ins Bild.

Am wenigsten in Deutschland. In dem Land, welches nach Schweden die höchsten Sozialausgaben der Welt hat, Sozialausgaben, die steigen und steigen, wird steif und fest behauptet, dass auch die Anzahl der Armen steige und steige. Ohne die Armen wären ja die Gutmenschen verloren. Wenn es aber keine Armen gibt, so schafft man sich welche. Einmal, indem man den Maßstab für Armut regelmäßig senkt, so dass jemand, der über weite Strecken des 20. Jahrhunderts vollauf zufrieden gewesen wäre, bei uns als bettelarm erscheint. Zum anderen, indem man den Anreiz, sich arm zu geben, um ein möglichst großes Stück vom Sozialkuchen abzubekommen, ständig erhöht. Dass man darüber nicht offen sprechen darf, ist der eigentliche Skandal.

Da moderne Armut nur noch entfernt dem ähnelt, was man einst Armut nannte – und ich spreche nicht von der selbstverschuldeten Armut eines Alkoholikers, Verschwenders oder Bankrotteurs –, schaffen wir uns die entsprechende Illusion. Wir bezahlen ordentlich dafür, dass es die »richtige« Seite der Barrikade gibt. Wie Ricardo schon sagte – und ich wiederhole den Satz, weil er sich bei uns noch nicht herumgesprochen hat: »Wenn jeder Mensch, der Unterstützung benötigt, sicher sein könnte, sie zu erhalten, und zwar in einem Ausmaß, dass dadurch sein Leben angenehm würde, dann würde die Anstrengung des Arbeiters sich allein darauf konzentrieren, diese Unterstützung zu erlangen.«

Die Moralprediger, die überall Armut sehen, weil ihre Weltanschauung es fordert, haben in Wahrheit gerne am wachsenden

Wohlstand unseres Landes teilgenommen. Die anderen auch, alle anderen. Die Gehälter, ob für Bischof, Bundestagsabgeordneten oder Studienrat, sind gestiegen. Die Sozialleistungen und Renten ebenfalls. Ob jemand arbeitet oder nicht arbeitet, ob er Bayer, Mecklenburger, Anatolier oder Migrant aus Burkina Faso ist, er hat teilgenommen am Überschuss, der durch die Volkswirtschaft, leider auch durch Schulden, finanziert wurde. Aber täglich wird uns gesagt, die Armen würden immer ärmer.

Keiner unserer Gutmenschen scheint wahrgenommen zu haben, dass in der gegenwärtigen Weltfinanzkrise, der schlimmsten seit Jahrzehnten, in erster Linie die Reichen betroffen sind. »Während die Reichen auch in Deutschland ärmer wurden«, schreibt die *Frankfurter Allgemeine Sonntagszeitung* Ende Juli 2009 zu Recht, »hat die Krise die Armen hierzulande bisher kaum getroffen. Denn viele von ihnen beziehen Sozialleistungen, die genauso weitergezahlt werden wie zuvor.«

Laut neuester *Forbes*-Liste haben die deutschen Milliardäre kräftig Federn lassen müssen. So haben die Besitzer von Bertelsmann, die Familie Mohn, 6,2 Milliarden Dollar verloren, Michael Otto vom Otto-Versand 5 Milliarden oder die traurig in die Schlagzeilen geratene Susanne Klatten von BMW 3,2 Milliarden. Zwar gilt auch hier, dass diese Personen vor der Krise nicht so reich gewesen sind, wie sie vielleicht geglaubt hatten. Doch wer sich klammheimlich über ihre Verluste freut, beweist einmal mehr, dass er in einer ideologischen Traumwelt lebt: Dieses Geld kann nicht wieder investiert werden, es wird auch nicht zu unseren Sozialleistungen beitragen, kein Handwerker oder Friseur, Versicherungs- oder Immobilienmakler wird etwas davon abbekommen. Wenn die Reichen bei uns ärmer werden, heißt das nicht, dass die Armen reicher werden. Es heißt nur, dass wir alle ärmer werden.

Die Krise der Finanzwirtschaft hat sich unmittelbar in der

Realwirtschaft niedergeschlagen. Da diese für ihr Funktionieren Kredite so dringend benötigt wie der Organismus das zirkulierende Blut, folgte auf die Stockung des Geldflusses eine Lähmung des produzierenden Sektors. Zum Glück nicht überall. Einige Unternehmen waren gut auf eine solche Krise vorbereitet, andere wurden voll getroffen, und manche sind bereits untergegangen. Wie ich als Aufsichtsrat beobachten konnte, war es von Branche zu Branche verschieden.

Die Bayer AG etwa, deren Aufsichtsrat ich seit 2002 angehöre, ist bislang erstaunlich gut durch die Krise gekommen. Ihre etwa 350 Gesellschaften mit knapp 109 000 Mitarbeitern erwirtschafteten 2008 einen Gesamtumsatz von über 32 Milliarden Euro – als nachsteuerlicher Gewinn blieben davon 1,719 Milliarden Euro. Im Sommer 2006, also noch vor der Krise, hatte Bayer kurz entschlossen die Berliner Schering AG übernommen, mit weltweit 24 000 Mitarbeitern in 160 Tochtergesellschaften und einem Umsatz von rund 5 Milliarden Euro. Während andere Konzerne heute an solchen Übernahmen schwer zu tragen haben, hatte Bayer mit Schering großes Glück: Die nötigen Bankkredite waren vor Ausbruch der Krise ausgehandelt worden. Seitdem haben sich die Kreditbedingungen deutlich verschlechtert.

Nicht nur Glück, sondern auch die richtige Strategie hat Bayer vor dem Gröbsten bewahrt: Der Pharma-Bereich *Bayer Health-Care*, in den Schering integriert wurde, gehört zu den drei Teilkonzernen, die weitgehend selbstständig operieren. *Bayer CropScience* produziert von Dünger bis Pflanzenschutzmittel alles, was man für die Landwirtschaft braucht. Wie das Pharmageschäft boomt auch der Agrarsektor, weil der weltweite Nahrungsmittelkonsum wächst – was übrigens bedeutet, dass der Hunger zurückgeht – und deshalb die Ernteerträge gesteigert werden müssen. Dagegen hat die Krise im Bereich *Bayer MaterialScience* voll zugeschlagen. Da die weltweite Industrieproduktion eingebrochen ist, wurden auch weniger Polymere und Kunststoffe, Beschichtungen und Lacke, Kleb- und Dämmstoffe bestellt.

Am Beispiel Bayer lässt sich demonstrieren, wie falsch viele Investmentbanker, Wissenschaftler und kurzfristig orientierte Ökonomen lagen, als sie predigten, man solle sich spezialisieren und möglichst nur ein einziges, nämlich sein Kerngeschäft betreiben. Dass Bayer diesem Ratschlag nicht gefolgt ist, erweist sich in der Krise als bedeutender Vorteil. Läuft ein Geschäftsfeld schlechter als geplant, wird die Schwäche durch die Stärke der anderen ausgeglichen, was man auch am Aktienkurs von Bayer ablesen kann. In der *Bloomberg*-Hitparade der »größten deutschen Unternehmen nach Börsenkapitalisierung« ist der Konzern zwischen 2007 und 2008 von Platz 10 auf Platz 6 vorgerückt.

Ein anderes Beispiel für die Auswirkungen der Krise auf die Realwirtschaft ist die Firma Ringier, in deren Verwaltungsrat ich seit 1995 sitze. Die Ringier AG, seit 1833 in Familienbesitz, ist das größte Schweizer Medienunternehmen mit 8 000 Mitarbeitern in zehn Ländern, die einen Umsatz von rund 1,5 Milliarden Franken erzielen. In Deutschland verlegt Ringier das kulturpolitische Magazin *Cicero*. Der »Springer-Verlag der Schweiz«, wie Ringier manchmal genannt wird – er gibt auch die *Bild* der Schweiz, den *Blick*, heraus –, ist zurzeit doppelt betroffen: Einmal durch den generellen Strukturwandel, der durch das Internet herbeigeführt wurde: Viele frühere Zeitungsleser holen sich ihre Informationen heutzutage aus dem Netz. Ich erlebe es an mir selbst, wenn ich bei der Recherche für dieses Buch ständig die verschiedensten Suchmaschinen anklicke. Natürlich habe ich auch stapelweise Zeitungsartikel aufgehoben, aber der Unterschied liegt eben in der Aktualität – im Internet bin ich immer in Echtzeit.

Die andere Belastung für Ringier besteht, wie für andere Verlage, im Ausbleiben von Anzeigen. Warum eigentlich? Wie logisch ist es, dass in Zeiten schwacher Umsätze auch die Werbung schwach daherkommt? Eigentlich müsste man die Anstrengungen doch bei nachlassender Nachfrage verdoppeln! Wie sonst will man die Kunden wieder in die Geschäfte bekommen? Offenbar liegt es an der fatalen Tendenz der Menschen, sich in Krisenzeiten einander immer mehr anzugleichen und entsprechend in die gleichen Fehler zu verfallen. »Man« schaltet weniger Anzeigen, »man« verkloppt seine Aktien und Immobilien, »man« muss sparen, also spart »man« auch an der Werbung. Kurz, »man« folgt dem, was die Herde tut. Und am Ende wundert »man« sich, dass »man« alles verspielt hat.

Erst durch diese kollektive Übereinkunft, die Vernunft kurzerhand auszuschalten, kommt es zu jener steilen Abwärtsbewegung, die ich als negativen Hype bezeichnen würde. Ein anderes Wort dafür lautet: Panik. Diese Erscheinung, die sich in der Wirtschaft oft genug beobachten lässt, ist rein ökonomisch gar nicht zu erklären. Sowohl das Wachsen einer Blase wie deren Platzen ist ein psychologisches Phänomen, bei dem sich alle aus unerklärlichen Gründen gleich verhalten – und leider gleich falsch.

Als ich 1964 für neun Monate zum Team des IBM-Pavillons auf der Weltausstellung in New York gehörte, konnte ich das Herdenverhalten des »Man« gut beobachten. Da diese *World Fair*, im Gegensatz zu der in Hannover, extrem populär war, strömten die Massen nur so herein. Ich hatte genügend Zeit, zu beobachten, wie sich gleich nach Öffnung der Messe lange Schlangen vor den Pavillons bildeten. Was ich dabei nicht verstand: Warum stellten sich die Leute vor den einen Pavillons an, vor den anderen dagegen nicht? Ein besonderer Qualitätsunterschied, der diese Bevorzugung erklärt hätte, war für mich nicht erkennbar.

Nach einiger Zeit fand ich heraus, dass sich die Leute nicht dort anstellten, wo sie glaubten, etwas besonders Interessantes zu finden, sondern dass sie dort etwas besonders Interessantes zu finden glaubten, wo sich Leute anstellten. Ein Pavillon mochte noch so sensationell gestaltet sein und mit noch so extremen Attraktionen aufwarten – stand keine Schlange vor der Türe, bildete sich auch keine. Dann wurde der Pavillon gemieden, und man konnte sehr angenehm durch die leeren Ausstellungsräume flanieren. Die beleidigten Mienen der Hostessen, die dies als nationale Demütigung empfinden mochten, sind mir bis heute im Gedächtnis geblieben. Vielleicht hätten sie gar nicht erst auf Besucher warten, sondern lieber selbst zur Messeöffnung eine Schlange vor ihrem Pavillon bilden sollen.

Auch im IBM-Pavillon, einer der Hauptattraktionen, habe ich diese seltsame Erscheinung beobachtet. Meist stand vor unseren Glastüren eine Drei-Stunden-Schlange, oft in glühender Sommerhitze. Das schien allerdings keinen der Wartenden zu stören, vermutlich weil sie sich in einer solchen Riesenschlange gut aufgehoben fühlten. Am nächsten Tag, ohne dass sich an unserem Angebot oder dem allgemeinen Andrang das Geringste geändert hätte, herrschte im Nachbarpavillon Hochbetrieb. Zu uns dagegen kam niemand, gähnende Leere herrschte in den Räumen. Wo keine Schlange war, so mochte das kollektive Unterbewusste signalisiert haben, da gab es auch nichts zu sehen.

Wie gesagt: Es gibt nicht nur die inflationäre Blase, die wächst und wächst, sondern auch die deflationäre Blase, die schrumpft und schrumpft. In beiden Fällen schaukelt sich eine Bewegung auf – eine Dynamik, der sich keiner mehr entziehen kann, sobald sie die Masse erfasst hat. Gemeinsam geht es aufwärts und dann, im Hui, wieder abwärts. Deshalb ist auch das sogenannte »Platzen einer Blase« nur ein beschleunigter Wachstumsprozess mit negativen Vorzeichen.

Dass die Firma Continental, in deren Aufsichtsrat ich seit 1989 sitze, von der Krise getroffen und durchgeschüttelt wurde, ist allgemein bekannt. Mit ihren 133 000 Mitarbeitern in 36 Ländern ist die Continental AG, kurz Conti genannt, deutscher Marktführer in der Reifenproduktion und steht weltweit auf Platz vier. Ihr Umsatz betrug 2008 rund 24 Milliarden Euro. Der Konzern ist zweigeteilt: Einmal in die *Rubber Group* für Gummiprodukte, zu der auch *ContiTech* gehört, die 2004 die Hamburger Phoenix AG schluckte. Contis zweites Standbein ist die *Automotive Group*, in der vieles von dem hergestellt wird, was man beim Automobilbau braucht, von Elektronik, Sensorik, Sicherheits- und Bremssystemen bis zu Airbags und Armaturen. 2006 wurde die Automobilelektroniksparte von Motorola dazugekauft, im Juli 2007 von Siemens der führende Zulieferer für Automobilelektronik VDO.

Wie gesagt, die Ereignisse um Conti sind heute weitgehend bekannt, wenn auch nicht unbedingt jedem Leser. Zwar gebe ich bei der folgenden Beschreibung der Vorgänge keine Geheimnisse preis – das ist Aufsichtsräten gesetzlich untersagt –, ich will aber versuchen, Zusammenhänge aufzuzeigen, die vieles in ein neues Licht rücken dürften.

Dass ich im Conti-Aufsichtsrat sitze, mittlerweile als dienstältestes Mitglied, verdanke ich Alfred Herrhausen, der bis zu seiner Ermordung durch die RAF 1989 Deutschlands mächtigster Unternehmenschef war: Vorstandsvorsitzender der Deutschen Bank und zugleich Aufsichtsratsvorsitzender von Daimler-Benz. Ich mochte diesen sympathisch offenen Mann, dem man seine 58 Jahre nicht ansah.

Offenbar mochte er mich, den zehn Jahre jüngeren IBM-Deutschland-Chef, ebenfalls, denn er holte mich in mehrere einflussreiche Gremien. Als er mir 1988 auch einen Sitz im Mercedes-Aufsichtsrat anbot, lehnte ich allerdings ab, weil es sonst zu einer Überkreuzverflechtung gekommen wäre: Da mit Helmut Werner der Vorstandsvorsitzende der Mercedes AG im Aufsichtsrat der IBM saß, wäre mir als IBM-Chef die Aufgabe zugefallen, ihn ebenso zu kontrollieren wie er mich. Das schien mir – im Gegensatz zu den Herren Reich und von Tippelskirch dreizehn Jahre später – ordnungspolitisch falsch. Schweren Herzens sagte ich Herrhausen ab.

»Dann kommen Sie doch stattdessen in den Aufsichtsrat der DASA«, sagte er schlagfertig. Das war die »Daimler Benz Aerospace Aktiengesellschaft«, also die Luft- und Raumfahrttochter von Daimler, die am Bau des Airbus, der Ariane-Rakete und verschiedener Forschungssatelliten beteiligt war. Noch heute sitze ich im Aufsichtsrat der Nachfolgefirma der Luft- und Raumfahrt-Holding von Daimler.

Kaum hatte ich meinen Sessel bei der DASA eingenommen, kam Herrhausen wieder auf mich zu. »Was halten Sie davon, lieber Henkel, in den Aufsichtsrat der Continental zu kommen?« Da er selbst Aufsichtsratsvorsitzender dieses großen Reifenherstellers und Autozulieferers war, sagte ich gern zu und nahm bei meiner ersten Aufsichtsratssitzung überrascht zur Kenntnis, dass er mich, ohne mich vorher gefragt zu haben, gleich ins Conti-Präsidium wählen ließ. Da man in mir nur den »Statthalter einer amerikanischen Firma« sah, löste das bei manchen Vertretern der Kapitalseite Stirnrunzeln aus.

Schon kurz nach meinem Eintritt in den Aufsichtsrat machte ich eine Erfahrung, die mir bis dahin unbekannt geblieben war. Um ein Haar wäre es nämlich zu einer »feindlichen Übernahme« gekommen – und noch dazu, was mir kaum vorstellbar schien, durch eine viel kleinere Firma. Es war der italienische Reifenhersteller Pirelli, der den Konzern – übrigens unter heimlicher Mitwirkung eines Conti-Aufsichtsratsmitglieds – übernehmen wollte. Über diese aggressive Strategie, wie sie damals in Deutschland noch relativ unbekannt war, herrschte im Vorstand große Empörung. Man sammelte seine Truppen, und mit vereinten Kräften von Wirtschaft und Politik, bei der auch der damalige Minister-präsident Gerhard Schröder eine hilfreiche Rolle spielte, wurde der Angriff abgewehrt.

Bald darauf bekam Continental mit Hubertus von Grünberg einen neuen Vorstandsvorsitzenden, der auf eine ähnliche Karriere wie ich zurückblicken konnte. Der 1942 in Swinemünde geborene Adlige, der Marschall Blücher zu seinen Vorfahren zählt, hatte bei der ITT-Tochter Teves in Frankfurt gearbeitet, stieg dann in den USA zum Chef des Autozulieferers ITT Automotive und Vizepräsidenten des ITT-Konzerns auf. Zusammen mit Dr. Ulrich Weiss, der auf den ermordeten Herrhausen als Aufsichtsratsvorsitzender folgte, bildete Grünberg ein hervorragendes Team. Es gelang ihnen, das bis dahin eher langweilige Reifenwerk zu einem Global Player in der Automobilzubehörbranche auszubauen.

Grünberg war studierter Physiker, dem aber der Umgang mit Bilanzen, Gewinn- und Verlustrechnungen sehr leicht fiel. Überhaupt habe ich die Erfahrung gemacht, dass es einem Techniker viel leichter fällt, sich das kaufmännische Rüstzeug zu holen, als umgekehrt einem Kaufmann, sich das nötige technische Wissen und Branchenverständnis anzueignen. Ein Vorstandsvorsitzender, und sei er in Finanzdingen noch so ausgefuchst, muss etwas von seiner Branche verstehen – womit ich all jenen widerspreche, die meinen, es sei im Wesentlichen egal, welches Unternehmen man führe, solange man es eben führe. Vor allem plädiere ich deshalb für die Branchenvertrautheit von Vorstandsvorsitzenden, weil man in jeder Branche auf eine andere Art von Kunden trifft. Und da der Kunde für jedes Unternehmen der entscheidende Maßstab ist, muss jeder Vorstandchef sich zuallererst in seine Kunden hineinversetzen können. Kann er das nicht, ist er fehl am Platze und wird zwangsläufig scheitern.

Grünberg lieferte ein Meisterstück nach dem anderen ab. Das

erste war die Hinwendung zur Technologie. Als sich seine alte Firma ITT von Teves trennen wollte, hat er den Zulieferer 1998 für Conti übernommen, womit der Konzern, der hauptsächlich Reifen und Gummiteile lieferte, nun auch elektronische Bauteile wie Brems- und Steuerungssysteme produzierte. Grünbergs nächstes Meisterstück bestand in der Übernahme von Temic, der Telefunken Microelektronic. Durch diesen Chip-Hersteller, Tochtergesellschaft der DASA, kamen in der Conti-Palette zu Gummiprodukten und Anwendungselektronik nun auch die notwendigen Grundbestandteile, die Chips, hinzu. Die Aktie, die ewig unter zwanzig Euro herumgedümpelt hatte, erreichte in ihrer besten Zeit über hundert. Will man den Erfolg von Conti mit zwei Worten ausdrücken, genügt es, »von Grünberg« zu sagen.

An meiner Hochachtung vor seiner Leistung habe ich nie einen Zweifel gelassen, allerdings nicht ihm selbst gegenüber. Das hatte er auch nicht nötig. Nicht lange, nachdem Bayer sich anschickte, Schering zu übernehmen, trafen wir im Conti-Aufsichtsrat die Entscheidung, Siemens die Firma VDO abzukaufen. Die Größenverhältnisse der Übernahmen entsprachen einander, wobei jeweils die übernehmende Firma deutlich größer war als die übernommene.

Der Preis für VDO war hoch, aber damals galt er als angemessen. Angemessen, weil wir in der Verbindung von VDO mit unserem Teves/Temic-Geschäft sehr viele Vorteile sahen – nicht nur durch Erweiterung des Marktes, Ersparnisse im Einkauf, Zusammenlegung von Abteilungen oder Einsparung von Vorständen, wie es in solchen Fällen üblich ist. Wir wussten auch, dass sich auf technologischem Feld durch die Zusammenarbeit synergetische Effekte erzielen ließen, die ohne VDO undenkbar waren. Wie gesagt, der Preis schien sehr hoch – unter anderem, weil Siemens äußerst geschickt versteigerte –, doch wegen der zu erwartenden Synergien gerechtfertigt.

Es passt zum Thema Massenpsychologie, dass die Öffentlichkeit im Juli 2007 auf die Übernahme von VDO durch Conti fast schon enthusiastisch reagierte. Da es einen Anbieter aus Amerika gab, TRW, hinter dem der Finanzinvestor Blackstone stand, waren alle froh, dass die Traditionsfirma nicht ins Ausland ging. Die bittere Pille bestand darin, dass wir uns eine ziemliche Verschuldung aufladen mussten. Immerhin zogen die Banken bei den benötigten 11,4 Milliarden nicht nur anstandslos mit, sie rangelten sich sogar darum, diese Übernahme mitfinanzieren zu dürfen. Am Schluss hatte Conti über fünfzig Banken, die alle froh waren, bei dem Geschäft dabei sein zu dürfen.

Natürlich hatten wir vorher verschiedene Szenarien entworfen, wie der Markt sich entwickeln könnte. Selbst bei schlechtester Beurteilung sahen wir uns noch immer in der Lage, die Arbeitsplätze zu erhalten, die Zinsen für die Kredite zurückzuzahlen und steigende Gewinne zu erwirtschaften. Einige Jahre vorher hatten wir auch einen neuen Vorstandsvorsitzenden bekommen, Manfred Wennemer. Grünberg wurde, auf Vorschlag von Ulrich Weiss, zum Aufsichtsratsvorsitzenden gewählt.

Jahrelang gaben wir das Bild einer soliden und erfolgreichen Firma ab, die stolz auf ihre Leistung sein konnte. Wie oft bin ich spätabends in meinem Zimmer im Hotel Luisenhof gesessen, um mich auf die nächste Sitzung vorzubereiten. Wie oft haben wir bis in die tiefe Nacht sogenannte Anteilseignervorbesprechungen abgehalten. Hunderte Stunden habe ich in dem Raum für die Aufsichtsratssitzungen oder im berühmten Kuppelgebäude mit dem grünen Kupferdach verbracht, wo die Hauptversammlungen stattfanden. Und wie viele Reden des Aufsichtsratsvorsitzenden und Vorstandsvorsitzenden habe ich mir anhören müssen, deren Ähnlichkeit über die Jahre hinweg bedeutende Anforderungen an das Konzentrationsvermögen stellte, ganz zu schweigen von den unendlich langen und teilweise absurden Beiträgen einiger Aktionäre. Dennoch, im Rückblick trägt alles, auch das Absurde und Skurrile, zum positiven Gesamteindruck bei.

Dieses Bild eines gesunden Unternehmens, einer hervorragend funktionierenden Managermannschaft, eines harmonierenden Aufsichtsrats wurde durch mehrere Ereignisse nachhaltig verdüstert. Zum ersten Mal verschlechterte sich die Stimmung durch eine Nebenwirkung unserer Übernahme von Teves und später VDO. Bis dahin saßen auf der Arbeitnehmerseite fast nur Vertreter der IG Chemie, später IG Bergbau Chemie, mit denen man vernünftige Ergebnisse erzielen konnte. Das änderte sich, als durch unsere Firmenübernahmen die Vertreter der IG Metall zunehmend an Gewicht im Aufsichtsrat gewannen. Schon aus meiner IBM-Zeit wusste ich um deren notorische Konfliktbereitschaft, die nicht einmal vor Friktionen mit anderen Gewerkschaften zurückschreckte. Hatte sich die IG Metall bei der IBM regelmäßig Grabenkämpfe mit ver.di geliefert, musste man nun bei Conti damit rechnen, dass es zu einem Gerangel mit der IG Bergbau Chemie kommen würde.

Das nächste Ereignis sollte für Conti ungleich gravierender sein. Danach war nichts mehr, wie es einmal gewesen war. Im Juli 2008 flatterte uns ein Brief auf den Tisch, in dem das Maschinenbauunternehmen Schaeffler ankündigte, unsere Firma übernehmen zu wollen. Trotz ihrer Größe war die INA Holding Schaeffler KG, mit ihren 66 000 Mitarbeitern an weltweit 180 Standorten und einem Umsatz von fast neun Milliarden Euro, in Deutschland fast unbekannt geblieben – vermutlich weil Nadelkränze, Vierpunktlager, Zylinderträger, Spannhülsen und Axial-Radial-Rollenlager nicht gerade zum täglichen Konsum gehören.

In der Produktion von Wälzlagern ist die Firma Weltmarktführer. Ihre Produkte, die für Autos, Maschinen und auch Windkrafträder gebraucht werden, finden sich unter anderem in den

Schleusentoren des Jangtse-Staudamms. Schaefflers anderer Geschäftsbereich stellt ähnlich wie Conti Zulieferteile für die Automobilindustrie her – und hier ergaben sich Anknüpfungspunkte, die man zu nutzen hoffte.

Das in der Turnschuhstadt Herzogenaurach ansässige Familienunternehmen gehört seit 1996 der Witwe des Firmengründers Georg Schaeffler, Maria-Elisabeth Schaeffler, und ihrem Sohn Georg, der als Rechtsanwalt in Dallas/Texas arbeitet und 80 Prozent der Anteile hält. 2001 wurde die FAG-Kugellagerfabrik in Schweinfurt per feindlicher Übernahme akquiriert. Diese Übernahme hatte Schaefflers CEO, Jürgen Geißinger, nicht nur erfolgreich eingefädelt, er hatte sie auch geräuschlos durchgezogen.

Die Firmenchefin, die in Prag geboren und nach dem Krieg in Wien aufgewachsen ist, habe ich des Öfteren auf Veranstaltungen gesehen und bin auch einmal mit ihr am Tisch gesessen, wobei ich von ihr sehr angetan war. Im Gegensatz zu dem Etikett, das man ihr bald verpasste, lernte ich in ihr eine bescheidene Frau kennen, sachlich und charmant zugleich, damenhaft, ohne geziert zu sein. Als Frau, die sprichwörtlich ihren Mann steht, erinnerte sie mich an meine Mutter, die ebenfalls als Witwe unser kleines Unternehmen, eine Handelsvertretung für Bürobedarf, führte.

Nachdem Vater 1945 in Budapest gefallen war, sah sich Mutter gezwungen, selbst Geld zu verdienen. So entschloss sie sich, sein Geschäft zu übernehmen und gegen männliche Konkurrenz weiterzuführen. Obwohl sich die Lieferanten schon neue Vertragspartner gesucht hatten, konnte Mutter sie davon überzeugen, dass sie die Firma ebenso gut führen konnte wie ihr Mann. Bald schon blühte Mutters Papierhandel am Jungfernstieg auf, und wir konnten uns einen Borgward Hansa 1500 leisten. Sosehr sie sich in die Arbeit hineinkniete, versäumte sie doch nie, sich ihre spezifisch weiblichen Eigenschaften zu erhalten: Sie blieb charmant, attraktiv und, dank ihrer blonden Locken, einfach schön. Auch als Geschäftsfrau machte ihr keiner etwas vor. Dass sie daneben einige wunderliche Neigungen kultivierte, wie etwa die fanatisch betriebene Ölmalerei, habe ich in meinem Buch *Die Macht der Freiheit* beschrieben.

Während meiner Berufsjahre hat sich in mir die Überzeugung gefestigt, dass Frauen für die Wirtschaft mindestens genauso geeignet sind wie Männer. Deshalb habe ich, wie bereits erwähnt, im Juni 2009 auch Frank-Walter Steinmeier bei seinem BDI-Vortrag demonstrativ applaudiert, als er mehr Frauen in der Wirtschaft forderte. Es gehört zu den selbstverschuldeten Nachteilen der deutschen Industrie, dass in den Chefetagen so wenige Frauen zu finden sind.

Bei der Übernahme von Conti hat Frau Schaeffler persönlich den Anfang gemacht, als sie im Frühjahr 2008 die ersten 2500 Conti-Aktien kaufte. Dann begann das große Pokerspiel. Im Juli 2008 sandte sie ihr Übernahmeangebot nach Hannover, das bei Conti wie ein Blitz einschlug, dessen Donner noch lange nachrollen sollte. Ich weiß noch, wie konsterniert ich war, als mich die Nachricht erreichte – ich machte gerade Urlaub in Konstanz. Für mich war es schlechthin unvorstellbar, dass sich der Vorstand, in dem mit Manfred Wennemer und Finanzfachmann Alan Hippe zwei sehr kompetente Leute saßen, dermaßen hatte überrumpeln lassen. Zugleich staunte ich darüber, wie eine Frau es wagen konnte, mit einem Neun-Milliarden-Umsatz ein Unternehmen mit 24 Milliarden Umsatz stemmen zu wollen.

Das Geheimunternehmen war folgendermaßen abgelaufen: Maria-Elisabeth Schaeffler hatte verschiedene Banken in ihrem Auftrag so lange Conti-Aktien einkaufen lassen, bis sie zur größten Aktionärin geworden war. Solche Wege zu beschreiten, war durchaus legal. Trotzdem saß der Schock in unserem Aufsichtsrat und Vorstand tief – für den sonst so besonnenen Vorsitzenden

Manfred Wennemer offenbar zu tief: Den einzigen Fehler, den ich während seiner Amtszeit wahrgenommen habe, beging er nach dem Eintreffen des Schaeffler-Briefs. Das Übernahmeangebot löste bei ihm eine Überreaktion aus, die ich mir nur durch eine schwere persönliche Kränkung erklären kann.

Die Worte, die er an jenem 16. Juli 2008 wählte, waren undiplomatisch und letztlich unpassend. Er sprach von »unlauteren Methoden« und gar »Verlogenheit«, mit der die Firma Schaeffler es »durch die Hintertür versucht« habe. Der ganze Übernahmeversuch sei »egoistisch, selbstherrlich und verantwortungslos«, und er werde alles daransetzen, dass Conti »kein willfähriges Opfer für Schnäppchenjäger« werde. Zwar war ich am Anfang ebenso wie er gegen diese Übernahme, aber diesen emotionalen Ausbruch eines sonst so beherrschten Managers habe ich nicht verstanden – er kam auch nicht so gut an, wie Wennemer wahrscheinlich gehofft hatte.

Deshalb schien es mir richtig, dass Aufsichtsratschef Hubertus von Grünberg auf, sagen wir, vorsichtige Art Abstand von Wennemers Wortwahl nahm. Ich selbst hatte gemischte Gefühle. In einer freien Marktwirtschaft, davon war ich überzeugt, sollte jeder seine Aktien verkaufen können, an wen er wollte – und offenbar hatten sich bereits viele Aktionäre durch die Schaeffler-Offerte überzeugen lassen. Andererseits störte mich, dass die fränkische Firma so viel kleiner war als unser Continental-Konzern.

In unguter Erinnerung war mir vor allem eine feindliche Übernahme geblieben, die 2004 die Schlagzeilen bestimmt hatte. Damals war der deutsche Pharmariese Aventis, früher Hoechst AG, vom nicht einmal halb so großen französischen Sanofi-Konzern geschluckt worden. Besonders gestört hatte mich, dass die Übernahme unter Druck der französischen Regierung durchgeführt wurde. So konnte sich Frankreich mit einem weiteren globalen »Champion« brüsten, nur leider auf Kosten seines Nachbarn am anderen Rheinufer.

Nachdem das Schaeffler-Angebot vorlag, stand das weitere Prozedere fest: Die Aktionäre mussten entscheiden, ob sie annehmen wollten oder nicht. Doch da man normalerweise nur einmal im Jahr eine Aktionärsversammlung abhielt, ging das nicht so ohne weiteres. Deshalb musste nun der Aufsichtsrat als deren gewählter Vertreter auftreten, und er ließ durch den Vorstand signalisieren, dass das Angebot zu niedrig sei. Dies – und nicht Wennemers Tiraden – war die einzig richtige Reaktion gewesen.

Dennoch muss man Manfred Wennemer zugutehalten, dass er in den nun folgenden Verhandlungen mit Schaeffler die maximale Summe für die Aktionäre herausgeholt hat. Es kam also zu einer Vereinbarung, mit deren Ausführung er allerdings nicht mehr befasst war. Nach dem Agreement haben wir uns einvernehmlich von Manfred Wennemer getrennt und den bisherigen Verantwortlichen für das Automobilgeschäft, Dr. Karl-Thomas Neumann, zu seinem Nachfolger bestimmt.

Abgesehen von der ersten Reaktion Manfred Wennemers, die auf ihn selbst zurückgefallen war, entwickelte sich das öffentliche Echo auf die Vereinbarung, das sogenannte Investoren-Agreement, ausgesprochen positiv. Die Bayerische Landesregierung war stolz, dass ein fränkisches Unternehmen den niedersächsischen Konzern übernahm. Die niedersächsische Landesregierung wiederum sah keinen Grund, die erhebliche Vergrößerung eines Hannoveraner Unternehmens zu tadeln. Auch dass ausgerechnet Ex-Kanzler Gerhard Schröder zum »Garanten« der Investorenvereinbarung, einer Art Schiedsrichter für mögliche Meinungsverschiedenheiten unter den Partnern, bestimmt wurde, löste bei der CDU-FDP-Regierung Christian Wulffs keinerlei Missstimmung aus. Im Gegenteil, man beeilte sich klarzustellen, dass man in Schröder einen angemessenen Interessenvertreter des Landes Niedersachsen sah.

Ebenfalls angetan zeigte sich das Gewerkschaftslager, und was die Banken betraf, die satte Kredite bereitstellten, konnte man die Reaktion ohne Übertreibung als enthusiastisch bezeichnen. Wie schon bei der Übernahme von VDO durch Conti rissen sie sich darum, diesen Deal mit vielen Milliarden zu finanzieren. Verantwortlich zeichnete ein Bankenkonsortium um die Royal Bank of Scotland, das allerdings genau wusste, dass Conti selbst noch durch die VDO-Übernahme verschuldet war. Im Klartext: Ein kleines Unternehmen verschuldete sich hoch, um ein größeres, das noch höher verschuldet war, zu übernehmen.

Aus Sicht der Schaefflers aber war die Übernahme von VDO wohl der eigentliche Auslöser für den Schachzug gewesen. In Herzogenaurach hatte man die Vision, Deutschlands größtem Autozulieferer, der Robert Bosch GmbH, auf Augenhöhe gegenübertreten zu können. Mit ihren 282 000 Mitarbeitern und einem Umsatz von 45 Milliarden Euro ist Bosch der Maßstab für die ganze Branche. Vielleicht würde es bald einen zweiten Maßstab geben. Auch die Banken ließen sich von dieser Vision anstecken, trugen ihr Geld herbei und applaudierten. Selbst die deutschen Automobilhersteller signalisierten Zustimmung. Martin Winterkorn, als Vorstandsvorsitzender von Volkswagen größter Kunde der gesamten Zulieferbranche, gab schon im Juli 2008 öffentlich seinen Segen. Nein, da war keiner, der an der industriellen Logik dieser Übernahme gezweifelt hätte, und entsprechend war die Stimmung in der Öffentlichkeit: Ein neuer deutscher »Champion« schien geboren.

Auch ich selbst habe mich, wenn auch gedämpft, der allgemeinen Euphorie angeschlossen, obwohl meine Irritation über die Plötzlichkeit des Geschehens nicht weichen wollte. Wie sich an der heftigen Reaktion des Vorstandsvorsitzenden ablesen ließ, war die Conti auf dem falschen Fuß erwischt worden. Vor allem Herr Wennemer war bloßgestellt, hatte doch sein Frühwarnsystem versagt – ein solch massiver Aufkauf von Aktien hätte ihm gemeldet werden müssen. Dann wäre sogar Zeit geblieben, den Schachzug der Schaefflers etwa durch eine schnelle Kapitalerhöhung zu kontern. Aber so hatte ihn die Übernahme seiner Firma blitzartig mattgesetzt. Warum, so fragte ich mich immer wieder, hatte ihn keiner gewarnt?

Dass Hubertus von Grünberg eine moderatere Position einnahm, schien mir damals ebenfalls richtig. Es gehört nun einmal zu den Aufgaben eines Aufsichtsratsvorsitzenden, gewisse emotionale Ungleichgewichte des Vorstandsvorsitzenden auszutarieren. Grünberg hat das sehr elegant gemacht, er hatte meine volle Unterstützung.

Als ich am 23. März 2009 den neuen *Spiegel* aufschlug und ein Gespräch mit Maria-Elisabeth Schaeffler entdeckte, bin ich fast vom Stuhl gefallen. Auf die Frage, wer sie auf die Idee gebracht hatte, bei Conti einzusteigen, sagte sie: »Die Idee einer Beteiligung stammt vom damaligen Conti-Aufsichtsratschef Hubertus von Grünberg.«

Ich musste zweimal lesen. Dass dieser altgediente Conti-Mann klammheimlich die Übernahme seines eigenen Unternehmens eingefädelt haben könnte, war für mich schwer vorstellbar. Doch ich erinnerte mich, dass die *FAZ* schon vorher berichtet hatte, der Conti-Vorstand habe deshalb vor Schaeffler »kapitulieren« müssen, weil er mit Grünberg »einen Verräter in den eigenen Reihen« hatte.

Obwohl ich wusste, dass Herr von Grünberg, laut *FAZ*, »seit vielen Jahren freundschaftliche Beziehungen« mit Frau Schaeffler unterhalten und bis 2006 im Beirat der Schaeffler-Gruppe gesessen hatte, fühlte ich mich vor den Kopf gestoßen. Dieser verdiente Mann hatte also seinen Vorstandsvorsitzenden Wennemer ins Messer laufen lassen – womöglich, um über Nacht, wie er hoffen mochte, zum Aufsichtsratschef eines bedeutend vergrößerten Unternehmens zu werden? Vieles spricht für diese Theorie, unter anderem auch, dass Hubertus von Grünberg der kompromittierenden Aussage Frau Schaefflers nie widersprochen hat.

Schon zuvor hatte ich mich über Herrn von Grünbergs Verhalten wundern müssen. Nach Bekanntwerden der Übernahme hatte ich mich entschlossen, meinen Platz im Conti-Aufsichtsrat für ein Mitglied der Familie Schaeffler zu räumen – aus Gründen der Fairness. Damit wollte ich dem neuen Großaktionär die Gelegenheit geben, sich in diesem Gremium direkt über seine Pläne zu äußern und dadurch ein Gegengewicht zu den offensichtlich einseitigen Darstellungen durch Vorstand und Aufsichtsratsvorsitzenden zu bilden. Als ich dies dem Aufsichtsratsvorsitzenden von Grünberg mitteilte, wollte er mein Verzichtsangebot als »Verrat« ansehen.

Schließlich zogen die Vertreter von Schaeffler dann doch in den Aufsichtsrat ein, und ich bemerkte, dass von Grünberg nach seiner anfänglichen Begeisterung für einen starken Ankeraktionär – es wurde die Parallele zur Rolle der Quandts bei BMW gezogen – plötzlich die Seite wechselte und aus allen Rohren gegen den neuen Großaktionär schoss (wobei er auch Vorstand, Arbeitnehmerseite und Mitglieder der Anteilseigner gegen die Schaefflers aufzubringen suchte). Da habe ich meinen Entschluss geändert und forderte von Grünberg auf, nun seinerseits auf sein Mandat zu verzichten.

Warum habe ich das gemacht? Irgendwie scheint es mir in die Wiege gelegt zu sein, mich gegen Willkür aufzulehnen – und wenn ich etwas nicht ausstehen kann, dann ist es mangelnde Fairness.

Grünbergs Traum, zum Aufsichtsratsvorsitzenden des nun deutlich vergrößerten Unternehmens zu werden, sollte sich nicht erfüllen. Irgendwie entsprach es der Logik – um nicht zu sagen der Gerechtigkeit –, dass der Verräter am Ende selbst verraten wurde. Von Schaeffler gedrängt, musste von Grünberg im Januar 2009 als Aufsichtsratsvorsitzender zurücktreten, wenn er auch dem Gremium noch angehörte. Wer solch gigantische Räder drehen will, ohne seinen Vorstandsvorsitzenden mit ins Boot zu holen, vom eigenen Aufsichtsrat ganz zu schweigen, der spielt *va banque* – und muss sich nicht wundern, wenn er am Ende alles verliert.

Der Bruch zwischen Grünberg und Maria-Elisabeth Schaeffler hatte sich schon angekündigt, als beide im November 2008 der Verleihung des Leibniz-Rings in Hannover beiwohnten. Mit dieser vom Presse Club Hannover gestifteten Auszeichnung, die bereits Persönlichkeiten wie Ex-Bundespräsident Roman Herzog oder dem UN-Chefkontrolleur Hans Blix verliehen wurde, sollte diesmal die Leiterin der Welthungerhilfe, Ingeborg Schäuble, die Gattin des Innenministers, geehrt werden. Die Laudatio hielt Maria-Elisabeth Schaeffler.

Vielleicht sollte ich hier einfügen, dass ich seit einigen Jahren der Jury des Leibniz-Ringes angehöre. Über die Wahl der Preisträgerin des Jahres 2008 habe ich mich sehr gefreut. Im Gegensatz zu den üblichen *Charity Ladies*, die immer darauf bedacht sind, dass das Licht der guten Tat auf ihre Robe fällt, setzte sie sich geduldig für ihr Anliegen ein, ohne von sich selbst viel Aufhebens zu machen.

Als sich die Frage nach geeigneten Laudatoren stellte, zu denen in früheren Jahren Ministerpräsident Christian Wulff, der verstorbene SPD-Politiker Peter Glotz oder die Landesbischöfin Margot Käßmann gezählt hatten, kam jemand auf die Idee, Frau Schaeffler darum zu bitten – ich unterstützte den Vorschlag sehr, weil sie immerhin im Begriff war, eine Hannoversche Firma zu übernehmen, und außerdem ein großes Medienecho garantierte.

Also rief ich sie in Herzogenaurach an, und nachdem wir uns auf einen neuen Termin geeinigt hatten, sagte sie zu.

Der Abend, dessen erste Gewinner der niedersächsische Journalistenverband und sein Presse Club waren, verlief glänzend. Der Saal im Congress Centrum war bis auf den letzten Platz besetzt – auch die Conti-Führung und Hubertus von Grünberg hatten sich eingefunden, um Frau Schaeffler zu lauschen. Ihre Lobrede auf Ingeborg Schäuble hielt sie mit einer Souveränität, die dieser »Unternehmerin aus der Provinz« kaum einer zugetraut hätte.

Doch bereits damals zeichnete sich das künftige Zerwürfnis zwischen ihr und von Grünberg ab. »Am Rande der Leibniz-Ring-Verleihung«, berichtete die *Hannoversche Allgemeine*, soll er die Firmenchefin »mit dem Plan konfrontiert haben, die Autozuliefersparte von Schaeffler durch Conti übernehmen zu lassen – ›sonst gebe es Krieg‹«. Vor Journalisten sagte er außerdem, dass er seine Firma wegen der Schaeffler-Übernahme keineswegs »auf den Kopf zu stellen« gedenke, was so zu verstehen war, dass er weiterhin die Kontrolle behalten wollte. »An dem Tag«, so kommentierte ein Conti-Mann, »hat sich Grünberg um 180 Grad gedreht.«

Als er im März 2009 auch sein Aufsichtsratsmandat niederlegte, zog von Grünberg mächtig über die Schaefflers her und ging dabei sprichwörtlich ran wie Blücher. Als wolle er Wennemers Vorbild nacheifern, verzichtete er auf jegliche Diplomatie und warf den Schaefflers in scharfem Ton vor, sie hätten »gegen den Geist« getroffener Vereinbarungen verstoßen, schlimmer noch, sie »schadeten« Continental. Wieder hatte ich Grund zum Staunen. Über Jahre hinweg waren mir die beiden Conti-Chefs nie als besondere Heißsporne aufgefallen, hatten vielmehr auch in schwierigen Situationen die Contenance bewahrt. Nur ein einziges Mal haben sie – erst Wennemer, dann von Grünberg – die

Nerven verloren, aber für jeden von ihnen war es das entscheidende Mal.

Warum aber ist Hubertus von Grünberg nur so hemmungslos über seine neuen Gegner hergezogen? Meiner Einschätzung nach war er vom Initiator dieser Übernahme zu deren schärfstem Gegner geworden, weil die Schaeffler-Gruppe durch die Finanz-, Wirtschafts- und Automobilkrise in schwieriges Fahrwasser geraten war und die Übernahme nun viel komplizierter zu werden drohte, als von ihm geplant. Da war es nicht nur bequemer, »die Mücke zu machen«, sondern er konnte zugleich seine Verantwortung für das Zustandekommen dieses Megadeals vergessen machen, indem er die Seite wechselte. Und als die Schaeffler-Gruppe ihrerseits kein gesteigertes Interesse mehr zeigte, sein Aufsichtsratsmandat zu erneuern, fühlte von Grünberg sich vielleicht auch noch um den Lohn seiner Arbeit geprellt.

Tatsächlich war seit der Anbahnung der Conti-Schaeffler-Ehe etwas passiert, mit dem niemand gerechnet hatte: die *subprime*-Krise, die seit dem Zusammenbruch der Lehman-Bank wie ein Hurrikan über die deutsche Bankenwelt hinwegfegte. Der Sturm traf die beiden Firmen im denkbar ungünstigsten Moment, als sie gerade um ihren Zusammenschluss pokerten.

Ein Vergleich, den Georg Schaeffler damals zog, scheint mir den Sachverhalt genau wiederzugeben. Die Krise, so sagte er dem *Spiegel*, sei für seine Firma »ein Szenario, das man als perfekten Sturm bezeichnen kann«. In Sebastian Jungers Buch *The Perfect Storm* (deutsch *Der Sturm*) treffen, zum Unglück eines Fischerbootes, zwei extreme Wetterlagen aufeinander, eine massive Kaltfront und ein aufgeheizter Hurrikan. Gemeinsam bilden sie das meteorologische Ausnahmeereignis des perfekten, das heißt unüberbietbar zerstörerischen Sturms.

Auch die Autozulieferindustrie wurde, wie Jungers Schiff »Andrea Gail«, von doppeltem Ungemach getroffen: Erstens hatte sich das Marktumfeld in der Automobilbranche dramatisch verschlechtert, was sich an den Absatzzahlen sämtlicher Marken ablesen ließ. Selbst Toyota, der Qualitäts- und Gewinnprimus, fuhr plötzlich Verluste ein. Überall brach der Absatz weg. Und mit der Nachfrage nach Autos versiegte natürlich auch die Nachfrage nach den entsprechenden Zubehörteilen.

Die Öffentlichkeit reagierte sofort: Die großen Übernahmen, an die sich zuerst Conti mit VDO und dann Schaeffler mit Conti gewagt hatten, waren nun keine »genialen Schachzüge« oder »Husarenstücke« mehr, sondern »Desaster«, »Zockereien« und »Fehlspekulationen«, aus denen man mühelos auf die Unfähigkeit aller Beteiligten schließen konnte. Kein Beobachter wollte mehr wahrhaben, dass man beide Übernahmen in Zeiten einer kontinuierlich wachsenden Wirtschaft und einer sich abzeichnenden Konsolidierung der Staatsfinanzen beschlossen hatte. Nun, da Gewitterwolken aufgezogen waren, wollten es alle im Voraus gewusst haben. Aber nicht einmal die Bundesanstalt für die Finanzaufsicht BaFin, die vor derlei Entwicklungen rechtzeitig hätte warnen müssen – denn dazu war sie da –, hatte es geahnt.

Dann kam der zweite Paukenschlag: Praktisch über Nacht war Schaeffler in die unbequeme Lage geraten, auf ein Unternehmen geboten zu haben, das durch die veränderte Marktlage geschwächt war. Trotzdem musste man, wie den Aktionären versprochen, 75 Euro pro Aktie bezahlen, obwohl sie nach einer spektakulären Talfahrt am Tiefpunkt nur noch elf Euro wert war. Wie im Fall der *asset backed securities* mussten die Schaefflers erleben, dass ihre *assets* massiv an Wert verloren – und entsprechend ging den Banken auf, dass ihnen die *securities* für die Kredite weggebrochen waren.

Wie Schaeffler sich also an Conti verhob, hat Conti sich an VDO verhoben. Selbst wenn die Schaeffler-Übernahme nicht stattgefunden hätte, wäre Conti durch die veränderte Situation in größte Schwierigkeiten geraten. Damit die Banken ihre Kredite nicht zurückzogen, mussten neue Bedingungen mit wesentlich höheren Risikoaufschlägen ausgehandelt werden. Da gemäß diesen Bedingungen, *Covenants* genannt, alle neunzig Tage bestimmte Kennzahlen nicht unterschritten werden durften bzw. erreicht werden mussten, blieb Conti etwa für den Termin am 30. Juni 2009 nichts anderes übrig, als sicherheitshalber die Gehaltszahlungen für die Mitarbeiter um einige Tage hinauszuzögern.

Was wie eine biologische Unmöglichkeit erscheint, war doch eingetreten: Durch die Finanzkrise hatte sich Conti im Nachhinein an VDO verschluckt. Kurz zuvor hatte das noch ganz anders ausgesehen. Und zum Zeitpunkt der Übernahme schien es die beste Idee überhaupt zu sein. Dass Conti in diese Lage kam, lag weder an der Schaeffler-Übernahme noch daran, dass man sich verzockt oder gravierende Managementfehler begangen hätte. Es lag einzig und allein daran, dass der »perfekte Sturm«, das *worst case scenario*, der GAU eingetreten war – und zwar schlimmer, als es sich der Aufsichtsrat je hätte vorstellen können.

Natürlich war immer wieder errechnet worden, was dem Unternehmen geschehen konnte, wenn alles zusammenbrach. Doch was dann geschah, übertraf alle Schreckensszenarien. Niemand bei Conti oder Schaeffler hatte voraussehen können, dass eine Automobilbranche, deren weltweite Jahresproduktion noch 2008 bei 90 Millionen Fahrzeugen lag, im Jahre 2009 auf rund 55 Millionen zurückfallen würde. Zusätzlich hing beiden Unternehmen noch der Mühlstein der Milliardenschulden am Hals. Während Schaeffler sich nur mit einer Handvoll Banken herumschlagen musste, hatte Conti Verpflichtungen gegenüber mehr als fünfzig Banken. Man wusste sehr wohl, dass diese ihre Kredite lieber heute als morgen zurückziehen würden. Aber sie konnten es nicht. Denn hätten sie den Stöpsel gezogen, wäre Conti wie

Schaeffler untergegangen, und die Banken, die auf ihren gigantischen Abschreibungen sitzengeblieben wären, hätten als Nächstes bei sich selbst den Stöpsel ziehen können.

Für mich stand außer Zweifel: Conti und Schaeffler, die zusammen 22 Milliarden Euro Schulden hatten, waren nun geradezu verdammt dazu, ihre Ehe zu vollziehen – wenn die Mitgift gezahlt ist, wird nun einmal geheiratet. Der *point of no return* war längst überschritten. Aber auch dies wollte die Öffentlichkeit nicht wahrhaben. Seit dem Herbst 2008 wurde die Vereinigung, der man zuvor einmütig zugestimmt hatte, ebenso einmütig abgelehnt. Nicht weil man nun bessere oder andere Argumente gehabt hätte – denn die hatte man nicht –, sondern weil es dem Trend entsprach. Aber Trends sind schlechte Ratgeber.

Für meine Theorie über den Einfluss der Massenpsychologie auf die Wirtschaft konnte ich hier eine Fülle von Belegen sammeln. In der vernetzten Hightech-Gesellschaft, so zeigte sich, existiert derselbe Herdentrieb wie in der afrikanischen Steppe, vielleicht gerade weil man so perfekt vernetzt ist. Denn das, was einer weiß, wissen per Mausklick alle. Und selbst, wenn er es nicht weiß, sondern nur glaubt, wissen es bald alle und glauben es entsprechend. Und wenn der erste Büffel erstmal losgelaufen ist, laufen alle anderen hinterher.

Deshalb konnte die Stimmung, die sich lange zugunsten von Schaeffler entwickelt hatte, so plötzlich gegen die Firma umschlagen. Meiner Meinung nach trug Hubertus von Grünberg eine erhebliche Mitschuld daran. Als er von der Unterstützungs- zur Ablehnungsfront überlief, setzte er ein Zeichen, das nicht nur im Betrieb selbst, sondern auch in der Öffentlichkeit wahrgenommen wurde. Schaeffler stand als Usurpator da, gegen den man Gewerkschaften und große Politik in Stellung bringen musste. Nach Gutmenschenmaßstab schlüpfte Conti in die Rolle des Opfers, während Schaeffler den Täter abgeben musste. Da eine solche Polarisierung dem allgemeinen Bedürfnis nach Vereinfachung entsprach, setzte sie sich durch.

Wenn Anfang August 2009 der Continental-Vorstandsvorsitzende Karl-Thomas Neumann den Hut nehmen musste, dann auch, weil er der Versuchung nicht widerstanden hatte, die Schwarz-Weiß-Malerei fortzuführen und sich als Weißer Ritter gegen den Schwarzen Eindringling in Stellung zu bringen. Übrigens war diese Polarisierung auch an Ministerpräsident Christian Wulff nicht spurlos vorübergegangen. Das war insofern verständlich, als man von ihm erwartete, dass er das solide niedersächsische Unternehmen vor dem angeblich wilden Zugriff aus der Fremde rettete. Nur leider entsprang diese Vorstellung nicht vernünftigem Denken, sondern einer mythischen Dialektik, die mit der Wirklichkeit nichts zu tun hatte.

Wie sich die allgemeine Stimmung gegen das Unternehmen wandte, so verkehrte sich auch die Wertschätzung, die die Öffentlichkeit Maria-Elisabeth Schaeffler entgegengebracht hatte, in ihr Gegenteil. Dieselben Leute, die sie eben noch als »Grande Dame« gefeiert oder als »listige Witwe« bewundert hatten, ließen sie nun fallen. Zuvor noch selbstbewusste Chefin, deren weibliche Stärke die männliche Konkurrenz das Fürchten lehrte, wurde sie nun zur berechnenden Ausbeuterin, hinter deren Larve sich kalte Besitzgier verbarg. Man ließ sie nicht nur fallen, sondern verpasste ihr auch noch den dazugehörigen Tritt.

Eine erste Gelegenheit zur Demontage bot sich, als Frau Schaeffler am 23. Januar 2009 in Kitzbühel die »Audi Night« besuchte, einen Empfang des Volkswagen-Konzerns. Als Lieferantin musste sie dort natürlich auftauchen – alles andere wäre ein Affront gegenüber VW-Chef Winterkorn, ihrem größten Kunden, gewesen. Sie warf sich also ihren Pelzmantel über, der, wie sie mir später sagte, zwanzig Jahre alt war, und zeigte sich in dem Hotel, wo, wie bei solchen Gelegenheiten üblich, auch ein Gläschen Champagner gereicht wurde.

Als sie ein Glas entgegennahm und die Fotografen draufhielten, war ein neuer Mythos geboren: die schöne »Witwe im Pelz« als dekadentes Luxusgeschöpf, ruchlos und mondän, lächelnd mit den Schicksalen unzähliger braver Arbeitnehmer spielend. Das Foto ging durch die Republik, und alle durchschauten sie, die »in Kitzbühel lachend im Pelzmantel mit einem Glas Champagner in der Hand« auftritt: Hier spielt sie die »Partykönigin«, während sie »in Berlin, München und Hannover um Geld bettelt«.

Tatsächlich hatte Maria-Elisabeth Schaeffler gesagt, nur unter äußersten Umständen gegebenenfalls die Politik um eine Bürgschaft bitten zu müssen, um dann wenigstens den unmittelbaren finanziellen Druck aus der Übernahme herauszunehmen. Doch der angebliche Kontrast zwischen »frivolem Luxusleben« auf der einen und »Bittstellerei beim Steuerzahler« auf der anderen Seite vollendete den Archetyp der neuen »Hassfigur«. Schlagzeilen warnten: »Diese Milliardärin will an unser Steuergeld.« Arbeitsminister Olaf Scholz mahnte: »Man kann nicht im Nerzmantel nach Staatshilfe rufen.« Und Grünen-Fraktionsvorsitzender Jürgen Trittin höhnte im Bundestag über die »Kitzbühel-Maria, die im echten Pelzmantel zu Herrn Glos marschiert und um Staatshilfe bittet, um ihre größenwahnsinnige Übernahme zu finanzieren ... Solche Leute verderben die Sitten«.

Mit der Kitzbühel-Episode, dem »Aufreger« des Tages in Sachen Sozialneid, begann eine öffentliche Verfolgung, wie ich sie noch selten erlebt habe. Bei der Hauptversammlung von Conti am 23. April 2009 nahm die Stimmung gegen Frau Schaeffler ausgesprochen feindselige Züge an. Zum ersten Mal saß sie im Kuppelsaal des Hannover Congress Centrums, ihren Sohn Georg neben sich, Tausende Conti-Aktionäre vor sich. Plötzlich Lärm, und herein kommt eine kleine Abordnung, die etwa achthundert teilweise grölende und wild gestikulierende, jedenfalls kampfeslustige Gewerkschafter aus Frankreich vertritt, die draußen demonstrieren. Da Vorstandschef Neumann die Reifenfabrik Clairoix wegen ausbleibender Nachfrage schließen wollte, hatten sie zuerst in ihrer Heimat randaliert, um dann per Sonderzug nach Hannover zu kommen und die Hauptversammlung der »Kapitalisten« aufzumischen. Auf Transparenten riefen sie zum Kampf gegen die »Heuschrecken-Aktionäre« und die »Raupe Nimmersatt« auf.

Obwohl diese Werksschließung nichts mit den Schaefflers zu tun hatte – weder sie noch die anderen Aufsichtsratsmitglieder waren vor dem Beschluss überhaupt informiert worden –, richtete sich die ganze Wut der Arbeiter gegen die Gäste aus Herzogenaurach. Frau Schaeffler, die angeblich skrupellose Großkapitalistin, wurde aufs Gröbste beschimpft mit Worten, die ich nicht wiedergeben will. Die wütenden Franzosen schienen bestens informiert, wer an ihrem Unglück die Schuld trug: Nicht der eingebrochene Reifenmarkt, nicht die Firma Conti, die ihr Werk schließen musste, nicht der Vorstandsvorsitzende Neumann, sondern die »Witwe im Pelz«, wer sonst?

Maria-Elisabeth Schaeffler bewahrte Contenance. Ich weiß nicht, ob ich selbst so ruhig geblieben wäre. Mein Respekt vor dieser Frau ist in dieser unerträglichen Situation weiter gestiegen. Immerhin brachte ein deutscher Conti-Betriebsrat den Mut auf, sich bei ihr für die Beleidigung durch die Franzosen öffentlich zu entschuldigen. Das hätte ich eigentlich vom Vorstand erwartet. Aber vermutlich war dieser, im Gegensatz zu Frau Schaeffler, von der Stresssituation überfordert.

Man versetze sich einmal in ihre Lage: Maria-Elisabeth Schaeffler war zu dieser Übernahme vom Conti-Aufsichtsratsvorsitzenden ermuntert worden, und die Banken hatten ihr dazu den

Rücken gestärkt. Als sich ohne ihr Zutun das Blatt wendete, entzogen ihr dieselben Leute, die ihr den Schritt schmackhaft gemacht hatten, schlagartig die Unterstützung. Wen wundert es, wenn sie sich dann sagte: Also gut, Opel bekommt Staatsgarantien, warum nicht auch meine Firma? Obwohl ich derlei Subventionen aus ordnungspolitischen Gründen für falsch halte, finde ich ihre Motivation nachvollziehbar. Und auch, dass sie dann versuchte, Berthold Huber von der IG Metall dafür zu gewinnen. Allerdings ließ sie auch keinen Zweifel daran, möglichst auf solche Hilfen verzichten zu wollen.

Die Gespräche zwischen Frau Schaeffler und der Gewerkschaft verliefen anscheinend gut. Die Metaller in Herzogenaurach merkten jedenfalls schnell, dass man es hier nicht mit einer »Zockerin«, sondern mit einer ehrlichen Person zu tun hatte, die den Scherbenhaufen, den nicht sie, sondern die Finanzbranche angerichtet hatte, so gut wie möglich zusammenkehren wollte. An ihrem gemeinsamen Auftritt mit der IG-Metall-Spitze, der so viele maliziöse Kommentare ausgelöst hat, finde ich nichts auszusetzen. An jenem Februartag 2009 haben achttausend ihrer Mitarbeiter für das Unternehmen demonstriert, und sie hat nicht gekniffen, sondern ist mitgegangen. Frau Schaeffler hat sich so verhalten, wie ich es auch getan hätte. Ihr Pech war, dass sie sich einen roten Schal umgelegt hatte.

Man kann sagen, dass ihr aus diesem roten Schal ein Strick gedreht wurde. Sie trug, so konnte man lesen, »einen dicken, leuchtend roten Schal« – »zum Kniefall vor den Arbeitnehmern«. Sie gehörte nämlich zu den ganz Schlauen, »die sich wahlweise kleinlaut geben, den Staat um Geld anflehen oder öffentlich Tränen verdrücken, wenn es bloß der Sache dient«. Endlich zeigte sie offen, dass sie vor allem eins war, eine »gierige Witwe«, die »einen tiefroten Schal kunstvoll um ihren Hals geschlungen« trug – also nicht wie jedermann, sondern auf besonders gerissene Weise.

Und dann beging sie noch den Fehler, in dem Moment, als ihr die Mitarbeiter zujubelten, Tränen in die Augen zu bekommen, die sie auch noch abwischte! Unüberbietbare Schlagzeile, millionenfach verbreitet: »Die Tränenmilliardärin«.

Hinterher sagte Frau Schaeffler, sie hätte sich Schal und Anorak angezogen, weil es kalt war. An die Symbolik hatte sie dummerweise nicht gedacht. Vermutlich hatte sie auch nicht geahnt, dass einem Menschen, den die Öffentlichkeit zum Sündenbock gestempelt hat, keine Chance mehr bleibt. Hätte sie einen blauen Schal getragen, wäre dieser ihr vielleicht als neoliberal ausgelegt worden, mit einem grünen hätte sie sich zur Umweltkämpferin stilisiert und mit einem schwarzen einen Zaunpfahlwink in Richtung Kanzlerin versucht. Nicht auszudenken, wenn sie keinen Schal getragen hätte! Dann wäre zwangsläufig gefolgert worden, sie stelle sich arm, um Mitleid zu erregen. Als sie es dann wagte, ein paar Tränen zu vergießen, wusste man hinterher genau, dass es nur Krokodilstränen sein konnten. Wann hätte eine Kapitalistin jemals Gefühle gehabt?

Was Maria-Elisabeth Schaeffler sich gefallen lassen musste, nachdem sie von dem Podest gestürzt worden war, auf das man sie zuvor gehoben hatte – ich weiß nicht, wie viele Männer das ausgehalten hätten, ohne, wie sie, mit der Wimper zu zucken. Darüber hinaus kann ich mir nicht vorstellen, dass man aus dem roten Schlips eines Mannes ähnliche Schlüsse gezogen oder etwa seinen braunen Anzug als Anzeichen einer neonazistischen Gesinnung gedeutet hätte. Denn diese Art der Wahrnehmung, die nicht nach dem Wesen des Menschen fragt, sondern nur wissen will: Was hat sie an? Hält sie ein Glas Champagner? Wie viel Make-up trägt sie? – diese detektivische Art, menschliche Schwächen zu erschnüffeln und dann herauszuposaunen, konzentriert sich zumeist auf Frauen.

Dass Frau Schaeffler unter dieser geschlechtsspezifischen Diffamierung gelitten hat, weiß ich. Trotzig sagte sie dazu in ihrem wienerischen Akzent: »Ich lasse mich nicht unterkriegen.« Meine Mutter, die als gut aussehende Geschäftsfrau ähnliche Erfahrungen sammeln musste, hat dasselbe gesagt. Und ich kann bestätigen, dass sie sich daran gehalten hat – ein Leben lang.

Was an einer solchen – fast möchte ich sagen – Hexenjagd zu denken gibt, ist der Umstand, dass sie gerade von jenen betrieben wird, die sich zu den Gutmenschen zählen. In der Geschichte waren es immer die Moralapostel, die die Sündenböcke verfolgt und mit gutem Gewissen aus der Welt geschafft haben. Wenn also in Deutschland zur Hatz geblasen wird, um irgendein wehrloses Opfer wegen einer einzigen kompromittierenden Bemerkung zur Strecke zu bringen, darf man getrost davon ausgehen, dass dies ausschließlich um der Moral und der Humanität willen geschieht. Man hasst – aber um der Liebe willen.

Ausgerechnet Manfred Wennemer, der das Unternehmen weniger aufgrund der Übernahme durch die Schaefflers als aufgrund des »Verrats« durch seinen Aufsichtsratsvorsitzenden von Grünberg verlassen hatte – übrigens mit einer millionenschweren Abgeltung seiner Vertragsansprüche –, sah sich im August 2009 bemüßigt, im *Spiegel* noch einmal in die Vollen zu gehen. Auf dem vorläufigen Höhepunkt der Anti-Schaeffler-Kampagne beschimpfte er die Familie aufs Neue als »egoistisch, selbstherrlich und verantwortungslos« und forderte sie höhnisch auf, endlich »einzusehen, dass sie alles verloren haben ... ihr bisheriges Vermögen und ihre Reputation«.

Natürlich hat Wennemer, indem er so freizügig vom Leder zog, ebendies bewirkt: die Reputation der Familie wurde beschädigt. Ob bei seiner Tirade auch eine Rolle gespielt haben könnte, dass der neue Chef der Firma eine Frau war, schließe ich nicht aus. Jedenfalls habe ich mich sehr über diese neuerliche Entgleisung des sonst so besonnenen Mannes gewundert. Wieder einmal zeigte sich, wie sehr verletzte Eitelkeit einen Charakter verändern kann, zumal wenn es im Hintergrund auch um eigene Entscheidungen etwa in Sachen VDO ging. Klar, der gesamte Aufsichtsrat hatte sich damals hinter diese Entscheidung gestellt. Aber Wennemer schien die allgemeine Hetze gegen Maria-Elisabeth Schaeffler und ihr Unternehmen gerade recht gekommen zu sein, um sich persönlich in ein günstigeres Licht zu rücken.

Einer ähnlichen kollektiven Verunglimpfung ist im November 2008 auch der Chef des ifo-Instituts, Professor Hans-Werner Sinn, zum Opfer gefallen – zum Glück nicht physisch, denn man hat es dann doch bei verbalen Drohungen belassen. Als sich das Gewitter über ihm entlud, habe ich mich gefragt, ob das möglicherweise mit seiner »neoliberalen« Einstellung zusammenhing und man nur eine Gelegenheit gesucht hatte, ihm eins auszuwischen. Aber das ist reine Spekulation. Man hätte ihm vielleicht auch ohne seine konservative Einstellung eins ausgewischt. Gutmenschen scheinen ohne gelegentliche Strafaktionen nicht auszukommen.

Was war geschehen? Professor Sinn hatte in einem Interview mit dem *Tagesspiegel* über die Finanzkrise gesagt: »In jeder Krise wird nach Schuldigen gesucht, nach Sündenböcken. Auch in der Weltwirtschaftskrise von 1929 wollte niemand an einen anonymen Systemfehler glauben. Damals hat es in Deutschland die Juden getroffen, heute sind es die Manager.« Ein paar Absätze weiter präzisierte er seine Sicht: »Der Nationalsozialismus ist aus der Krise zwischen 1929 und 1931 entstanden. Auch heute stehen Rattenfänger wieder parat.«

Jeder wird sich erinnern, welch ein Sturm der Entrüstung damals über den Wirtschaftsprofessor hereinbrach. Es hieß, Sinn hätte die Manager mit verfolgten Juden verglichen. Der Chor der Empörten wurde immer größer und schriller. Volker Beck, Parlamentarischer Geschäftsführer der Grünen, schäumte:»Der Vergleich zwischen Juden und Managern ist zynisch.« Petra Pau von der Linken-Fraktion glaubte gar, Sinn»verhöhnt die Opfer des Holocaust«. Und Angela Merkels Regierungssprecher Ulrich Wilhelm von der CSU stellte klar, dieser Vergleich sei»vor der deutschen Geschichte nicht zulässig und falsch«.

Welcher Vergleich? Liest man Hans-Werner Sinns Worte halbwegs nüchtern durch, hat er ja nicht über die Ähnlichkeit von Juden und Managern, sondern über die Ähnlichkeit ihrer Funktion als Sündenbock gesprochen. Er hat auch nicht über den Holocaust gesprochen, sondern über die Neigung vieler Menschen, sich in wirtschaftlichen Krisensituationen allzu schnell auf Sündenböcke zu einigen, die, wie man zu wissen glaubt,»an allem schuld sind«.

Am nächsten Tag lief die Nachricht durchs Land, Herr Sinn habe sich, so die *FAZ*,»für seinen umstrittenen Vergleich von Bankmanagern mit verfolgten Juden entschuldigt«. Allgemeines Aufatmen. Glücklich, ihn in die Knie gezwungen zu haben, vergab man ihm, verurteilte ihn auf mediale Bewährung. Und nebenbei war man froh – denn wer sich entschuldigt, akzeptiert ja den Vorwurf, sich schuldig gemacht zu haben.

Aber weder das eine noch das andere traf zu. Wieder haperte es an der Logik. Was hatte Sinn wirklich als»Entschuldigung« gesagt?»Ich habe das Schicksal der Juden nach 1933 in keiner Weise mit der heutigen Situation der Manager vergleichen wollen. Ein solcher Vergleich wäre absurd.« Einen solchen Vergleich hatte er auch nie gezogen. Es ging ja weder um die Juden nach 1933 noch um die Manager von heute – es ging um jene Menschen, die es zu allen Zeiten gibt und die immer einen Sündenbock brauchen. Im November 2008 ist Hans-Werner Sinn an der Reihe gewesen.

KAPITEL SECHS

Heilsbringer auf Pump

Wer etwas über Massenpsychologie, Leitochsen und Herdentrieb erfahren will, vor allem darüber, wie all dies zusammenwirkt, um eine wachsende und am Ende explodierende Blase zu bilden – der muss am 1. Mai nach Berlin kommen.

Von einem Stehcafé aus, wo meine Frau Bettina und ich ein Stück Kuchen aßen, sahen wir die diesjährige Maidemonstration vorüberziehen, die 2009 ganz im Zeichen der Wirtschaftskrise stand. Rote Fahnen wurden geschwenkt, Parolen in Megafone gebrüllt, Fäuste geballt und Transparente gegen das Böse – »Kapitalismus ist Krise« – und für das Gute – »Für die soziale Revolution« – gezeigt. Wie üblich, möchte man sagen.

Bei genauerem Hinsehen fiel mir auf, dass Marxisten, Leninisten, Trotzkisten, Maoisten und andere kommunistische Sektierergruppen in trauter Eintracht mit der Linken, Attac, der DKP und sogar der IG Metall auftraten. Erstaunlicher noch fand ich, wie zahlreich Sozialdemokratie, Kirchen und sonstige harmlose Vereinigungen vertreten waren, die nichts daran zu finden schienen, Schulter an Schulter mit erklärten Feinden der Demokratie zu marschieren.

Meine Frau sah besonders genau hin, da sie ihre Schwester unter den Demonstrierenden wusste. Nachdem sie sie entdeckt hatte – an ihren roten Locken war sie leicht zu erkennen –, gab es kein Halten mehr. Auch Bettina ließ sich vom Strom der Tausenden mitreißen, der sich schreiend und skandierend in Richtung Alexanderplatz bewegte. Als ich nach Hause gehen wollte, war es unmöglich, auf die andere Straßenseite zu gelangen, da die Masse die ganze Breite der Straße einnahm.

An meinem Tisch ausharrend, sah ich dann den sogenannten Schwarzen Block, eine martialisch wirkende Formation von einigen Hundert jungen Leuten mit Sonnenbrillen und Kapuzen, die von einer ganzen Schar Journalisten und Kameramänner fast ehrfürchtig umkreist wurde, was die Schwarzgekleideten mit grimmiger Genugtuung zu erfüllen schien. Bekannt für ihre Gewaltbereitschaft, zogen sie die Aufmerksamkeit der Medien besonders an – auch die des Grünen Christian Ströbele, der den Schwarzen Block eifrig auf seinem Drahtesel begleitete, vielleicht aus alter Revolutionsseligkeit, vielleicht in Gedanken an sein Direktmandat in Berlin Mitte.

Es war kein froher Zug, der da an mir vorbeimarschierte. Vielen Demonstranten sah man die Wut an, die sie erfüllte, andere zeigten offen ihre Aggressivität, die nur darauf wartete, losschlagen zu können. Hass lag über allem. Ich musste daran denken, dass in Berlin alljährlich zumeist teure Automobile zu Hunderten nachts »abgefackelt« – man könnte auch sagen, abgewrackt – werden. Vermutlich, um gefahrlos gegen die verhassten Klassengegensätze zu protestieren – gefahrlos, weil der Polizei einfach kein Mittel dagegen einfallen will. Etwas mulmig wurde mir, als einer der Demonstranten mich erkannte und rief: »Mensch, da sitzt ja der Henkel!« Aber man beließ es bei drohenden Fäusten, da man Wichtigeres vorhatte. Ich zog es vor, mich in eine hintere Ecke des Cafés zurückzuziehen.

In der Vorwoche war die Stimmung aufgeheizt worden, als die SPD-Präsidentschaftskandidatin Gesine Schwan meinte, dass »die Wut der Menschen deutlich wachsen könnte«. DGB-Chef Michael Sommer hatte, vielleicht auf eine *self-fulfilling prophecy* spekulierend, vor »sozialen Unruhen« gewarnt. Das Organisationskomitee der »Revolutionären 1. Mai-Demonstration« nahm die Vorlage auf und proklamierte die Kampfparole: »Wir wollen explizit diese sozialen Unruhen und werden alles tun, damit sie eintreffen.«

Sie trafen ein, wie üblich. Nur schlimmer. Dank Zehntausender Demonstrierender aller Lager, die sich nicht von den aggressiven Schlachtrufen oder Transparenten distanziert hatten, war eine emotionale Blase entstanden, die irgendwann platzen musste. Schon am frühen Abend, so las man am nächsten Tag, hatte der Schwarze Block mit den ersten Übergriffen gegen die Polizei begonnen. Es folgten die schwersten Ausschreitungen der letzten Jahre. Beobachter sprachen von bürgerkriegsähnlichen Zuständen. Steine, Flaschen, Molotow-Cocktails, Brandsätze, Feuerwerkskörper wurden gezielt auf Polizistinnen und Polizisten geworfen. Am Ende waren 273 von ihnen verletzt, 289 Gewalttäter wurden festgenommen.

Nicht minder als die Orgie der Gewalt irritiert mich an diesem Vorgang die Blasenbildung, bei der einige politische Leitochsen vorwegmarschieren und die ganze Herde wie im Rausch hinterhertrabt, bis die aufgeheizte Stimmung kippt und die Situation außer Kontrolle gerät. Traditionell haben die Deutschen eine Schwäche für Leitfiguren, die ihnen den Weg zeigen. Man kann sie am meisten beeindrucken, wenn man sich für das Gute, für die soziale Gerechtigkeit, die Rettung des Weltklimas engagiert. Dann nehmen sie sogar in Kauf, auf einige Menschen, denen die Schuld an der Misere zugeschoben wird, richtig böse zu werden. Man muss der Herde nur einen Sündenbock präsentieren. Bei der Mai-Demo in Berlin sah ich viele, die richtig böse auf irgendeinen Sündenbock waren.

Der Sündenbock der Wirtschaftskrise ist der Manager, der Privategoist, die Heuschrecke. Das Gegenbild ist der Staat – der gute Staat, versteht sich, der sich für soziale Gerechtigkeit und die Rettung des Weltklimas engagiert. Die Linken der Mai-Demonstration hätten ihn gern noch etwas zentralistischer gestaltet, so dass die Gesellschaft in jeder Lebenslage weiß, was man denkt, anzieht und wo es langgeht. Zwar wollen die Mitmarschierer aus dem gemäßigten Lager wenigstens ihre individuellen Freiheiten nicht aufgeben – aber einig sind sich alle darin, dass die gierige Wirtschaft vom Staat an die Kandare genommen werden sollte. Der Staat muss Mindestlöhne und faire Tarife durchsetzen, Firmenschließungen verhindern, Arbeitsplätze schaffen und erhalten, möglichst das Weltklima retten.

Ich fürchte, durch die derzeitige Krise hat sich dieses Bild vom Staat in den Köpfen vieler Deutscher endgültig festgesetzt. Und da die Merkel-Regierung so handelte, wie sie glaubte, dass man es von ihr erwartete, entschied sie sich im Zweifel immer für den Staat. Der Ausbruch der Finanzkrise brachte den Deutschen eine erhebliche Ausweitung staatlicher Eingriffe, um nicht zu sagen Übergriffe. Die Mehrheit hat es gutgeheißen.

Als die Bundesregierung am 27. Juli 2007 völlig überrascht feststellte, dass die IKB auf dem besten Weg war, pleitezugehen, wurde der Bank mit einer Milliardenspritze geholfen. Der Staat zeigte Stärke. Die KfW räumte der IKB eine Kreditlinie über 8,1 Milliarden Euro ein, um die Liquiditätsprobleme des havarierten Rhineland-Funding-*Conduits* in den Griff zu bekommen.

Man hätte natürlich einwenden können, dass der Staat nur etwa dreißig Prozent der Aktien hielt, während der Rest auf private Aktionäre entfiel, mich selbst eingeschlossen. Außerdem war kein spektakulärer *Run* auf die Konten zu befürchten, da die IKB keine Einlagen wie eine Sparkasse hatte. Dennoch ließ sich die Regierung von privaten Banken davon überzeugen, dass ohne ihr sofortiges Einschreiten eine brandgefährliche Situation entstehen würde, sowohl finanziell als auch was das Vertrauen in den gesamten Banksektor betraf – obwohl damals noch niemandem klar war, dass es sich bei der IKB um keinen Einzelfall handelte, sondern dass die gleichen Schrottpapiere auch in anderen Tresoren lagerten.

Nachdem die IKB mit einer üppigen Geldtransfusion gerettet worden war, folgten die Landesbanken, denen, einer nach der anderen, »die Augen aufgingen« über das, was sie sich im Laufe der Jahre ans Bein gebunden hatten. Nach der IKB geriet die Sächsische Landesbank in die Schlagzeilen, deren in Dublin angesiedelter Fonds Notsignale aussandte. Die Sparkassen-Finanzgruppe musste einspringen und stellte eine Kreditlinie von 17,3 Milliarden Euro bereit.

Da selbst diese ungeheure Summe nicht genügte, kam es im August 2007 zum Notverkauf der Sachsen LB an die LB Baden-Württemberg. Bald kippten weitere Dominosteine, und den Bundesländern blieb keine Wahl, als sie notdürftig wieder aufzustellen, wie es die Bundesregierung mit der IKB vorexerziert hatte. Sobald ein neuer Notfall bekanntwurde, folgte automatisch der Griff in den Steuertopf. Nicht, dass man das Geld auch tatsächlich besessen hätte – man lieh es sich, in der Hoffnung auf bessere Zeiten. Man wurde zum Heilsbringer auf Pump.

Es dauerte nicht lange, bis auch die ersten Privatbanken ihre Fehlspekulationen eingestehen mussten. Besonders schlagzeilenträchtig war die Schieflage der Commerzbank, die auch dadurch ausgelöst wurde, dass sie sich – wie Conti an VDO und Schaeffler an Conti – an der Übernahme ihres Konkurrenten Dresdner Bank verschluckt hatte. Zehn Milliarden zahlte die Commerzbank für den Deal. Als sie die Kaufentscheidung traf, konnte sie nicht ahnen, dass die Finanzkrise die Traumhochzeit in einen Alptraum verwandeln würde.

Wieder war die Bundesregierung hilfreich zur Stelle, diesmal, indem sie selbst als Aktionärin eingestiegen ist. Im November 2008 wurden der Bank 8,2 Milliarden Euro als »stille Einlage« zur Verfügung gestellt, die 2009 mehr als verdoppelt wurden.

Dieser qualitative Sprung markierte einen Einschnitt in der Nachkriegsgeschichte: Denn im Gegensatz zu IKB und Landesbanken war die Commerzbank eine rein private Institution. Der Staat wurde über den Bankenrettungsfonds SoFFin zum privaten Aktionär mit 25 Prozent plus einer Aktie. Anders ausgedrückt: Eine der größten deutschen Privatbanken war teilverstaatlicht worden.

Dasselbe galt für die private Hypo Real Estate, einen der größten Immobilienfinanzierer Europas. Hatte der Aktienkurs 2006 noch 55 Euro betragen, fiel er im Jahr darauf wegen der *subprime*-Krise auf unter 15 Euro und stürzte weiter ab, bis im September 2008 die Insolvenz drohte. Der staatliche Heilsbringer stellte über 100 Milliarden Euro an Beihilfen und Garantien bereit. Im Sommer 2009 wurde der Weg für eine Verstaatlichung frei gemacht.

Mit Spannung sehe ich der juristischen Aufarbeitung dieses Falles entgegen. Mir ist aufgefallen, dass der damalige Vorstandsvorsitzende Georg Funke, noch kurz bevor die Bank fast zusammengebrochen wäre, die gleiche beruhigende Einschätzung der Lage abgegeben hatte wie sein Kollege bei der IKB. Funke wusste so wenig wie seine Vorstände oder die illustren Aufsichtsräte – nämlich nichts.

Wenn im Sommer 2009 HRE-Aktionäre die Bank in diversen Verfahren auf Hunderte Millionen Euro Schadenersatz verklagten – eine Summe, die der Steuerzahler aufbringen müsste –, und zwar mit dem Hinweis, Herr Funke hätte die Anleger systematisch über die Schieflage der Bank getäuscht, so täuschten sich die Aktionäre selbst. Die Beschuldigten hatten sich nicht ahnungslos gestellt – sie waren es.

Bei der allgemeinen Suche nach »Schuldigen« wird einer gern übersehen: der damalige Finanzminister Peer Steinbrück, der, bekannt für seine lose Zunge, im September 2008 die Formulierung wählte, das Unternehmen müsse »geordnet abgewickelt« werden. Nun war die HRE ein börsennotiertes Unternehmen, und wenn ein Bundesfinanzminister einen solchen Befund in den Raum stellt, hat das betreffende Unternehmen keinen Kredit mehr.

Darauf wies im Juni 2009 der langjährige Aufsichtsratsvorsitzende der HRE, Kurt Viermetz hin, einer der angesehensten deutschen Banker. Durch »diese Äußerung des Bundesfinanzministers«, so Viermetz, sei »sehr großer Schaden angerichtet worden«. Zur Erinnerung: Wie war es denn, als der damalige Deutsche-Bank-Chef Rolf-Ernst Breuer sich 2002 abschätzig über die Kreditwürdigkeit der Kirch-Gruppe geäußert hatte und diese tatsächlich Insolvenz anmelden musste? In diesem Fall entschied der Bundesgerichtshof in Karlsruhe 2006, dass die Bank wie auch ihr Ex-Chef für einen Teil der Milliardenpleite des Kirch-Imperiums hafteten.

Dass dem Ex-Bundesfinanzminister überhaupt ein solch fataler Lapsus unterlaufen konnte, verriet zur Genüge, welche generelle Einstellung die Große Koalition zur Privatwirtschaft hatte: Früher oder später brauchen sie alle den Staat! »Eine erdrückende Mehrheit in der Großen Koalition«, schrieb der *Spiegel*, »ist entschlossen, sich beim Firmenretten keine Zurückhaltung auferlegen zu lassen. Koste es, was es wolle.« Schließlich kam es gut an, den Heilsbringer zu spielen.

Der breitflächige Einstieg in den Privatsektor hatte sich bereits angekündigt, als Kanzlerin Merkel im Oktober 2008 ihre bereits erwähnte Garantieerklärung zum Thema Spargroschen abgab. »Wir sagen den Sparerinnen und Sparern, dass ihre Einlagen sicher sind«, verkündete sie einer verunsicherten Öffentlichkeit.

»Auch dafür steht die Bundesregierung ein.« Und ihr damaliger Finanzchef Steinbrück präzisierte, niemand müsse befürchten, »auch nur einen Euro« zu verlieren. Das hieß, dass die Einlagen von achtzig Millionen Einwohnern, geschätzte 568 Milliarden Euro, künftig unter dem Schutz des Bundes und der Patronin Merkel standen. Nötig geworden war der spektakuläre Schritt, weil selbst der Einlagensicherungsfonds, der bisher die Banken untereinander versichert hatte, nicht mehr stark genug gewesen wäre, um die Gesamtersparnisse zu stützen.

Merkels Ankündigung kostete natürlich nichts. Sie führte auch nicht dazu, dass neue Rückstellungen geschaffen wurden. Ihre gigantische Garantie taucht in keinem Rechnungsbericht auf. Im Privatsektor wäre das undenkbar. Um eine eigene Erfahrung heranzuziehen: Weil ich einmal im Zusammenhang mit einer Investition – es handelte sich um 25 000 Euro – eine Garantieerklärung habe liefern müssen, zahle ich einer Bank vierteljährlich ein sogenanntes »Aval«, damit sie im Fall meiner Zahlungsunfähigkeit dafür geradesteht. Die Bank wiederum hält diese Garantieerklärung in ihren Büchern fest, um notfalls ihrer Verpflichtung nachzukommen.

Für die Verpflichtung, die Angela Merkel eingegangen ist, gibt es nichts Entsprechendes – kann es auch nicht geben, weil die Regierung keine Bilanz hat, in der solche Rückstellungen vorgesehen wären. Mit anderen Worten: Diese Garantieerklärung war ein reines Placebo, das dennoch eine heilsame Wirkung entfaltete. »Wenn die Merkel meine Einlagen garantiert«, so sagten sich die Sparer, »dann brauche ich jetzt nicht zur Bank gehen und alles abzuheben.«

Das Placebo-Modell machte Schule. Da die Automobilindustrie am Boden lag, suchten sich auch deren Banken – Mercedes-Benz Bank, BMW Bank, Volkswagen Bank und andere – ein Plätzchen unter Merkels Schirm. Im Kanzleramt zeigte man sich nur zu bereit, auch in diesem Fall Milliardengarantien auszusprechen. Wenn man schon einen großzügigen Schirm aufgespannt hatte, warum sollten dann nicht möglichst viele davon profitieren? Dass der Schirm reine Fiktion war, weil ihm keine realen Rückstellungen entsprachen, minderte seine Wirkung nicht – zumindest für den Augenblick.

Nach demselben Prinzip hat die Regierung auch ihr *Bad-Bank*-Konzept entworfen, das im Juli 2009 vom Bundestag als Gesetz verabschiedet wurde. Wobei der Name, wie mir scheint, das einzig »Schlechte« daran ist. Auch wenn allgemein von der »Entsorgung wertloser Giftpapiere« gesprochen wird – wobei noch im Einzelnen herauszufinden ist, wie wertlos sie wirklich sind –, handelt es sich lediglich um die temporäre Aussetzung von Abschreibungsnotwendigkeiten. Und was wäre daran schlecht zu nennen? Höchstens, dass der Steuerzahler dafür geradestehen muss.

Die Ironie will es, dass nach den Zweckgesellschaften, in denen man die Verbriefungen versteckt hat, nun neue Zweckgesellschaften gegründet werden, in denen man die betroffenen Papiere zwischenlagert, um den Banken das Risiko weiterer Abschreibungen zu ersparen. Und wieder steht die Regierung als Garant hinter dem Modell – irgendwer muss ja für die aus den Bilanzen entfernten Abschreibungen bürgen. Sollte eine *Bad Bank* pleitegehen, weil ihre Papiere sich tatsächlich als wertlos erweisen, haftet natürlich der Staat.

Wie beim Sparerschutzschirm setzte die Politik auch hier auf das Prinzip Hoffnung. »Wir gehen mal davon aus«, sagte man sich, »dass es irgendwann wieder aufwärts geht, und dann können sich die Banken ihre ausgelagerten Papiere zurückholen.« Bei vielen Immobilien könnte dieses Kalkül sogar aufgehen, während man bei den amerikanischen Konsumentenkrediten oder Auto-Leasings, die den Verbriefungen beigemischt sind, alle Hoffnung fahrenlassen sollte.

Leider beschränkte sich unser Staat nicht auf den Finanzsektor, sondern griff auch auf Felder über, auf denen er nun wirklich nichts verloren hatte. Während ich die Hilfe für Banken wegen ihrer Bedeutung für den »Blutkreislauf« für gerechtfertigt halte – wobei das, was privat ist, möglichst auch privat bleiben sollte –, erscheint mir das politische Eingreifen in die Realwirtschaft als fataler Fehlgriff. Natürlich möchte jeder Politiker seinen Wählern signalisieren, dass es kein Problem gibt, das er nicht lösen kann. Und da er über einen Riesensteuertopf verfügt, der sich durch Schuldenaufnahme noch beliebig strecken lässt, scheint es nichts zu geben, was seine Kräfte als Heilsbringer überstiege.

Doch diese Vorstellung, die in Berlin weit verbreitet ist, entspringt einer Hybris, deren Folgen für die Zukunft katastrophal sind: Der Politiker nimmt Geld in die Hand, das ihm nicht gehört, und spendiert es Menschen, die nicht dafür arbeiten. Die Frage, von wem überhaupt die Milliarden erwirtschaftet werden, mit denen die Regierung Monopoly spielt, wird auf die Zukunft verschoben.

Bei der Firma Opel wurde das große Spendieren augenfällig. Als dem US-Autogiganten General Motors 2008 die Insolvenz drohte, begann bei seiner deutschen Tochter das große Zittern. Schlagartig war vergessen, dass Opel im deutschen Geschäft seit Jahren Verluste einfuhr – im Juli 2009 ergab eine Anfrage der FDP-Bundestagsfraktion, dass der Autobauer seit 2003 rund 1,86 Milliarden Euro Verluste geschrieben hatte und sich seine Absatzzahlen zwischen 1999 und 2008 in Deutschland glatt halbiert hatten.

Dass die Opelkrise älter war als die Finanzkrise, wollten Bundes- und Landespolitiker aber nicht wahrhaben. Vielmehr überboten sie sich mit Lösungsmodellen, als hätten sie tatsächlich Ahnung von diesem Geschäft. Sie wetteiferten darum, wer sich vor der Nation als größter Wohltäter und Arbeitsplatzretter auszeichnen würde – die Frage, ob nicht lieber die Kunden über den

Fortbestand von Opel entscheiden sollten, scheint sich niemand gestellt zu haben.

Gut erinnere ich mich, wie sehr mich als Junge der Borgward Hansa 1500 meiner Mutter beeindruckt hat. Es war der erste deutsche Wagen, der mit einer selbsttragenden Karosserie gebaut wurde, noch dazu in amerikanischer Pontonform, was damals als Gipfel der Eleganz galt. Was die Amerikaner können, so dachte man angesichts des Hansa, das können wir auch. Als Mitte der fünfziger Jahre die wirklich elegante Isabella auf den Markt kam, die Nachfolgerin des Hansa, die über unglaubliche sechzig PS verfügte, avancierte sie zum deutschen Traumwagen der Wirtschaftswunderzeit. Borgward stieg zur Kultmarke auf.

Ende 1960 hieß es, dass Borgward kein Geld mehr habe. Deutschland war schockiert, denn die Bremer Firma gehörte zu den Paradeunternehmen der neuen Republik. Tatsächlich war das Unternehmen nach wie vor profitabel, nur fehlte die nötige Liquidität für die ausgeuferte Modellpalette. In der Öffentlichkeit diskutierte man, ob der Staat helfen sollte, aber die überwältigende Mehrheit meinte: Nein.

Auch im Wirtschaftsministerium hatte man überlegt, ob Bonn oder das Land Bremen die Insolvenz mittels Steuergeld abwenden sollten. Da Borgward bereits Millionenkredite aus öffentlicher Hand bekommen hatte, beschloss man, die Transfusionen nicht weiter fortzusetzen. Trotz seines Kultstatus und der immerhin 20 000 Arbeitsplätze ließ der Staat Borgward 1961 pleitegehen. Als Wirtschaftsminister zeichnete damals Ludwig Erhard verantwortlich, der Vater der Sozialen Marktwirtschaft.

Was war die Folge? Die deutsche Volkswirtschaft verschmerzte den Verlust, das Wirtschaftswunder kam nicht aus dem Tritt. Andere Marken wie BMW und bald darauf Audi starteten in den sechziger Jahren ihren Siegeszug, und auch heute noch gibt es im Land Bremen dank Daimler und einer großen Zahl von Zulieferbetrieben Tausende von Arbeitsplätzen in der Automobilindustrie – mehr als in besten Borgward-Zeiten. Der Untergang eines Unternehmens, so konnte man hier lernen, bedeutete für die Volkswirtschaft keine Katastrophe, ja nicht einmal für den Stadtstaat Bremen.

Dabei bestand, als man Borgward untergehen ließ, eine weltweit hohe Nachfrage nach Automobilen, die vom bestehenden Angebot nicht gedeckt werden konnte. Im Jahr 2009 war es genau umgekehrt. Der internationale Markt quoll förmlich über vor Neuwagen, weshalb, wie gesagt, statt der 90 Millionen, die in den Vorjahren aus den Werken gerollt waren, nur noch 55 Millionen produziert wurden. Man hatte also eine gewaltige Überkapazität aufgebaut, an der alle mitgeholfen hatten: Weil man in den neunziger Jahren mit der Produktion nicht nachzukommen glaubte, hatten fast alle Firmen überall neue Werke entstehen lassen. Als ich noch im Aufsichtsrat von Audi saß, wurde eine Fabrik im ungarischen Györ gebaut, in der die Firma inzwischen über achtzig Prozent ihrer Motoren produziert – heute montiert man dort auch die Sportwagenreihe TT.

Dass General Motors eine sehr unglückliche Figur im internationalen Automobilgeschäft abgab, war seit Jahren bekannt. Aus GM war ein regelrechtes Schrottunternehmen geworden. Dazu hatte auch die extrem aggressive Gewerkschaft United Auto Workers (UAW) beigetragen, die für die Beschäftigten in Detroit besonders lukrative, aber eigentlich unbezahlbare Deals erzwungen hatte. Darauf flüchtete GM, wie die Konkurrenz auch, mit Teilen der Produktion in andere US-Staaten, wo neue Werke aufgebaut werden mussten.

Auch Daimler- und BMW-Manager hatten sich bei der Standortwahl ihrer US-Fabriken auf die Südstaaten konzentriert, weil die Gewerkschaften dort keinen oder nur einen geringen Einfluss ausübten. Trotzdem oder gerade deshalb ging es ihren Mitarbeitern dort besser als den Kollegen im Norden, die sukzessive ihre Arbeitsplätze verloren.

Der Hauptgrund für den Untergang des Autoriesen General Motors, der bis 2008 größter Autobauer der Welt war, lag jedoch im extrem bürokratischen und kurzfristig agierenden Management. Die Topmanager sahen sich immer getrieben, Spitzenverkäufe abzuliefern, die sich umgehend im Börsenkurs niederschlugen. Die langfristige Strategie wurde vernachlässigt. Man kann GM geradezu als Musterbeispiel dafür heranziehen, wie ein Anreizsystem, das allein auf schnelle Erfolge und Traumrenditen setzt, scheitern muss. Zukunftsweisende Investitionen, etwa in umweltschonende, benzinsparende oder abgasarme Fahrzeuge, wurden vermieden, weil sie mit ihren hohen Anlaufkosten die Bilanz verhagelt hätten – was kurzfristig zum Sinken des Kurses und zur Entlassung des Managements geführt hätte.

Auch in diesem Fall plädiere ich für Schumpeters Prinzip der »schöpferischen Zerstörung«. Einen solchen Laden, der um schneller Profite willen seine eigene Zukunft verzockt hat, muss man kaputtgehen lassen. Ich erinnere mich, wie 1979 während meiner amerikanischen Zeit die Firma Chrysler kurz vor der Pleite stand, und Jimmy Carter das Unternehmen durch eine Milliardenbürgschaft rettete. Unter Starmanager Lee Iacocca kam es zu einem bemerkenswerten Wiederaufstieg, danach 1998 zur Fusion mit Daimler-Benz – aber was hat das alles gebracht? Heute steht das Unternehmen genau dort, wo es zu Carters Zeiten gestanden hatte: vor der Pleite.

Im Nachhinein wäre es besser gewesen, der Erdnussfarmer hätte nicht in den Staatssäckel gegriffen. Unter anderem hätten dadurch Konkurrenzfirmen wie Ford und GM größere Chancen gehabt, sich am Markt zu behaupten. Durch solche Subventionen wird meist nur der Untergang maroder Unternehmen zulasten anderer hinausgezögert. 1999 war es der Baukonzern Holzmann, als dessen Retter sich ein spendabler Kanzler Gerhard Schröder feiern ließ, bevor 2002 das endgültige Aus für die Firma kam. Auch in diesem Fall wurde durch einseitige Hilfsmaßnahmen das Überleben gesünderer Firmen aufs Spiel gesetzt. Wie jedes wirksame Medikament haben auch Subventionen und Bürgschaften ihre unerwünschten Nebenwirkungen. Vielleicht sollten Politiker erst einmal die Beipackzettel lesen, bevor sie zur Spritze greifen.

Für 2008 meldete GM einen Rekordverlust von knapp 31 Milliarden Dollar, am 1. Juni 2009 erklärte der Konzern seine Insolvenz. Um »enormen Schaden« von der US-Wirtschaft abzuwenden, so erklärte Präsident Barack Obama, übernahm der amerikanische Staat im Juni 2009 sechzig Prozent der Anteile. Ich hoffe, er war sich im Klaren über sein Tun. Was nützt das Überleben einer Firma, wenn deren Produkte keinen aufnahmebereiten Markt finden? Und wenn der Markt wieder Autos kauft, bleibt immer noch die Frage, ob es auch die von GM sein würden. Dass im ersten Halbjahr 2009 in den USA rund ein Drittel weniger Autos als in den Vorjahren verkauft wurde, hätte Obama eher pessimistisch stimmen sollen.

Auch dafür, dass GM Europe seit Jahren Verluste einfuhr, war das vor allem amerikanische Management verantwortlich. Bei früheren Turbulenzen war Opel immer das einzige Werk im gesamten Verbund gewesen, das profitabel geblieben war, weil es vernünftige Autos baute. Zudem besaßen die Rüsselsheimer eine große Entwicklungsabteilung, die auch andere Märkte mit ihren Designs belieferte.

Leider scheint diese Selbstständigkeit den Amerikanern missfallen zu haben. Stück für Stück integrierte man Opel in den Konzern, bis die Firma, ungeachtet ihres eigenen Logos, zu einer bloßen Abteilung von GM Europe wurde, die selbst nur eine Abteilung des US-Konzerns war. Mit Ende der neunziger Jahre gerieten die Rüsselsheimer dauerhaft in die Verlustzone, bis 2006 fielen 10 000 Arbeitsplätze weg.

Als die *subprime*-Krise die Realwirtschaft erreichte und GM in die Insolvenz schlidderte, traten deutsche Politiker vor die Kameras und forderten rasche Hilfe für Opel – als wäre bis dahin alles in bester Ordnung gewesen. Das Traditionswerk müsse gerettet werden, so hieß es parteiübergreifend, wobei man geflissentlich ignorierte, dass Opel lediglich eine Abteilung eines maroden US-Konzerns war und mit seinen Produkten gegenüber der Konkurrenz nicht gerade berauschend abschnitt. Auch ohne Finanzkrise wäre Opel kaum überlebensfähig gewesen.

Politiker aller Glaubensrichtungen waren sich einig wie selten: Eine Bürgschaft musste her, so gewaltig und schnell wie nur irgend möglich. Nach der Logik »Wenn man den Banken hilft, muss man auch den Rüsselsheimern helfen« schob man warnende Stimmen beiseite – und ebenso ein Prinzip, das man kurz zuvor selbst aufgestellt hatte: Die Bankenrettung war damit gerechtfertigt worden, dass Kreditinstitute »systemisch« oder »systemrelevant« seien, also jederzeit den gefürchteten Dominoeffekt auslösen konnten. Von Opel konnte man das beim besten Willen nicht behaupten.

Aber da man sich förmlich festgekrallt hatte an der Absicht, Gutes zu tun, garantierte man große Summen. Ich wiederum garantiere, dass die großzügige Opelrettung nicht nur den deutschen Steuerzahler, sondern auch die anderen deutschen Autohersteller erheblich belasten wird, da ihr Konkurrent künftig mit einem Wettbewerbsvorteil ins Rennen geht. Für die bei Opel geretteten Arbeitsplätze dürften langfristig Arbeitsplätze bei Volkswagen oder Ford verlorengehen. Bis heute wundert mich, dass diese Firmen samt ihrer Betriebsräte nicht Sturm gelaufen sind gegen die einseitige Bevorzugung des Konkurrenten. Und wie lange, so frage ich mich, wird Opel dank Staatshilfe auf dem

Markt bestehen können? Wahrscheinlich bis man wieder um Staatshilfe nachkommen muss, um die nächste drohende Pleite abzuwenden.

Denn die Überkapazität in der weltweiten Autoproduktion bleibt ja nach wie vor bestehen; zudem ist die politische Einflussnahme von vier Ministerpräsidenten zu erwarten, die ihre Standorte gegen Kapazitätsanpassungen in Schutz nehmen und damit nötige Sanierungen verhindern werden – und außerdem wird vermutet, dass es den russischen Bewerbern weniger um die Rettung von Opel als um die Verbesserung ihrer heimischen Autoindustrie geht.

Ein besonders bizarrer Fall von Hilfeleistung, die einigen nützte, der Mehrheit aber schadete, war die Abwrackprämie, die von ihren Erfindern zur »Umweltprämie« stilisiert wurde. Als ich im April 2009 bei Maybrit Illner mit dem damaligen Umweltminister Gabriel zusammentraf, hielt ich ihm diese Irreführung vor. Er antwortete sinngemäß, für die Umwelt sei diese Prämie deswegen gut, weil der Schadstoffausstoß der neuen Autos geringer sei. Gabriel schien noch nie von einer Umweltgesamtbilanz gehört zu haben, bei der unter anderem auch die Schadstoffe eingerechnet werden, die bei der Produktion der zusätzlichen Autos anfallen. Übrigens bewiesen die Deutschen hier guten Instinkt, da sie sich nicht irreführen ließen und am Begriff »Abwrackprämie« festhielten.

Immerhin hatte die Regierung Merkel richtig erkannt, dass die Automobilbranche an erster Stelle von der Finanzkrise betroffen war. Es wurden zu wenig Autos abgesetzt. Wer eines hatte, gab sich damit zufrieden oder wartete auf weiter sinkende Preise. Für die Politik wäre die vernünftigste Konsequenz gewesen, den geordneten Abbau von Kapazitäten in Produktion und Zulieferindustrie zu begleiten und sozial abzufedern. Stieg die Nachfrage wieder, würde sich auch die Produktion wieder anwerfen lassen.

Stattdessen entschied man sich dafür, die Überproduktion mit allen Mitteln aufrechtzuerhalten, indem man der mangelnden Nachfrage künstlich auf die Beine half. Im Januar 2009 wurde ein Förderrahmen von 1,5 Milliarden Euro beschlossen, die Prämie von je 2500 Euro auf 600 000 Wagen begrenzt. Ein nie gekannter Nachfrageboom setzte ein. Die Lieferfristen für Pandas und Polos wurden immer länger. Angesichts der im September anstehenden Bundestagswahl einigte sich das Kabinett im April, die Summe auf mehr als das Dreifache, nämlich fünf Milliarden, zu erhöhen. Man wollte sozusagen die gute Stimmung über den Wahltag retten. Klaus Zimmermann, Chef des Deutschen Instituts für Wirtschaftsforschung, sprach vom »teuersten Wahlkampf der Geschichte«.

Also kaufte man den Autobesitzern ihre Zufriedenheit gemeinsam mit ihrem Wagen ab und heizte, Begehrlichkeiten weckend, eine Blase an, die mit Steuergeldern aufgebläht wurde. Durch diesen Hype überzeugte man die Leute, sich von ihrem Auto zu trennen, auch wenn es noch gut lief und keinerlei Ärger bereitete. Ab in die Schrottpresse, so hieß es, der Staat verhilft dir zu Besserem.

Nur frage ich mich, warum man das mutwillige Wegwerfen von Industrieprodukten als »umweltfördernd« bezeichnete. Und warum drückte man das von allen erwirtschaftete Steuergeld einer begrenzten Zahl von Kleinwagenfahrern in die Hand und nicht auch Kühlschrank-, Staubsauger- oder Waschmaschinen-Besitzern? Warum subventionierte man nicht den Kauf von Plasmafernsehern oder Espressomaschinen? Womit ich nur sagen möchte, dass das Ganze ein Schildbürgerstreich war.

Vor ungefähr zwanzig Jahren, als ich für die IBM in Paris arbeitete, ging der Absatz von Peugeots und Citroëns in den Keller. Zur Ankurbelung des Verkaufs führte Paris eine ähnliche Prämie ein. Damals konnte man sie, in Einklang mit den EU-Regeln, noch so konstruieren, dass sie vor allem französischen Herstellern zugutekam. Unvermeidlich wurde eine Menge Neuwagen abgesetzt, und man feierte den Erfolg der Subvention in höchsten Tönen. Doch als die Prämie auslief, stand die französische Automobilindustrie genau dort, wo sie vorher gestanden hatte – das Loch war sogar noch größer geworden. So unvermeidlich wie der Boom gekommen war, folgte die Ernüchterung. Die Maßnahmen, mit denen sich die Industrie nun dem kleiner gewordenen Markt anpassen musste, fielen in der Folge härter und einschneidender aus, als es ohne die staatlich verordnete Prämienblase gekommen wäre.

Weder Sarkozys Frankreich noch Merkels Deutschland noch Obamas USA, die im Sommer 2009 mit einer eigenen Abwrackprämie nachzogen, hatten die Lehre aus diesem Beispiel gezogen. Und warum hielt man sich nicht das warnende Beispiel jener Manager vor Augen, die, wie im Fall General Motors, um kurzfristiger Umsatzsteigerungen willen die langfristige Planung vernachlässigt hatten? Jede Blase gleicht einem Strohfeuer, das nur kurze Zeit wärmt und einen Haufen kalter Asche hinterlässt. Was aber war die Verschrottungsprämie anderes als eine gezielte Vernichtung von Volksvermögen? Die Autos, die aus dem Verkehr gezogen wurden, fuhren ja größtenteils noch. Würde dieses Verfahren irgendeinen volkswirtschaftlichen Sinn ergeben, dann müsste man eigentlich, wenn die Baubranche demnächst keine Aufträge mehr bekommt, mit der Zerstörung von Brücken und Häusern beginnen.

Außerdem lässt sich ein Auftragsloch mittels künstlicher Prämien niemals stopfen, sondern nur notdürftig überbrücken. Wie damals die französische, wird sich die deutsche Autoindustrie nach dem Auslaufen der Subvention vor einem solchen Loch wiederfinden. Denn wer gestern einen Fiat Panda, einen Toyota Aygo, einen Ford Fiesta, einen Škoda Fabia oder gar einen deutschen Polo gekauft hat, hat damit nur einen Kaufwunsch künstlich vorgezogen, der irgendwann von selbst eingetreten wäre.

Hätte er stattdessen sein Auto länger gefahren, wären Reparaturen angefallen, von denen die Autowerkstätten leben könnten, und schließlich wäre die Zahl der Gebrauchtwagen angestiegen, deren Export Deutschland allein 2008 rund 5,6 Milliarden Euro einbrachte. Beim großen Prämienspiel sind die Reparaturwerkstätten und Gebrauchtwagenhändler leer ausgegangen. Dafür genoss die Kanzlerin ihren Erfolg – und ab 2010, also nach der Wahl, wird bei der Autoindustrie vermutlich das große Heulen und Zähneklappern einsetzen.

Für das nationale Sorgenkind Opel ließe sich mit etwas Fantasie folgende Perspektive ausmalen: Da die Abwrackprämie nach der Wahl ausgelaufen ist, produziert die Firma nun fleißig Autos, vielleicht sogar gute Autos, aber keiner kauft sie – die einen, weil sie dank Prämie keinen Bedarf mehr haben, die anderen, weil sie sich ohne Prämie keines leisten können. Doch leider wurde ja die staatliche Milliardenbürgschaft gewährt! Und zur Rettung dieser Milliarden dürfen wir mit Vorschlägen rechnen, durch den Staat neue Opels kaufen zu lassen – um sie an Bedürftige zu verteilen, zur Förderung von Mobilität und sozialer Gerechtigkeit.

Natürlich ist das ein Scherz, aber er kommt der Wirklichkeit des Jahres 2009 bedenklich nahe. Überall ist die Subventionitis ausgebrochen, wurde seriöse Wirtschaftspolitik durch einen Wettlauf im Schuldenmachen ersetzt. Wenn Politik, wie Bismarck sagte, die Kunst des Möglichen ist, betrieb die Regierung Merkel die Kunst des Unmöglichen. Schließlich waren derlei Eingriffe nicht nur vom Finanziellen her eine Unmöglichkeit, da sie die Steuerzahler überforderten, sondern auch von der Logik der Marktwirtschaft her: Wenn sich der Kunde gegen ein bestimmtes Produkt entscheidet und stattdessen ein anderes vorzieht, kann es nicht Aufgabe des Staates sein, ihn eines Besseren zu belehren – denn seit wann wüsste der Politiker besser, was für den einzelnen Menschen gut ist, als dieser selbst?

Ein anderer Fall politischer Marktkorrektur verbindet sich mit dem Namen Arcandor. Dieser Handels- und Touristikkonzern trug bis vor ein paar Jahren noch den renommierten Namen KarstadtQuelle AG. 2008 zählte der Konzern 86 000 Mitarbeiter und erwirtschaftete einen Umsatz von fast 20 Milliarden Euro. Im Juni 2009 hat das Traditionsunternehmen Insolvenz anmelden müssen. Auch hier bot sich die internationale Finanzkrise als »Aufhänger« an, den Staat nach allen Regeln der Kunst anzupumpen, Demonstrationen zu organisieren und Heilsbringer wie den Kanzlerkandidaten Steinmeier auf den Plan zu rufen.

Der Fall dieser Kaufhausgruppe ähnelte dem von General Motors. Verursacht wurde er durch Missmanagement, insbesondere des vorletzten Vorstandsvorsitzenden Thomas Middelhoff. Mit seinem jungenhaften Charme war es ihm 2004 gelungen, die Hauptaktionärin Madeleine Schickedanz davon zu überzeugen, die Geschicke des Unternehmens in seine Hand zu legen und ihn zum Aufsichtsratsvorsitzenden zu berufen. Was niemand ahnen konnte: Innerhalb weniger Jahre wurde der Schickedanz-Vertraute zum Abwracker des KarstadtQuelle-Konzerns.

Als Middelhoff seinen neuen Posten antrat, saß ich zusammen mit der angesehenen Kommunikationswissenschaftlerin Prof. Miriam Meckel, dem damaligen Chef des TV-Senders Premiere, Georg Kofler, und dem ehemaligen Wissenschaftsminister Professor Heinz Riesenhuber im Beirat von KarstadtQuelle. Gerne hätten wir den jungen Mann, der über keinerlei Branchenhintergrund verfügte, an unseren Erfahrungen mit dem Unternehmen teilhaben lassen. Doch Middelhoff, der 2002 von Bertelsmann gefeuert worden war – Reinhard Mohn schrieb in seinen Memoiren: »Eitle Manager sind egoistisch und schwer zu beeinflussen« –, legte keinen Wert auf die Meinung anderer.

Irgendwann erhielten wir von einem seiner Untergebenen einen Brief, wonach der Beirat ab sofort zu existieren aufgehört habe. Rückblickend bin ich darüber ähnlich erleichtert wie im Fall IKB. Wir waren ja nicht wegen der paar Tausend Euro im Jahr nach Essen gefahren, sondern weil wir uns für den Fortbestand des Konzerns mitverantwortlich fühlten.

Aber Herr Middelhoff wollte als Aufsichtsratsvorsitzender ganz allein verantwortlich sein. Sogleich wechselte er den Vorstandsvorsitzenden aus, und da der neue ihm ebenso wenig passte wie der alte, übernahm er 2005 den Posten selbst – ein Amtswechsel, der erfahrungsgemäß selten gutgeht. Dass irgendetwas nicht stimmte, ging mir spätestens 2007 auf, als er das Unternehmen Knall auf Fall in Arcandor umbenannte, ein Kunstname, mit dem ich eher ein gefräßiges Reptil als eine Kaufhauskette assoziierte. Dass eine solche Umtaufe zudem mit hohen Kosten verbunden war, da Schilder und Logos ausgetauscht werden mussten, scheint ihn nicht gestört zu haben.

Was mich außerdem stutzig machte: Für einen Milliardenbetrag verkaufte Middelhoff das Tafelsilber des Konzerns, die Warenhausimmobilien, die der Konzern von den neuen Besitzern für monatlich 23 Millionen Euro zurückmieten musste. Die hübsche Summe ging an ein Konsortium, dem neben der Deutschen Bank und Goldman Sachs auch der Oppenheim-Esch-Fonds angehörte.

Nach allem, was ich bereits über sein Ausscheiden bei Bertelsmann erfahren hatte, kam mir Middelhoff wie die Inkarnation jenes Managers vor, der sich durch Erfolge und Presseapplaus davon überzeugen lässt, dass er auf dem Wasser wandeln kann. Mit Jürgen Schrempp habe ich das Gleiche erlebt: Auch er feierte mit Daimler-Benz Erfolge, hielt sich bald für den Größten, kaufte den wackligen US-Giganten Chrysler und ist damit, zu seinem und seines Unternehmens Unglück, kläglich untergegangen.

Unbestreitbar ist Thomas Middelhoffs Gabe, sich selbst zu verkaufen und dabei den Mund recht voll zu nehmen. Mit Kopfschütteln verfolgte ich, wie er im Fernsehen verkündete, die Arcandor-Aktie hätte ein Potenzial von vierzig Euro. Dabei sank sie von den zehn Euro im Mai 2005, als er den Vorstandsvorsitz übernahm, auf ganze 1,30 Euro im Februar 2009, einen Monat, bevor er seinen Posten räumte. Im Sommer sackte sie auf dreißig Cent. Laut Medienberichten erhielt Middelhoff auf dem historischen Tiefpunkt des Aktienkurses 2,3 Millionen Euro Abfindung.

Gegen seinen Nachfolger, den früheren Telekom-Finanzvorstand Karl-Gerhard Eick, ermittelte die Essener Staatsanwaltschaft wegen des Verdachts der Insolvenzverschleppung. Helle Empörung gab es, als Anfang September 2009 bekannt wurde, dass er Arcandor mit einer Abfindung von fünfzehn Millionen Euro verlassen hatte. Wahlkampfbedingt dramatisierte die Kanzlerin:»Wenn Manager nach einem halben Jahr Arbeit mit fünfzehn Millionen Euro abgefunden werden, dann geht etwas kaputt in unserem Land.« Dazu kann ich nur sagen: Wozu die Aufregung? Offenbar war er so schlau, sich für den Fall des Scheiterns fünfzehn Millionen bezahlen zu lassen, und der Großaktionär Sal. Oppenheim so dumm, ihm das vertraglich auch zuzugestehen.

Im Juni 2009 leitete die Staatsanwaltschaft Essen auch gegen Thomas Middelhoff ein Ermittlungsverfahren ein, und zwar wegen Untreue. Es ging dabei um seine persönliche Beteiligung am Oppenheim-Esch-Fonds, der, zusammen mit anderen, von Arcandor ungewöhnlich hohe Mieten eingestrichen haben soll. Ende Juli 2009 berichtete der *Spiegel*, Middelhoffs Verbindungen mit dem Vermögensverwalter Esch seien viel zu eng gewesen, um die Interessen seines Konzerns gegen ihn vertreten zu können. Mittlerweile ging die Bochumer Staatsanwaltschaft der Frage nach, warum Middelhoff als Arcandor-Chef darauf verzichtet hatte, einen mehrstelligen Millionenbetrag zugunsten des Konzerns bei Esch einzuklagen, den dieser aus dem Immobiliendeal schuldig geblieben war.

Seit Mai 2009 bemühte sich der notleidende Konzern um staatliche Unterstützung. Die Frage, ob Warenhäuser in Zeiten der Billigmärkte und des Internets überhaupt noch konkurrenzfähig sind, scheinen sich die Verantwortlichen nicht gestellt zu haben. Tausende Beschäftigte demonstrierten in Berlin für staatliche Kredite von der KfW-Bank. Kurz vor dem Insolvenzantrag im Juni wurde bei der Bundesregierung die Summe von 437 Millionen Euro beantragt. Einer der eifrigsten Fürsprecher staatlichen Eingreifens war wieder einmal SPD-Kanzlerkandidat Frank-Walter Steinmeier, dessen Rettungsappell in den Worten gipfelte, man könne nicht so tun, »als ginge uns die drohende Verödung ganzer Innenstädte in Deutschland nichts an«. Ein seltsames Argument: Nachdem Politiker auch seiner Partei jahrzehntelang Einkaufszentren auf der grünen Wiese gefördert hatten, um die Innenstädte möglichst »autofrei« zu bekommen, schien er jetzt sein Herz für die kundenintensive Innenstadt entdeckt zu haben.

Parteichef Müntefering sollte der Sache in seiner knackigen Art eine weitere Wendung geben: Eine Bürgschaft war für ihn gerade aus Gründen der Gleichstellung »notwendig und zukunftsträchtig«: Nachdem den Männern bei Opel geholfen wurde, so Müntefering, seien nun die Frauen bei Arcandor an der Reihe. CSU-Chef Horst Seehofer, ebenfalls im Wahlkampffieber, wollte da nicht zurückstehen: Vehement forderte er einen Staatskredit für die Arcandor-Tochter Quelle und wurde prompt mit einer bayerischen Staatsbürgschaft von 20 Millionen Euro zum Retter des Quelle-Katalogs. Offenbar war ihm so wenig wie dem

Management aufgefallen, dass die meisten Menschen heute nicht mehr per Versandkatalog, sondern per Internet bestellen. Gut möglich, dass es immer noch eine Menge Kunden gibt, die das Warensortiment lieber als dickes Buch vor sich haben – aber warum muss der Steuerzahler dafür aufkommen?

Während man lautstark über Opel und Arcandor diskutierte, hatte sich beim Bund still und leise eine hübsche Zahl von Wunschzetteln angesammelt. Bis Juni 2009 lagen der KfW bereits über 1100 Anträge vor, in einem Gesamtumfang von 4,7 Milliarden Euro. Viele davon sind, ebenfalls still und leise, bereits genehmigt worden. Ist jemandem aufgefallen, dass etwa dem Druckmaschinenhersteller Heidelberger Druck durch die KfW ein Kreditrahmen von 1,4 Milliarden Euro eingeräumt wurde, und obendrauf ein Darlehen in Höhe von 300 Millionen Euro? Auch hier fragte man sich: Inwiefern war die Heidelberger Druck systemrelevant? Würden, wenn das Unternehmen gegen die Wand führe, keine Zeitungen mehr gedruckt? Wohl kaum. Eher lag es daran, dass die Regierung sich viel zu sehr an die Pose des Heilsbringers gewöhnt hatte, um noch Nein sagen zu können.

In ihren Reaktionen auf die Finanzkrise wirkte die Regierung Merkel nicht wie ein Gestalter, sondern wie ein Getriebener. Irgendwo stieg Rauch auf, roch es brenzlig – sogleich wurde das Feuer ausgetreten. Man setzte auf staatlichen Dirigismus und Aktionismus und schob die Marktwirtschaft beiseite, als wäre sie für die Krise verantwortlich. Und fast keiner in den Regierungsparteien – ausgenommen Wolfgang Schäuble in der Union und Richard Schröder in der SPD – fand sich bereit, gegen den Strom zu schwimmen und eine Verteidigung des erfolgreichen Erhardschen Modells zu wagen.

Auch in den Talkshows hatte die freie Marktwirtschaft schlechte Karten. Meine Erfahrung mit den Bankern, die sich vor der Öffentlichkeit wegdückten und mich ihre Position verteidigen ließen, wiederholte sich im Bundestagswahlkampf 2009, als ich von den TV-Redaktionen zu Streitgesprächen über die Wirtschaftspolitik eingeladen wurde. Übrigens habe ich mich noch nie in meinem Leben, nicht einmal als BDI-Präsident, bei einem Sender angeboten, wie Politiker es zu tun pflegen.

Das brauche ich schon deshalb nicht, weil kaum ein anderer – von FDP-Vertretern abgesehen – bereit ist, die Positionen der Marktwirtschaft selbstbewusst zu vertreten. Ob von ARD, ZDF, n-tv, N24 oder phoenix – immer wieder bekomme ich zu hören, dass die Sender auf dem linken Spektrum aus einem Riesenangebot auswählen können, von Scchofer und Rüttgers bis Nahles und Lafontaine, während auf der Gegenseite peinliche Leere herrscht. Keiner will sich zugunsten der Globalisierung oder der Marktwirtschaft exponieren, vermutlich aus Furcht, das Etikett »neoliberale Hyäne« angeheftet zu bekommen.

Im Juni 2009 rief mich die Maybrit-Illner-Redaktion an und fragte, ob ich zusammen mit IG-Metall-Chef Berthold Huber an einem »Kanzlerkandidaten-Test« teilnehmen würde, in dessen Mittelpunkt Frank-Walter Steinmeier stehen sollte. Eigentlich wollte ich an diesem Tag mit meiner Frau und meiner Schwägerin nach Neapel fliegen, aber man bekniete mich, den Flug um einen Tag zu verschieben.

»Warum fragen Sie nicht einfach einen anderen?«, sagte ich und nannte einen bekannten Verbandschef.

»Den haben wir angerufen«, lautete die Antwort. »Der will aber nicht.«

»Und wie wäre es mit dem Präsidenten des XY-Verbandes?«, fuhr ich fort.

»Sorry«, hieß es, »der kann auch nicht.«

Nachdem ich noch zwei weitere Namen ins Spiel gebracht hatte, die sicher fähig gewesen wären, unser Wirtschaftssystem im ZDF zu verteidigen, erhielt ich dieselbe resignierte Antwort: »Herr Henkel, die wollen alle nicht«. Also gut, ich buchte um und ging in die Sendung, bei der ich dann, wie auch Berthold Huber, als eine Art besserer Staffage diente.

Immerhin konnte ich nach meiner Rückkehr im Internet nachlesen, dass Steinmeier, der bei mir den gewohnt anständigen, aber farblosen Eindruck hinterlassen hatte, in Wahrheit viel besser gewesen sei, als das Publikum glaubte. Denn, so hieß es bei *Spiegel Online*, flankiert vom »IG-Metall-Chef Huber und vom Wirtschafts-Megaphon Henkel« hätte Steinmeier »souverän« und »geradezu witzig« gewirkt. Nur leider habe es niemand mitbekommen, wenn er seine Humorraketen zündete – wie so oft, wenn die Kameras in den entscheidenden Momenten »noch nicht laufen oder bereits wieder abgeschaltet sind«.

Trotz dieser medialen Rückenstärkung kam Steinmeier nicht aus seinem Umfragetief heraus. Dabei war er politisch, zumal im wirtschaftlichen Bereich, gar nicht weit von der Kanzlerin entfernt – oder sie von ihm. Aus dieser ideologischen Nähe ergab sich ein Problem, das durch die Krise noch verschärft wurde: Angela Merkel schien selbst nicht mehr an unser Wirtschaftsmodell zu glauben, möglicherweise weil sie sich hatte einreden lassen, es sei gescheitert und müsse nun von ministeriellen Planwirtschaftlern »gerettet« werden. Deshalb war ich auch überzeugt, dass ihr eigentliches Ziel vor der Bundestagswahl 2009 eine Fortsetzung der Großen Koalition und nicht ein Bündnis mit der FDP war – ganz einfach, weil ihr die alte Konstellation das Regieren wunderbar einfach gemacht hatte: Die Opposition war ausgeschaltet, und bei ihren staatlichen Eingriffen konnte sie sich hinter den sozialdemokratischen Ministern verstecken.

Der Staat als Heilsbringer, der sich um Arbeitsplätze und fahrbare Untersätze kümmerte, leuchtete vielen ein. Wozu die Last der Eigenverantwortung, wenn sie einem von zentraler Stelle abgenommen werden konnte? Was die 68er-Bewegung nicht geschafft hatte, nämlich die Macht des Staates über Kapital und Produktionsmittel durchzusetzen, schien jetzt durch eine Kanzlerin der einstigen Erhard-Partei in greifbare Nähe gerückt. Nach dem Motto »Wer bittet, dem wird gegeben« hatte der Staat endlich das Gesetz des Handelns an sich gerissen. Die Wirtschaft ging nach Canossa, so glaubte man, und die Politik ließ Gnade walten. Dass das alles eine Luftnummer, ein ungedeckter Wechsel auf die Zukunft war, bemerkte anscheinend keiner.

Man wollte es gar nicht bemerken. Es schlug die Stunde des Linksfeuilletons und der schreibenden Sozialutopisten. Nach einer langen Phase der Marktwirtschaft bekam die Staatswirtschaft endlich eine neue Chance. Verantwortung, Wettbewerbsprinzip, Selbstregulierung des freien Marktes hätten abgewirtschaftet, so verkündete man, und auf die lange Durststrecke des Kapitalismus folge nun die ruhige Hand des fürsorglichen Sozialstaates. Wo das freie Spiel der Kräfte versagt hatte, würde nun alles durch zentrale Steuerung und Planung ins Lot gebracht.

Die Alt-68er in Behörden und Redaktionen atmeten auf: Das Ende des Kapitalismus war nah! Jede neue Schreckensmeldung über eine marode Bank oder eine insolvente Firma wurde als weiteres Symptom dieses Niedergangs begrüßt, und jene Intellektuellen, die sich seit dem Mauerfall um ihr liebstes Spielzeug, den real existierenden Sozialismus, geprellt fühlten, witterten eine neue Chance: die Wiedergeburt des Staates, der Planwirtschaft, der Vollbeschäftigung.

Begleitet wurde dieser intellektuelle Utopismus von der Verunglimpfung einer Marktwirtschaft, deren egoistische und »gierige« Züge genüsslich ausgebreitet wurden, während man verdrängte, dass auf eben dieser Marktwirtschaft unser gesamter Wohlstand einschließlich des üppigen Sozialsystems basierte. Dabei wurde das System als solches eher selten angegriffen, da sich ja in Gestalt der Manager ideale Sündenböcke anboten. Wie es so schön heißt: Man schlug den Sack und meinte den Esel.

Gemeint war tatsächlich das Wirtschaftssystem Ludwig Erhards, das mit dem Schicksal der Bundesrepublik so eng verknüpft ist, wie es die Planwirtschaft mit dem der DDR war: Wie das eine für den Erfolg, steht das andere für das historische Scheitern eines Gesellschaftsentwurfs. Aber gerade das wollte man nicht wahrhaben. »Warum mischt man nicht beide?«, dachte man. »Was spricht gegen ein bisschen DDR light?« Man prangerte die Finanzzocker an, wollte aber eigentlich die Realwirtschaft und ihre Vertreter treffen.

Ein schönes Beispiel dafür bot im Frühjahr 2009 der Europawahlkampf der SPD. Mit sicherem Riecher für den Trend setzte man auf das *negative campaigning*, frei übersetzt: auf breitenwirksame Verleumdung. Diese Art der Kampagne geht davon aus, dass es lohnender ist, sein Wahlkampfgeld in die Negativdarstellung des Gegners zu investieren, statt in die Positivdarstellung der eigenen Partei. Entsprechend waren auf den SPD-Wahlplakaten weder sozialdemokratische Köpfe noch linke Parolen zu sehen, sondern die Sündenböcke, die man für die Krise verantwortlich machte. Eines der Plakate zeigte einen grinsenden Comic-Raubfisch mit Schlips, über dem die Warnung stand: »Finanzhaie würden FDP wählen«.

Abgesehen davon, dass man seine Kontrahenten niemals mit Tieren gleichsetzen sollte, gehört speziell der Hai, denn um diesen handelte es sich, zu den eindeutig negativ besetzten Tieren, die sich gegenüber Menschen gelegentlich in Bestien verwandeln. Die Freien Demokraten nahmen's locker und ulkten zurück: »Pleitegeier würden SPD wählen«. Die Europawahl gab ihnen Recht: Die Sozialdemokraten fuhren mit 20,8 Prozent ihr bislang schlechtestes Ergebnis ein.

In anderen Ländern, die ich in der letzten Zeit besucht habe, waren derlei Polarisierungen nicht zu beobachten. In Amerika beispielsweise, das für mich sowohl Auslöser wie Schuldiger der Katastrophe ist, nahm man die eingetretene Situation pragmatisch. In der staatlichen Reaktion ging man sogar weiter als Angela Merkel, kam aber ohne die großen öffentlichen Diskussionen aus, die uns seit der Lehman-Pleite so lange in Atem hielten.

Ohne weiteres verstaatlichte das Land, das traditionell für die freie, sehr freie Marktwirtschaft steht, die Banken Freddie Mac und Fannie Mae, dazu die größte Versicherung der Welt, AIG, und unterstützte die Bank of America, die sich an der forcierten Übernahme von Merrill Lynch verschluckt hatte. Das alles ging ruckzuck und mutete weitaus staatsgläubiger an als selbst die Wohltaten unserer Großen Koalition. Dazu war bereits unter George W. Bush ein gewaltiges Konjunkturpaket gekommen, obwohl Bushs Regierung bis dahin für weitestgehende Nichteinmischung des Staates in die Wirtschaft gestanden hatte.

Diese extrem schnelle Reaktion mit unorthodoxen Mitteln schien mir typisch für dieses Land. In Amerika habe ich auch niemanden getroffen, der nun gesagt hätte, der Kapitalismus sei gescheitert, die Marktwirtschaft habe versagt, wir bräuchten dringend einen Systemwandel. Keiner schob, wie bei uns üblich, dem »Neoliberalismus« die Schuld am Crash zu. Die Presse erging sich auch nicht in Schmähungen der Manager insgesamt, sondern prangerte diejenigen an, die sich ungerechtfertigt bereichert oder mutwillig andere betrogen hatten. Man suchte nach Gründen für die Katastrophe. Man wollte nicht über Fehler der anderen predigen, sondern aus eigenen Fehlern lernen.

Columbia-Professor Dean Starkman verglich 650 amerikanische Wirtschaftsartikel dieses Jahrzehnts, die sich mit den Hypothekenverbriefungen und den Verstrickungen der Wall Street befassten, und kam zu einem erstaunlichen Ergebnis: Zwar gab es kritische Berichte, aber in gedämpfter Tonlage und auf den hinteren Seiten. »Die Wirtschaftspresse«, so Starkman, »ist ein Wachhund, der nicht gebellt hat.« Das galt selbstverständlich auch für Deutschland. Wer heute bellte, hatte gestern noch geschlafen.

In der seriösen US-Presse wurde nüchtern rekonstruiert, wie eine solche Blase hatte entstehen können und warum man zu lange darauf gehofft hatte, dass es doch noch gutgehen würde. Eine philosophische Debatte, bei der, wie bei uns, der gescheiterte Karl Marx erhobenen Hauptes zurückkehrt, hat es dort nicht gegeben. Es redete auch niemand davon, dass nun »die Stunde des Staates« geschlagen hätte.

Besonders beeindruckte mich eine Diskussion an der Columbia University, über die in der *Süddeutschen Zeitung* berichtet wurde. Zum Thema Zukunft des Wirtschaftsjournalismus hatte die Eliteuniversität einen Börsenzocker eingeladen, der sein Geld mit sogenannten Leerverkäufen, also Spekulationen auf sinkende Aktienkurse, verdiente. Seine Empfehlung, »Leerverkäufer und die Presse sollten eigentlich dicke Freunde sein«, führte zu einer angeregten Diskussion über die Ähnlichkeit beider Berufe: Auch der Leerverkäufer recherchiert wie ein kritischer Journalist hinter Fakten her, die für die Unternehmen unbequem sind, und entwickelt ein Gespür dafür, wo etwas in der Wirtschaft faul ist. Am Ende schlug der Finanzspekulant vor, in jedem Medium einen »institutionellen Leerverkäufer« zu beschäftigen, der grundsätzlich »die Gegenposition vertritt«. Dem Kommentar des Redakteurs der *Süddeutschen*, Nikolaus Piper – »Eigentlich keine schlechte Idee, auch außerhalb von Wirtschaftsredaktionen« – kann ich mich nur anschließen.

In Deutschland wäre eine solche Diskussion schon deshalb undenkbar, weil der Börsenmann vor lauter Buhrufen nicht zum Reden käme. Oder weil man ihm das Mikrofon abdrehen würde. Derlei ideologische Verbohrtheit, wie sie seit Jahren bei uns etabliert ist, habe ich in keinem anderen Industrieland vorgefunden. Nicht einmal Frankreich, das traditionell zentralstaatlicher orientiert ist als Deutschland, hat sich jenen neomarxistischen Träumen hingegeben, von denen unsere Feuilletons zeitweise überquollen. Nicolas Sarkozys Staat griff ein, teilweise sogar wettbewerbsverzerrend, als er etwa nur französische Autozulieferer unterstützen wollte – aber niemand fing deshalb an, vom Untergang des Kapitalismus zu schwärmen.

In der Schweiz wunderte man sich seit langem über den ideologischen Konformismus, der in Deutschland ausgebrochen war – zumal dieser sich, wie Finanzminister Steinbrücks Verbalattacken gegen die »reichen« Eidgenossen zeigten, gern auch auf die Nachbarländer erstreckt hätte. »Die Kapitalismuskritik«, schrieb der Berlin-Korrespondent der *Neuen Zürcher Zeitung*, Ulrich Schmid, »hat in Deutschland groteske Ausmaße erreicht. Das ist für mich eine der verhängnisvollsten Entwicklungen in diesem Land«, unter anderem deshalb, »weil der Akt des Kritisierens zu einem Modeartikel verkommen ist. Jeder darf mal ran, und sei er noch so unbedarft«. Dabei hätte sich auch »die CDU dem Trend angepasst und (sei) unter Angela Merkel zu einer fast lupenreinen sozialdemokratischen Partei geworden«.

Eigenartig zu beobachten, welche *opinion leaders* sich in Deutschland ebenfalls dem Trend anpassten und, wie Ulrich Schmid es ausdrückte, »den Kapitalismus krankbeten«. Mit medialer Macht drängten sie an die Spitze der Herde, um ja nicht hinterhermarschieren zu müssen, wenn der große Aufbruch kam.

Da sich eine Herde ihre Sündenböcke nicht selbst aussucht, werden sie ihr von jenen Meinungsführern präsentiert, deren Macht sich weniger von ihrer Kompetenz als von den Emotionen ableitet, die sie anzustacheln in der Lage sind. Geradezu spannend ist es, zu beobachten, wer einer solchen Herde, die langsam unruhig wird und in Bewegung gerät, dann als Sündenbock präsentiert wird, auf den sich die geballte Wut zu konzentrieren hat – zumal, wenn man selbst dieser Sündenbock ist.

Womit wir bei Frank Schirrmacher wären, *FAZ*-Herausgeber und voraustrabender Pionier der deutschen Leitkultur. Der *Tagesspiegel* nennt ihn ehrfürchtig einen »der führenden Intellektuellen des Landes«. Sein Buch *Das Methusalem-Komplott* machte ihn landesweit bekannt, er erhielt dafür 2004 den internationalen Buchpreis Corine. Fast war ich damals versucht, die Corine, die mir zuvor für meine *Ethik des Erfolgs* verliehen worden war, wieder zurückzugeben. Für mich gehört Schirrmacher nämlich zu den Trendsettern, deren Talent – sosehr es in seinem Fall den Umsatz der *FAZ* fördern mag – etwas Marktschreierisches, Auftrumpfendes hat, das die Kultur, die er zu repräsentieren vorgibt, in ein frivoles Licht rückt.

Bei Schirrmacher scheint alles nur noch danach abgeklopft zu werden, ob sich ein Aufreger, eine Kampagne daraus zimmern lässt. Das gilt zum Glück nicht für die gesamte *Frankfurter Allgemeine*, deren Wirtschaftsteil ich für den besten unserer Republik halte – vom Feuilleton, für das Schirrmacher verantwortlich zeichnet, lässt sich das nicht behaupten. Er selbst trabt seiner Redaktion den Zeitgeist erschnüffelnd vorneweg – und wen kümmert es schon, dass es ihn einmal dahin, einmal dorthin zieht, dass er nicht immer einem klaren Weg folgt, sondern auch momentanen Eingebungen, Launen, gelegentlich sogar Schnapsideen nachgibt, wie es eben gerade kommt?

Für mich zählt Schirrmacher zu den Abwrackern unserer Kultur, weil er sie an die Hypes seines Feuilletons verfüttert. So war er sich beispielsweise nicht zu schade, anlässlich der Bambi-Verleihung 2007 einen tiefen Kotau vor dem mittelmäßigen Schauspieler und herausragenden Sektenfunktionär Tom Cruise zu vollführen. »Ein Mann, der als einer der einflussreichsten Intellektuellen des Landes gilt«, schrieb der *Stern,* »führt sich auf wie ein Hollywoodgroupie im Hormonrausch.«

Frank Schirrmacher will natürlich auch als Ökonom ernst genommen werden. Die Finanzkrise, über die im *FAZ*-Wirtschaftsteil hervorragende Journalisten wie Heike Göbel erfreulich klug und nüchtern berichtet haben, inspirierte ihn im September 2008 zu einem alternativen Statement im Feuilletonteil, dem er den Titel »Das Zeitalter des Unglücks« gab.

In diesem Text wollte er nicht nur die Empörung der deutschen Intelligentsia über die »Neoliberalen« übertreffen, sondern ihr auch einen neuen Schuldigen am allgemeinen »Unglück« präsentieren. Am Platzen der US-Immobilien-Blase, der *subprime*-Krise, dem Ankauf von Schrottpapieren, der Dummheit der Landesbanken, die sich über den Löffel barbieren ließen, kurz, an allem, worüber man sich wortreich aufregen konnte, trug laut Schirrmacher eine ganz bestimmte Gruppe erhebliche Mitschuld: »Henkel und Co«.

Außerdem, so Schirrmacher, seien »Hans-Olaf Henkel und seine Sozialingenieursklone« auch noch für den »Defätismus einer Gesellschaft« verantwortlich, »die in den letzten Jahren, ohne es zu merken, eine verheerende Vernichtung ihrer Ideale erlebt hat«, woraus »die Selbstzerstörung des sozialen Wohlfahrtsdiskurses der Gesellschaft« resultierte und endlich allen menschlichen Glücks: »Unsere Gesellschaft bewegt sich in ein Zeitalter des Unglücks hinein.« Man sieht, Frank Schirrmacher beherrscht eine ominöse Sprechweise, die einen wahrhaftig das Fürchten lehren kann.

Auch seine Sätze können das. Noch eine kleine Kostprobe: »Es ging in all den Talkshows« – in denen mutmaßlich Hans-Olaf Henkel und seine Sozialingenieursklone saßen – »nie darum, einen Zukunftsentwurf von verbindender Kraft zu verwirklichen, sondern ein Triebverlangen abzureagieren, in dem Eitelkeit und messianische Sendung, hemmungslose Idealisierung der globalisierten Rationalität bei gleichzeitiger emotionaler Bevormundung einer ganzen Nation ... eine Horror-Ehe eingingen.«

Aber, lieber Herr Schirrmacher, möchte man angesichts dieses Satzmonstrums ausrufen, seit wann können denn vier Wesenheiten – Eitelkeit, messianische Sendung, hemmungslose Idealisierung und emotionale Bevormundung – eine Ehe eingehen? Oder wollten Sie damit sagen, dass eine Ehe zu viert mutmaßlich zur Horror-Ehe wird?

Und wozu führt diese Horror-Ehe, die ich nichtsahnend mit meinen Klonen gestiftet haben soll? Selbstverständlich zur »Demoralisierung der nachwachsenden Generation, Zerstörung der Universitäten und Bildungsgänge, Zerstückelung von Biographien, Betrug über Alterssicherheit und Rente und so weiter – kurzum: Bedrohung oder Vernichtung des traditionellen Lebenszyklus in fast allen seinen Details«.

Dem wilden Mann vom Main, dessen eitle Selbstdarstellung hoffentlich über jegliches verdrängte Triebverlangen erhaben ist, könnte man zugutehalten, dass er all das nicht wirklich ernst meint, sondern es nur niedergeschrieben hat, um einen Hype zu erzeugen, ein Raunen in der Herde, ein Scharren mit den Hufen. Die Leitfigur macht es vor, und nun soll die Herde gefälligst folgen.

Aber die Anschwärzung eines Menschen, die per *FAZ* hunderttausendfach verbreitet wurde, kann nicht als taktisches Manöver, eine Diffamierung nicht als bloßer Kollateralschaden abgetan werden. Schirrmacher wusste um die Vorurteile, die man mir als »Wirtschafts-Megaphon« entgegenbringt, und er hat sie bedient.

Er hat sie sogar noch gesteigert, zur kollektiven Empörung,

indem er mich in einem Atemzug mit Männern nannte, die zum Synonym geworden sind für Machtmissbrauch in der Wirtschaft. »Ehe Henkel und Co. das Wort ergreifen oder Zumwinkel und Pierer das Unrecht der Welt bejammern ...«, so beginnt er einen Satz, der offenbar nur dazu diente, diese Zusammenstellung in die Welt zu setzen. Aber was habe ich mit einem geständigen Steuerhinterzieher und einem Ex-Konzernchef gemeinsam, von dem sein ehemaliges Unternehmen Schadenersatz wegen des Schmiergeldskandals verlangt?

Am Ende versichert der *FAZ*-Herausgeber, dass das ganze »Unglück«, das uns getroffen hat, »mit Fleiß« angezettelt worden sei, es sei ein »hergestelltes, ein produziertes, ein vor unseren Augen zusammengeschraubtes Unglück«.

So wenig dies auf die Krise zutrifft, von der er etwas zu verstehen vorgibt, so sehr trifft es auf seinen fabrizierten und geschraubten Versuch zu, der Öffentlichkeit einen Schuldigen zu präsentieren: Hier ist der Sündenbock – worauf wartet ihr noch?

Ich fürchte, Schirrmacher wrackt auf diese Weise zusammen mit der Kultur auch gleich noch den Anstand ab.

Kapitel Sieben

Die Blasen des Neosozialismus

Hypes, so scheint es, sind unwiderstehlich, zumal wenn man den gesunden Menschenverstand an der Garderobe abgegeben hat. Sie kommen aus dem Nichts, werden befeuert durch Einzelne, denen es um Mehrung ihres Ansehens, ihres Besitzes, ihrer politischen Macht geht, werden erhitzt und ausgedehnt von der Masse, die in die gehypten Illusionen investiert, bis die Inflationierung ihren Höhepunkt erreicht und die Blase, an der alle mitwirkten, weil alle von ihr zu profitieren hofften, platzt. Das ist für niemanden angenehm, denn dabei werden nicht nur Hoffnungen abgewrackt, sondern oft genug auch Wohlstand und Lebensgrundlage der Beteiligten.

Seit Ausbruch der Finanzkrise wird bei uns die Illusion gehypet, die amerikanische *subprime*-Blase mit ihren weltweiten Folgen sei Symptom einer giergesteuerten Marktwirtschaft, die sich bei uns in der Spielart des »Neoliberalismus« breitgemacht habe – und damit Symptom des Scheiterns und demnächst zu erwartenden Untergangs dieses »Neoliberalismus«.

Ganz abgesehen davon, dass die Dynamik der Marktwirtschaft dem Innovationsgeist und dem Mut zum Wettbewerb entspringt – mit Gier lassen sich keine Supermarktregale füllen –, geht auch die Wortschöpfung »Neoliberalismus« an der Sache vorbei. Eine neue Form des Erhardschen Wirtschaftssystems, wie das Präfix »neo« ausdrückt, hat es nie gegeben – sie war auch gar nicht nötig, da sich die alte als ideal für unsere freiheitliche, auf der Menschenwürde basierende Demokratie erwiesen hat.

Weil man das nicht wahrhaben will, erfindet man ein Phantom namens »Neoliberalismus« und rennt mit Don Quijoteschem Eifer gegen dessen Windmühlenflügel an. Es gibt gute Gründe, die Ideologie hinter diesem illusionären Hype als »Neosozialismus« zu bezeichnen. Das »Neo« ist in diesem Fall gerechtfertigt, weil sich der Sozialismus in all seinen Varianten – von Marx über Mao bis Honecker – vor der Geschichte blamiert hat und mit Pauken und Trompeten respektive Heulen und Zähneklappern untergegangen ist. Was man aber nicht wahrhaben will. »Auf ein Neues«, ruft man einander zu und verbindet die Weigerung, aus der Erfahrung zu lernen, mit der Hoffnung, dass etwas mit guten Absichten Ausgedachtes irgendwann doch Wirklichkeit werden könnte.

Der Treibsatz dieses neosozialistischen Hypes, der sich in unseren Parlamenten wie in den Chefredaktionen der Massenmedien festgesetzt hat, ist der Gier verwandt, entfaltet einen ähnlichen Sog und kann ebenfalls ganze Gesellschaften mit sich reißen: Ich spreche von der Unzufriedenheit. Man könnte sie als Gegenbild zur Gier bezeichnen, so wie man Schadenfreude als Gegenbild zum Neid ansehen kann. Wie der Gierige das will, was er nicht hat, so gilt für den Unzufriedenen, dass ihm das nicht reicht, was er hat. Stattdessen will er etwas anderes und Besseres.

Der Neosozialismus bietet sich an, ihm dazu zu verhelfen. Er behauptet grundsätzlich, die Verhältnisse seien schlecht und müssten dringend geändert werden. Entsprechend suggeriert er den Menschen, dass ihre Unzufriedenheit ebenso berechtigt sei wie der Wunsch, deren Ursachen (und am besten auch gleich deren Urheber) zu beseitigen. Wunschgemäß entfaltet die Unzufriedenheit in der Folge eine innere Dynamik, die Massen mobilisieren und selbst kluge Menschen und Herausgeber in bedauernswerte Mit- und Hinterherläufer verwandeln kann.

Wenn Politiker sich zu Sprachrohren dieser Unzufriedenheit machen und, sobald eine Kamera auf sie gerichtet ist, über Missstände und Ungerechtigkeiten klagen, von denen zuvor kaum jemand etwas geahnt hat, fallen sie zwangsläufig ihrer eigenen Strategie zum Opfer. Denn nun müssen sie dem Unheil, das sie aufgedeckt haben, schleunigst abzuhelfen suchen.

In diesem zwanghaften Automatismus liegt wohl der Grund für die eigenartige Aufgedrehtheit und Gereiztheit, mit der viele Politiker der Öffentlichkeit gegenübertreten. Die beständige Frustration, der immer neuen Übelstände, die man aufzuzeigen hat, nicht Herr werden zu können, gehört zur Eigendynamik des Neosozialismus: Die Gegenwart verdammt er, während er die bessere Zukunft einstweilen nur als Sprechblase offerieren kann.

Der Neosozialismus hat sich nicht nur im linken Parteienspektrum breitgemacht. Unbemerkt dominiert er fast unsere gesamte Politik. Sind die sozialen Ungerechtigkeiten oder Diskriminierungen erst einmal aufgespürt, beweist der Politiker seine Leistungsfähigkeit dadurch, dass er diese Missstände abschafft, womit er sich zugleich zur Wiederwahl empfiehlt. Gemessen an der gesellschaftlich-moralischen Tragweite seiner Maßnahmen scheinen die Kosten, die dafür zu Buche stehen, kaum ins Gewicht zu fallen. Wenn man sie nicht gleich bezahlen kann, holt man das eben später nach – und wenn man vor lauter Verhältnisveränderungseifer nicht mehr dazu kommt, können ja die nächsten Generationen einspringen.

Das mag übertrieben klingen, bietet aber die einzige Erklärung für die Tatsache, dass unser gesamtes Staatswesen seit langem auf Pump lebt. Wir leben über unsere Verhältnisse. Doch nicht nur das: Wir leben auch über die Verhältnisse unserer Kinder. Und leider werden diese dereinst über ihre Verhältnisse bezahlen müssen.

Längst hat man das als schicksalsgegeben hingenommen, sich sogar darüber verständigt, dass es Folge unseres marktwirtschaftlichen Systems sei. Dabei gehört der »ausgeglichene Haushalt« zu den wichtigsten Zielen der Erhardschen Marktwirtschaft. Die galoppierende Schuldenwirtschaft, wie sie bei uns eingerissen ist, stellt dagegen ein untrügliches Indiz für das Wirken des Neosozialismus dar: Verteile Wohltaten jetzt – lass andere später dafür zahlen!

Natürlich wird darüber nicht offen gesprochen. Das würde nur die Stimmung vermiesen und die Wähler vergraulen. Im Bundestagswahlkampf 2009 haben es die großen Parteien verstanden, die Probleme, die sich ihnen nach der Wahl stellen werden, nahezu komplett aus der Debatte herauszuhalten. »Gar net ignorieren«, wie der Wiener sagt. In früheren Wahlkämpfen pflegte man anzukündigen, was man in den kommenden vier Jahren zu tun beabsichtigte, ja man legte sich sogar auf das Vorgehen in den ersten hundert Tagen nach der Wahl fest. Kanzlerin Merkel dagegen hat – wohl in unguter Erinnerung an ihr einstiges Versprechen einer umfassenden Steuerreform (Stichwort Kirchhof) – beharrlich über diese Fragen hinweggeschwiegen, während ihr Konkurrent Steinmeier kühn darüber hinweggesprungen ist, indem er eine utopische Zusage zur Schaffung von vier Millionen Arbeitsplätzen bis zum Jahr 2020 abgab – für die überübernächste Legislaturperiode.

Dabei hat die Große Koalition nicht nur geschickt über die Entscheidungen geschwiegen, die ihr nach dem Wahltermin bevorstehen würden – sie hat auch über die Folgen jener Entscheidungen geschwiegen, die sie vor diesem 27. September getroffen hatte. Da alle Augen auf die amerikanische Immobilienblase gerichtet waren, deren Auswirkungen auf Deutschland es abzufedern galt, ist kaum einem aufgefallen, dass die eiligen Rettungsmaßnahmen zur Entstehung neuer Blasen geführt haben. Im Unterschied zur Weltfinanzkrise sind diese hausgemacht, und je länger man sie nicht zur Kenntnis nimmt, umso wahrscheinlicher wird es, dass sie uns eines Tages gewaltig um die Ohren fliegen werden. Das Wort vom »Big Bang« dürfte dann für die Bundesrepublik eine ganz neue Bedeutung annehmen.

Wie auf geheime Absprache zwischen Politik und Medien blieben diese Blasen und die Gefahr, die von ihnen ausgeht, tabu. Als wäre tatsächlich »Ruhe erste Bürgerpflicht«, wurden während des Wahlkampfs immer neue mediale Beruhigungspillen verabreicht, wonach wir eigentlich das Schlimmste schon hinter uns hätten. Dank staatlicher Zuwendungen in irrwitziger Höhe erweckte man den Eindruck, man habe sich inmitten des weltweit tobenden Wirtschaftshurrikans ein windstilles Fleckchen bewahrt, auf dem der Kausalzusammenhang von Geldausgabe und Schuldentilgung einstweilen außer Kraft gesetzt sei: Deutschland – eine »Insel der Glückseligen«.

Diese Illusion, der sich Politik, Medien und Öffentlichkeit nur zu gern hingeben, gehört zu den Auswirkungen dieser neuen Blasen. Wie gewöhnliche Hypes oder auch die Immobilienblase entwickeln sie eine Eigendynamik, doch anders als diese sind sie eindeutig gewollt und gemacht. Sie entspringen nämlich einer Ideologie, der daran gelegen ist, das eigene wirtschaftspolitische Versagen durch reichliche Zuführung von Geldmitteln, die man sich aus der Zukunft borgt, zu verheimlichen.

Nach dieser Ideologie, die einst auch Jimmy Carter und später Bill Clinton dazu bewogen hat, aus Gutmenschlichkeit die Prinzipien des Kreditwesens außer Kraft zu setzen, ist das ungebremste Anhäufen von Schulden dadurch gerechtfertigt, dass es einem guten Zweck dient, der ja bekanntlich »die Mittel heiligt«.

Diese ideologisch gewollten Blasen, die irgendwann explodieren dürften, verdanken ihr ungestörtes Wachstum dem Geschick, mit dem sie von den jeweils Verantwortlichen vertuscht und bemäntelt werden.

So meldete die Regierung vor der Wahl mit großer Genugtuung, dass das Bruttoinlandsprodukt im zweiten Quartal 2009 um 0,3 Prozent gestiegen sei, womit man sich fast schon über den Berg, zumindest aber auf der Talsohle angekommen glaubte, so dass es nur noch aufwärts gehen konnte. Doch man täuschte sich: Das Wachstum spiegelte nur die Fünf-Milliarden-Gabe der Abwrackprämie sowie verschiedene kommunale Bauinvestitionen wider, die eines gemeinsam hatten – sie waren befristet.

Auch die frohe Kunde, wonach der Exportüberschuss im zweiten Quartal 2009 leicht gestiegen sei, beruhte auf einer Selbsttäuschung, die auf Wählertäuschung hinauslief. Man übersah nämlich geflissentlich, dass sich der Überschuss schlicht aus Export minus Import errechnet – und automatisch ansteigt, wenn der Import sinkt. In diesem Fall waren aber beide Größen zurückgegangen, nur eben der Export etwas weniger als der Import, und dies obwohl die Einfuhr von Kleinwagen wegen der Abwrackprämie deutlich erhöht war. Das heißt, man bejubelte etwas, was man eigentlich hätte beklagen sollen. Daran änderte auch die Tatsache nichts, dass im dritten Quartal 2009 eine tatsächliche Steigerung des Exports um zwei Prozent zu verzeichnen war – nach dem historischen Absturz eine wahrhaft bescheidene Größe.

All diese Entwarnungen von der Krisenfront verfolgten das Ziel, den Bürger über die tatsächliche Lage im Unklaren zu lassen. Man verwies auf vermeintlich objektive Indikatoren und lenkte damit von den Blasen ab, die ungestört weiterwuchsen.

Genaugenommen handelt es sich um drei Blasen, allesamt entstanden aus der neosozialistischen Gewohnheit, aufs Großzügigste mit Geld umzugehen, das man nicht hat, wenn man vor Situationen steht, die man nicht will – teils weil sie der »sozialen Gerechtigkeit« widersprechen, teils weil sie die Chancen auf eine Wiederwahl verderben. Dass es auch marktwirtschaftliche Wege gibt, Probleme zu lösen, bleibt schon deshalb außer Betracht, weil diese Wege langwierig sind, persönliche Opfer abverlangen und die Sonntagsfrage ruinieren – während mit Geld alles fix geht.

Beginnen wir mit der ersten Blase, die ich als »Beschäftigungsblase« bezeichnen möchte. Dass sich die Deutschen immer noch in Sicherheit wiegen beziehungsweise wiegen lassen, liegt unter anderem an den nach wie vor niedrigen Arbeitslosenzahlen. Diese sind aber nur so klein, weil die Beschäftigungsblase so groß ist. Als am 1. September 2009 die neuen Arbeitslosendaten bekanntgegeben wurden, klopfte sich die Große Koalition auf die Schulter, da man trotz Krise nur einen sehr moderaten Anstieg zu verzeichnen hatte. Selbst liberalkonservative und wirtschaftsfreundliche Blätter schlossen sich dem Eigenlob der Politiker an, als gäbe es hier wirklich etwas zu feiern.

Auch in diesem Fall hat es die Bundesregierung verstanden, den »Augenblick der Wahrheit« auf die Zeit nach der Wahl zu verschieben. Beispiel Opel: Man gewährte der GM-Tochter eine milliardenschwere Staatsgarantie, die laut Wirtschaftsminister zu Guttenberg »gut bis zum Ende des Jahres reicht«. Dank Regierungshilfe war Opel – ein marodes Unternehmen, das seit Jahren Milliardenverluste einfuhr – nun bis Jahresende »durchfinanziert«, konnte also zur erfreulichen Arbeitslosenstatistik beitragen – aber was würde danach kommen?

Dass sich die Bundesregierung dann ausgerechnet für ein Unternehmen entschied, das von einer russischen Staatsbank kontrolliert wurde, gehört zu den rätselhaften Auswüchsen eines

Wahlkampfes, in dem die täglich sich verschärfende Haushaltslage kaum eine Rolle spielte, weil nicht die Staatsräson, sondern der Machterhalt der großen Parteien im Mittelpunkt stand. Deshalb musste die Arbeitslosigkeit bis zum Wahltag möglichst stabil bleiben, was wiederum nur zu erreichen war, wenn Großunternehmen wie Opel, trotz Pleite, ihre Gehälter weiterzahlten.

Diese frühe Festlegung auf einen von Russen finanzierten kanadisch-österreichischen Autozulieferer schien mir aus vielen Gründen verfehlt: Nicht nur wurde Magna branchenintern als schwankendes Unternehmen eingeschätzt – durch die Übernahme von Opel würde es zudem seinen unabhängigen Status als Zulieferer verlieren und zum Konkurrenten der eigenen Kunden werden. Anders ausgedrückt: Es liefe Gefahr, viele seiner Kunden einzubüßen. Für den Fall der Opel-Übernahme durch Magna prophezeite VW-Chef Martin Winterkorn, Volkswagen würde seine Geschäftsbeziehungen zu dem Zulieferer »überdenken« – eine Ankündigung, der sich auch andere Automobilproduzenten wie Daimler und BMW anschlossen.

Dass das Mutterunternehmen General Motors und die US-Regierung Magna schon wegen seiner russischen Verbindungen mit spitzen Fingern anfassen würden, musste jedem klar sein, der mit amerikanischen Verhältnissen nur halbwegs vertraut war. Es war die Gier deutscher Politiker, die um der Pluspunkte beim Wähler willen Milliarden Euro für unausgelastete Opel-Standorte offerierte – zulasten künftiger Steuerzahler.

Als keine drei Wochen vor der Bundestagswahl der Opel-Deal mit Magna von der Kanzlerin verkündet wurde, war es Merkels eigener Treuhandvertreter Manfred Wennemer, der in den Schaumwein der allgemeinen Begeisterung seine Wermutstropfen goss. Mich freute das, denn so offen und geradlinig hatte ich ihn vorher bei Conti kennen- und schätzen gelernt – sieht man mal von seinem allerdings schwerwiegenden Ausraster gegen die

Familie Schaeffler ab. Zu Recht sagte er voraus, dass Opel im nächsten Jahr überschuldet sein werde und »zum Konkursrichter gehen« müsse – und »das gesamte Risiko liegt beim Staat«. Für Angela Merkels Wahlkampf war Wennemers Attacke das pure Gift. Wies er doch darauf hin, dass »New Opel« schon bald sehr alt aussehen dürfte und dass alles nur veranstaltet worden war, um sich über den Wahltermin zu retten. Mit anderen Worten: Adam Opel könnte zu Angela Merkels Philipp Holzmann werden! Entsprechend scharf fiel die Replik aus dem Kanzleramt aus: Man verunglimpfte Wennemer als skandalösen Schwarzmaler und übersah den eigentlichen Skandal, erst einen Fachmann in das Gremium zu holen und sich dann arrogant über seine Meinung hinwegzusetzen. Immerhin kann er nun selbst die Erfahrung machen, wie es sich anfühlt, verunglimpft zu werden ...

Nebenbei bemerkt, dürfte diese nun angebotene Lösung den deutschen Steuerzahler am teuersten zu stehen kommen. Sie ist aber nicht nur die teuerste, sondern auch die dümmste. GM soll weiterhin Einfluss nehmen, zudem das Vorkaufsrecht im Insolvenzfall besitzen und – dies die absolute Krönung – durchsetzen können, dass Opel die größten und lukrativsten Automobilmärkte, nämlich China, USA und Kanada, gar nicht beliefern darf. Die Chance, seine Produkte stattdessen in Russland anbieten zu dürfen, nimmt sich vergleichsweise mickrig aus. Für Russland dagegen könnte es sich lohnen: Der andere Opel-Treuhänder, der FDP-Politiker Dirk Pfeil, behauptet, dass 600 Millionen aus dem Opel-Kredit zur Modernisierung der russischen Automobilindustrie vorgesehen sind.

Doch zurück zur Beschäftigungsblase. Zu den künstlichen Mitteln, die dort Arbeit vortäuschen, wo eigentlich Steuergeld spendiert wird, gehört auch die sogenannte Kurzarbeit, die innerhalb von sechs Monaten auf 1,2 Millionen (September 2009) anstieg. Das Ziel dieser Subvention, bei der dank staatlicher Hilfe für reduzierte Leistung ein nur geringfügig reduziertes Gehalt ausgezahlt wurde, bestand ebenfalls in der Sicherung statistisch relevanter Arbeitsplätze. So wurden Menschen vorübergehend in Arbeit gehalten, für die es eigentlich gar keine Arbeit mehr gab. Da aber diese Konjunkturstütze wie die Abwrackprämie nur begrenzt und in Hinblick auf die Septemberwahl gewährt wurde, konnte man sich ausrechnen, wann die geschönte Statistik wieder realistischere Dimensionen annehmen würde.

Ich sage bewusst »realistischere«, da die Statistik auch dann noch einem Potemkinschen Dorf gleichen wird. Die Vorgehensweise erinnert mich an den alten Trick der Amerikaner, durch Umschichtungen im Warenkorb eine niedrige Inflationsrate zu errechnen, aus der sich wiederum ein höheres Bruttosozialprodukt ergibt. Um der deutschen Arbeitslosenstatistik zu dem erwünscht niedrigen Niveau zu verhelfen, kam die Berliner Regierung auf die pfiffige Idee, nicht den Arbeitsmarkt, sondern dessen Statistik zu reformieren. Fleißig begann man, herauszurechnen, was nur irgend herausrechenbar erschien, und verbesserte die Konjunkturdaten, indem man die schlechten Indikatoren löschte.

Um den Eindruck hoher Beschäftigung zu erwecken, aus der sich volkswirtschaftlich erfreuliche Faktoren ableiten lassen, fallen etwa alle Arbeitslosen, die sich in eine private Vermittlung begeben, automatisch aus der Statistik heraus. Die Zahl von knapp 3,5 Millionen im September 2009 müsste dementsprechend auf 4,2 Millionen hochkorrigiert werden; und wenn man noch hinzurechnet, was durch Weiterbildungsmaßnahmen, Sozialprogramme und Frühverrentungen in Abzug kommt, dürfte eine Zahl von ungefähr fünf Millionen im Jahr 2010 realistisch sein. Fünf Millionen? Ganz recht, dort waren wir schon einmal – in der düstersten Zeit der rot-grünen Regierung vor den Hartz-IV-Reformen.

Währenddessen behaupten die Kanzlerin und ihre Minister unbeirrt, wir würden »gestärkt aus der Krise hervorgehen«. Warum eigentlich? Diese Regierung hat nichts getan, um dieser Prognose auch nur einen Hauch von Glaubwürdigkeit zu verleihen – ganz im Gegenteil. Unter anderem weil der Staatsanteil an unserer Wirtschaft im selben Maß wächst wie die Blasen, deren Inflationierung er betreibt.

Aber davon will keiner etwas wissen. Man ist mit dem zufrieden, was man sich und anderen vormacht. Weil man sich aus ideologischen Gründen weigert, die Wirklichkeit zur Kenntnis zu nehmen, glaubt man auch vor den Prinzipien vernünftigen Wirtschaftens die Augen verschließen zu können. Sollte es zwischenzeitlich doch wieder eine Erholung geben, wird sie nicht wegen, sondern trotz unserer Politiker eintreten. Und sicher ist auch, dass die Arbeitsplätze, die im Zuge der Krise in Deutschland abgebaut wurden, bei anziehender Konjunktur nicht wieder in Deutschland geschaffen werden, sondern im Ausland, wo man von wirtschaftspolitischen Donquijoterien verschont bleibt. Übrigens haben die Amerikaner für das, was uns dann auf dem Arbeitsmarkt bevorsteht, ein treffendes Wort: *jobless recovery*.

Nun wird seit langem darauf verwiesen, dass der amerikanische Arbeitsmarkt weit gravierender von der Krise betroffen sei als der unsere. Gewiss, die Arbeitslosenrate der USA hat vor der Krise weniger als die Hälfte der deutschen betragen und diese auf ihrem Höhepunkt sogar übertroffen. Doch keine Sorge: Bereits im Jahr 2010 wird sie wieder unter den deutschen Wert sinken, weil die anspringende Konjunktur erfahrungsgemäß die dazugehörigen Arbeitsplätze selbst schafft. Dieses Phänomen, dass der Arbeitsmarkt mit der Konjunktur »atmet«, lässt sich nicht nur in den angelsächsischen Ländern beobachten, sondern auch in Holland, der Schweiz, in Dänemark und Schweden – Ländern also, in denen der Arbeitsmarkt wesentlich flexibler geregelt ist als bei uns.

Unsere ohnehin schon starren Regelungen wurden durch die Regierung Merkel weiter einbetoniert – ein missratenes Gleichstellungsgesetz, flächendeckende Mindestlöhne für immer neue Branchen, steigende Lohnnebenkosten durch erhöhte Sozialleistungen und dergleichen mehr. Im Wahljahr 2009 hat die Kanzlerin ein Gremium ins Leben gerufen, das sich mit der Gestaltung von Mindestlöhnen beschäftigen soll. Neben dem Vorsitzenden Klaus von Dohnanyi, den ich sehr schätze, sind die Gewerkschaften und, mit dem Präsidenten der Bundesvereinigung der Deutschen Arbeitgeberverbände (BDA), Dieter Hundt, auch die Arbeitgeber vertreten. Das wundert mich schon sehr, da Gewerkschaften wie Arbeitgeber traditionell größten Wert auf Tarifautonomie legen – und die Festsetzung von gesetzlichen Mindestlöhnen dieser diametral entgegensteht. Entweder man handelt etwas in Eigenregie aus, oder man lässt es durch den Staat festlegen. Man kann, wie das englische Sprichwort besagt, den Kuchen nicht behalten und gleichzeitig essen.

Nebenbei gesagt, liegt dieser Wertschätzung der Tarifautonomie ein Missverständnis zugrunde: Wie uns die Gewerkschaften glauben machen wollen, Tarifautonomie bedeute, dass alle Arbeitnehmer durch sie vertreten würden, so behaupten die Arbeitgeberverbände gern, sie würden für alle Arbeitgeber sprechen. In Wahrheit verbindet unsere Verfassung mit dem Begriff »Tarifautonomie« lediglich die Vorstellung, dass sich der Staat aus dem Tariffindungsprozess heraushält, weil dieser in völliger Freiheit, also »autonom«, von den Betroffenen gestaltet werden soll. Doch wer genau hier gestalten darf, wurde durch unser Grundgesetz nicht festgelegt. Seit meiner BDI-Zeit habe ich mich deshalb dafür eingesetzt, im Sinne des Grundgesetzes auch Betriebsräten diese Verhandlungsautonomie einzuräumen, wo immer eine Mehrheit von – sagen wir – 80 Prozent der Beschäftigten sich in geheimer Wahl dafür ausspricht. Leider blieben meine

Bemühungen vergeblich, da neben den Gewerkschaften auch die Arbeitgeberverbände und deren Funktionäre auf der »bewährten« Privilegierung bestanden.

Geradezu absurd erscheint mir, dass die eingespielten Tarifpartner, die ihre Allmacht bislang mit Klauen und Zähnen verteidigten, sich nun plötzlich in einem Gremium wiederfinden, in dem ihnen der Staat, der sich eigentlich heraushalten sollte, die Aufgabe stellt, die Begrenzung ihrer eigenen Autonomie zu gestalten. Durch ihre Vorschläge, in welchen Branchen welche Mindestlöhne gezahlt werden sollen, verstoßen sie nämlich nicht nur gegen den Geist der Verfassung, sondern auch gegen ihr eigenes Hoheitsrecht. Dass sie außerdem, wie bei uns üblich, gegen das Prinzip der Vertragsfreiheit verstoßen, muss wohl nicht eigens betont werden.

Ganz zufällig wurden fünf Wochen vor der Wahl für weitere 230 000 Arbeitnehmer Mindestlöhne festgelegt, unter anderem auch für Beschäftigte von Großwäschereien. Ich wage folgende Voraussage: Die Kunden – Hotels, Krankenhäuser, staatliche Einrichtungen – stellen fest, dass aufgrund gestiegener Löhne für gleichbleibende Arbeit die Kosten in die Höhe schnellen, und polnische Großwäschereien stellen fest, dass man deutsche Wäsche in Lkws verstauen, in polnischem Wasser kochen und dabei immer noch den deutschen Preis weit unterbieten kann. Dank Wäschetourismus wird fortan preiswert für deutsche Hygiene gesorgt und gleichzeitig der Abbau von deutschen Arbeitsplätzen gesichert, die dank Mindestlohn nicht mehr wettbewerbsfähig sind.

Besonders verhängnisvoll wird sich die Einführung von Mindestlöhnen auf die Jugend auswirken. Deutschland hat jahrzehntelang den großen Vorteil besessen, dass die Arbeitslosigkeit unter Jugendlichen eine der niedrigsten Europas war. Das lag unter anderem an unserem »Dualen Berufsausbildungssystem«, der parallelen Ausbildung in Betrieb und Berufsschule. Selbst Länder, die sonst annähernde Vollbeschäftigung hatten, verzeichneten eine höhere Jugendarbeitslosigkeit als wir, was auf die bestehenden Mindestlöhne zurückgeführt wurde – junge Leute ohne Ausbildung finden in diesen Ländern nur sehr schwer einen Arbeitsplatz.

In Frankreich lassen sich die Folgen von Mindestlöhnen sehr gut beobachten. Dort wurde, natürlich mit moralisch hochwertiger Motivation, ein Mindestlohn, genannt SMIC (*salaire minimum interprofessionnel de croissance*), eingeführt – womit die Zahl der bezahlbaren Jobs für junge Leute drastisch abnahm. Die landesweit immer wieder aufflackernden Krawalle in den Banlieues sind, meiner festen Überzeugung nach, unmittelbare Konsequenz dieser künstlichen Arbeitsplatzverknappung. Über die politisch korrekte Erklärung, es handle sich um das Aufbegehren unterprivilegierter Migranten, kann ich, der ich elf Jahre in Frankreich gelebt habe, nur den Kopf schütteln: Die dort lebenden Marokkaner, Tunesier, Libanesen oder Schwarzafrikaner sind bestens vertraut mit der französischen Kultur und sprechen gutes Französisch. Ihr Problem liegt darin, dass sie keine Arbeit finden. Und sie finden sie nicht, weil Gutmenschen die Jobs künstlich verteuert haben.

Dass es in Deutschland neben der Arbeitsplatzblase eine Sozialblase gibt, dürfte niemanden überraschen, der den Anteil der sozialen Leistungen am jährlichen Bundeshaushalt beobachtet. Er wächst und wächst, und dies mit einer Selbstverständlichkeit, als läge in diesem Bereich der eigentliche Sinn aller gesellschaftlichen Anstrengungen. Nun, nach der neosozialistischen Ideologie liegt er tatsächlich dort. Die Frage, ob es sich hier möglicherweise um eine außer Kontrolle geratene Dynamik handeln könnte, wird schon deshalb keiner stellen, weil er sich damit auf gefährliches, nämlich »politisch inkorrektes« Gelände begeben würde.

Ich tue dies hiermit. Mir scheint es unverantwortlich, dass sich ein Haushaltsbereich zulasten aller anderen vergrößert, nur weil es einer bestimmten Ideologie entspricht und sich für andere Bereiche kein entsprechendes Druckmittel findet. Das Aufblähen der Sozialleistungen geht nicht nur auf Kosten anderer Ressorts, sondern vor allem auf Kosten der Zukunft. Doch weil es so gut ankommt, wenn Politiker mit vollen Händen Geld ausgeben, das sie nicht haben, türmt man Schulden auf Schulden, mit denen zukünftige Generationen konfrontiert sein werden. So zeigt sich, dass scheinbar hochmoralische Wohltaten einen gänzlich unmoralischen Pferdefuß haben, der ausgerechnet jene trifft, die nichts von den Liebesgaben verspüren, für die sie dereinst bezahlen müssen.

Für das ungebremste Wachstum der Sozialblase sorgt ein ganzes Heer von Politikern, Medienvertretern, Wissenschaftlern und Lobbyisten, das immer neue Missstände aufdeckt, deren Behebung unverzüglich in Angriff genommen werden muss. Man kann heute keine Zeitung mehr aufschlagen, keine Fernsehnachrichten mehr ansehen, ohne dem Trommelfeuer dieser Gutmenschen ausgesetzt zu sein, die möglichst die ganze Menschheit retten wollen, in Wahrheit aber nur den Staatshaushalt ruinieren.

Im September 2009, dem Wahlmonat, brachte der *Spiegel* eine Titelgeschichte mit dem ominösen Titel »Morgen rot«, in der er einen deutlichen Linksrutsch aller Parteien konstatierte. Selbst FDP-Chef Guido Westerwelle schien sich dem Sog nicht mehr entziehen zu können und forderte, das Schonvermögen von Hartz-IV-Empfängern zu verdreifachen – offenbar war ihm dabei entgangen, dass mit dem Schutz des Vermögens der Leistungsempfänger eine Senkung des Vermögens der Leistungsträger verbunden ist.

Für Nachschub an Missständen ist immer gesorgt. Und wenn gerade kein Aufreger zur Hand ist, dann erfindet man eben einen. So las ich am 1. September 2009 in der *Süddeutschen Zeitung*, dass unser Land unter wachsender Kinderarmut leide, was *Spiegel Online* am selben Tag auf die griffige Formel brachte: »Studie zur Kinderarmut gibt Deutschland schlechte Noten«. Obwohl unser Land, so die *Süddeutsche*, »für Kinder so viel Geld ausgibt wie kaum ein anderes OECD-Land«, zählt es »bei der Verwirklichung gleichwertiger Lebensverhältnisse und Chancengleichheit … zu den Schlusslichtern«.

Wie interessant, dachte ich. Denn wohlgemerkt, es ging der OECD gar nicht um das, was man gemeinhin Armut nennt, mit Hunger und Entbehrungen assoziiert und leider immer noch in vielen Teilen der Welt antreffen kann – es ging um die ideologisch »gefühlte Armut«. Man verglich nicht die verschiedenen Lebensstandards, man fragte nicht, wie viel einem Kind für Essen, Kleidung, Computer und Spielzeug zur Verfügung steht, welche schulische, sportliche und medizinische Betreuung ihm geboten wird; man fragte – und dazu gehörte schon eine ziemliche neosozialistische Gerissenheit –, bei wie vielen Kindern das Haushaltseinkommen der Eltern unter der Hälfte des Durchschnittseinkommens liegt.

Aus diesem willkürlichen Ansatz lässt sich allerlei ableiten, nur nicht das, was man als »Armut« bezeichnet. Hätte man in der internationalen Vergleichsstatistik Berlin als eigenständiges OECD-Land behandelt, wäre herausgekommen, dass die Kinder Westberlins »ärmer« sind als die in Ostberlin. Immerhin hat die *Süddeutsche* auf diese fragwürdige Erhebungsmethode der OECD hingewiesen, indem sie von »relativer Armut« sprach. Sie hat vergessen, hinzuzufügen, dass es zwischen »relativer Armut« und »relativem Wohlstand« gar keinen Unterschied gibt.

Unablässig sind zahlreiche Organisationen mit der Aufdeckung echter oder vermeintlicher Missstände beschäftigt, aus deren oft nur eingebildeter Existenz die Politik wiederum das Recht ableitet, die Sozialblase weiter anzuheizen. Recht anschaulich lässt sich das Zusammenspiel von Wunsch und Erfüllung an den Sozialversicherungssystemen ablesen – Arbeitslosenversicherung, Krankenversicherung, Pflegeversicherung, Rentenversicherung. Vergeht ein Tag, an dem nicht irgendjemand die Ausdehnung der angebotenen Dienste, die Anhebung des einen oder anderen Satzes fordert?

Folglich leidet das gesamte soziale Netz unter dem Grundproblem, dass immer mehr Leistungen verschrieben werden, aber immer weniger Menschen diese Leistungen auch finanzieren können. Die Misere liegt in einem Auseinanderklaffen von Anspruch und Wirklichkeit – dem neosozialistischen Anspruch, möglichst alles von einem freundlichen Vater Staat bezahlen zu lassen, und der Wirklichkeit, dass dieser dafür, ganz und gar unfreundlich, entweder den gegenwärtigen oder den zukünftigen Generationen in die Tasche greifen muss.

Beispiel Rentenversicherung: Hier sorgt schon die demographische Entwicklung dafür, dass Anspruch und Wirklichkeit weiter und weiter auseinanderdriften: Immer weniger Beitragszahler müssen für immer mehr Rentner aufkommen. Schon heute funktioniert das System nicht mehr, muss die Rentenkasse durch einen dicken Zuschuss aus dem Steuertopf aufgepäppelt werden.

Dieser Notstand brachte den damaligen Arbeitsminister Olaf Scholz im Vorfeld der Bundestagswahl 2009 auf eine Idee, die den Wahnsinn der Abwrackprämie um ein Vielfaches übertrifft. Für mich stellt dieser Scholzsche Wahlknüller die gravierendste Fehlentscheidung der Großen Koalition dar: Ich spreche von der Rentengarantie, also der gesetzlichen Festlegung, wonach die Renten ab 2010 nicht mehr sinken dürfen, selbst dann nicht, wenn die Nettoeinkommen zurückgehen. Diese erstaunliche Innovation wurde mit der lapidaren Feststellung begründet, dass es ohnehin nie dazu kommen werde, weshalb es auch nichts schade, die Regelung ins Gesetz zu schreiben.

Natürlich stand auch hier die Angst vor den Wählern Pate. Man fürchtete ihre Reaktion auf die Aussicht sinkender Renten und beschloss, dieses Übel einfach zu verbieten. Ich hätte mich nicht gewundert, wenn Gesundheitsministerin Ulla Schmidt in den Sommermonaten 2009 angekündigt hätte, die Schweinegrippe ebenfalls zu verbieten.

Diese absurde Entscheidung für die Rentengarantie wurde zudem vor einem überaus rentnerfreundlichen Hintergrund getroffen: Der Gesetzgeber hatte schon vor Jahrzehnten eine sehr großzügige Formel entwickelt, nach der die Renten selbst dann steigen, wenn immer weniger Beitragszahler zur Verfügung stehen. Und zwar steigen sie heute exakt in dem Maße, wie auch das durchschnittliche Nettoeinkommen der Beschäftigten steigt. Was selbstverständlich auch gilt, wenn wir nicht nur immer mehr Rentner haben, sondern auch immer mehr Arbeitslose.

Diese großzügige Regelung führte dazu, dass die Renten tatsächlich mit den Einkommen immer weiter angestiegen sind. Dann kam die Finanzkrise – und erste warnende Stimmen wurden laut, dass in deren Folge die Nettoeinkommen im Jahr 2010 sinken könnten, was mir angesichts der Kurzarbeit nicht unrealistisch erscheint. Da auch die Arbeitslosigkeit steigen und womöglich die Tariflöhne sinken könnten, würde dann der gesetzlich vorgesehene Fall eintreten, dass mit den Einkommen auch die Renten sinken.

Bisher hat die Krise den Rentnern vor allem genützt. Da die Inflation so niedrig ist wie selten, vor allem weil die Energiepreise im Keller sind – zwischenzeitlich ergab sich sogar eine Minusinflation –, verfügten sie über deutlich mehr Kaufkraft. Und damit das auch so bleibt, hat sich Herr Scholz sein famoses Gesetz ausgedacht. Damit verkaufte er allerdings, um einen amerikanischen Ausdruck zu gebrauchen, *the sleeves of the vest,* die Ärmel der Weste also, die bekanntlich keine Ärmel hat. Denn wenn 2010 die Nettoeinkommen sinken, die Renten aber nicht, will er in den darauffolgenden Jahren, bei wieder steigenden Nettoeinkommen, die Renten nicht mehr entsprechend anheben lassen. Mit anderen Worten: Er will den Rentnern, die auch 2011 noch Rente beziehen, das im Jahr 2010 zu viel Ausgezahlte wieder abziehen.

Der eigentlich gravierende Fehler bestand aber darin, dass erstmals die alte Rentenformel außer Kraft gesetzt wurde. Wenn man dergleichen problemlos per Gesetz beschließen kann, lässt sich irgendwann auch der umgekehrte Weg beschreiten, bei dem etwa trotz steigender Nettoeinkommen die Renten nicht mitsteigen. Oder sinken. Ebenso leicht wird man die Höhe der Auszahlungen der Konjunktur oder auch der Gefühlslage der Politiker, auf jeden Fall aber den jeweiligen Wahlterminen anpassen können. Der Systembruch, der damit vollzogen wurde, bietet der Fantasie künftiger Abgeordneter ein weites Betätigungsfeld. Ob die Rentner diese Wendung ins Willkürliche durchschaut haben? Die Abgeordneten der Großen Koalition anscheinend nicht. Wie das reinste Stimmvieh nickten sie ein Gutmenschen-Gesetz ab, das an Wirklichkeitsferne nicht zu übertreffen ist.

Beispiel Gesundheitsreform: Mit Staunen habe ich beobachtet, wie sich Angela Merkel als Kanzlerin von den Überzeugungen entfernte, die sie vorher vertreten hatte. Noch zu Zeiten der Schröder-Regierung bat sie den von mir sehr geschätzten Ex-Bundespräsidenten Roman Herzog, eine Kommission zu gründen, die sich auch mit der Reform unseres maroden Gesundheitswesens befassen sollte. Dieser Kommission gehörten unter anderem Professor Paul Kirchhof, Friedrich Merz und Ursula von der Leyen an. Unter Hinzuziehung zahlreicher Experten zerbrach man sich monatelang die Köpfe darüber, wie sich ein zukunftsfähiges Krankenversicherungssystem aufbauen ließe.

Der Vorschlag der »Herzog-Kommission«, der 2003 zur Grundlage des CDU-Programms wurde, war kaum veröffentlicht, als er bereits von der Opposition und von CSU-Mann Horst Seehofer, der zeitweise selbst Mitglied der Kommission gewesen war, als »Kopfpauschale« verunglimpft wurde. Zur Kanzlerin gewählt, verabschiedete sich Angela Merkel dann schleunigst von ihrem eigenen Vorschlag und schloss einen »Kompromiss« mit SPD-Gesundheitsministerin Ulla Schmidt, der so ziemlich das Gegenteil des vernünftigen und praktikablen Herzog-Vorschlags darstellte – ein Musterbeispiel jener neosozialistischen Staatsgläubigkeit, die unser Land über kurz oder lang in eine DDR light verwandeln wird. Allein das Gezerre um die Finanzierung der Schweinegrippeimpfung hat gezeigt, dass diese Reform den Termin der Bundestagswahl 2009 nicht lange überleben wird.

Die dritte und verhängnisvollste unserer hausgemachten Blasen, deren Wachstum längst dramatische Ausmaße angenommen hat, ist die Schuldenblase. Jeder Politiker spricht von den Schulden, die er lieber nicht machen würde, aber am Ende doch zu machen gezwungen ist. Aber keiner übernimmt die Verantwortung für das explosionsartige Wachstum der Haushaltsschulden. Als handle es sich hier um ein Naturgesetz, werden die Zahlen in regelmäßigen Abständen zur Kenntnis genommen und bestaunt, und ebenso regelmäßig wird die feste Absicht bekundet, dem eigenartigen, scheinbar nicht kontrollierbaren Phänomen Einhalt zu gebieten.

Nur leider, so wird schulterzuckend eingeräumt, lassen sich bestimmte Ausgaben nicht vermeiden. Um der Beschäftigung, der sozialen Gerechtigkeit, des gesellschaftlichen Friedens, der

Minderheitenförderung, des Klimaschutzes willen, und was sich sonst noch an unantastbaren Posten im Haushalt des Neosozialismus findet, muss die Leistungs- und Opferbereitschaft zukünftiger Generationen in die Pflicht genommen werden. Dass es möglicherweise genügen würde, die Ausgaben den Einnahmen anzupassen und nur solche Wohltaten zu verteilen, die zuvor auch erwirtschaftet worden sind – diese Idee scheint keinem unserer Politakteure je gekommen zu sein.

Schon 2008 lag Deutschlands Staatsschuld weit über der von Maastricht gesetzten Grenze, nämlich bei 66 Prozent des Bruttoinlandsprodukts (BIP). Ende 2009 wird sie bei 75 Prozent liegen. Bis 2013, so verspricht die Große Koalition hoch und heilig, solle der Haushalt stabilisiert werden. Das heißt aber weder, dass die Schuldenblase schrumpft, noch, dass keine weiteren Schulden mehr hinzukommen. Nein, in der Regierungsplanung ist bereits festgeschrieben, dass bis 2013 weitere 300 Milliarden Euro aufgenommen werden müssen. Dann werden Deutschlands Kommunen, Länder und der Bund gemeinsam rund 1,9 Billionen Schulden haben, das wären 82 Prozent des BIP. Vielleicht sollte man daran erinnern, dass zu Beginn dieses Jahrzehnts Spanien und Italien der Eintritt in die Eurozone verweigert werden sollte, weil ihre jeweilige Gesamtverschuldung etwas über 60 Prozent des BIP ausmachte.

Nun stützt sich die Regierung auf die bequeme Ausrede, die gigantischen Schulden seien Folge der Finanzkrise. Das stimmt aber nur zum Teil. Selbst in Zeiten des Wirtschaftsbooms hat die schwarz-rote Koalition Schulden gemacht. Obwohl Finanzminister Steinbrück immer den Eindruck erweckte, als kluger Haushalter den Schuldenberg zu reduzieren, blieb ihm genau das in der Wirklichkeit versagt. Im Gegenteil, dieser nüchterne Pedant mit der scharfen Zunge wird als größter Schuldenmeister in die Geschichte der Bundesrepublik eingehen.

Da Peer Steinbrück nicht persönlich für das Desaster haftet – so wenig wie die Kanzlerin und die anderen Minister –, kann sich jeder einzelne Bürger ausrechnen, welcher Anteil an den Schulden auf ihn persönlich entfällt. Hatte die Pro-Kopf-Verschuldung im Jahr 1970 noch runde 1000 Euro betragen, stieg die Last im Jahr der Wiedervereinigung auf die Riesensumme von 8 500 Euro pro Kopf an. Im Jahr 2010 wird diese Hypothek bei 21 200 Euro liegen – und jeder Deutsche, vom Säugling bis zum Greis, trägt an dieser Staatsschuld mit.

Aber das ist noch nicht alles. Rechnet man die unterfinanzierten Sozialversicherungssysteme und die nicht zurückgestellten, aber irgendwann zu bezahlenden Beamtenpensionen hinzu, hat man statt der offiziellen 1,6 Billionen schon jetzt mit rund 6 Billionen Euro Staatsschulden zu rechnen. Dass eine solche Summe je zurückgezahlt werden könnte, scheint mir vollkommen illusorisch – vermutlich auch unseren Politikern, die sich durch derlei Zahlen nicht in ihrem Tagesgeschäft beirren lassen und eifrig den jeweils beklagten Notstand zu beheben suchen, indem sie weitere Millionen und Milliarden an Neuverschuldung aufnehmen. Da mag es fast schon tröstlich wirken, dass die neu hinzukommenden Summen im Vergleich zum Gesamtbetrag relativ bescheiden wirken.

Betrachtet man nun die große Schuldenvermehrungsmaschine, den Staatshaushalt, dann fällt auf, dass bereits 15 Prozent für den Schuldendienst ausgegeben werden müssen. Für die Zukunftsfelder »Bildung, Forschung und Entwicklung«, die jeder Politiker so gern im Mund führt, werden nur müde 3,5 Prozent aufgewandt. Der Bereich Soziales dagegen, der mehr als ein Drittel des Haushalts ausmacht, erhält den Löwenanteil. Wer immer noch bezweifelt, dass wir neosozialistisch regiert werden, der werfe einen Blick auf das Kuchenbrett unseres Staatshaushalts.

Parallel zum Wachstum des Sozialbudgets, dessen Finanzierung dem Prinzip Hoffnung überlassen wird, dehnt sich die Schuldenblase aus wie ein Krebsgeschwür, das die Gesellschaft in ihrer Lebens- und Überlebensfähigkeit bedroht. Davon spricht man aber nicht. Stattdessen führt man den Wähler an der Nase herum, indem man eine »Schuldenbremse« erfindet.

Wohlgemerkt: Man beendet die fatale Schuldenwirtschaft nicht, man plant nicht einmal, den Berg abzutragen – man verspricht lediglich, dessen Wachstum zu bremsen. Um zu beweisen, wie bitterernst es der Politik damit ist, schreibt man die Schuldenbremse sogar in die Verfassung und verziert sie mit Hunderten bürokratischen Einzelvorschriften, als handle es sich beim Grundgesetz um eine Gebrauchsanweisung. Auf die diesbezügliche Warnung des Parlamentspräsidenten Norbert Lammert hat keiner gehört. Ebenso wenig auf den naheliegenden Einwand, dass sich die Bremse, so leicht, wie sie installiert wurde, auch wieder aus dem Grundgesetz herausnehmen lässt – für einen guten Zweck, selbstverständlich.

Aber da man immer noch Realist ist, und vor allem weil man es sich keinesfalls mit den Wählern verderben will, die sich an das Leben auf Pump gewöhnt haben, soll das kühne Unternehmen erst ab 2015 losgehen und erst im Jahr 2020 seine volle heilsame Wirkung entfalten. Die Damen und Herren Regierenden geben also zu verstehen, dass sie in der nächsten und in der übernächsten Legislaturperiode weiterhin Schulden machen möchten, aber dass dies den folgenden Politikergenerationen verboten sein soll. Und zwar entschieden, unwiderruflich!

Der ganze Schildbürgerstreich, der sich »Föderalismusreform II« nennt, erinnert mich an einen Verschwender, der es sich im Wirtshaus gutgehen lässt und, auf die besorgte Nachfrage des Wirts, wer das alles bezahlen soll, auf seinen Sohn verweist, der die Zeche zukünftig begleichen werde. Als der Wirt dann einwendet, dass der Sohn vermutlich genauso prassen werde wie er, entgegnet der Vater, das sei völlig ausgeschlossen, da er dem guten Jungen strengstens verboten habe, jemals über seine Verhältnisse zu leben. Dennoch sei die Frage erlaubt, was eigentlich passieren wird, wenn das Zinsniveau wieder ansteigt. Josef Ackermann hat schon vor der Bundestagswahl auf diese reale Gefahr hingewiesen. Jeder Bürger hat für Zigtausende Euro Staatsschulden die Zinsen zu zahlen, und die 15 Prozent Zinsen, die der Staat von jedem verdienten Euro abzwackt, können sehr schnell auf 20 und mehr Prozent anwachsen, wenn das billige Geld wieder teurer wird. Hat sich die Bundesregierung irgendwie auf diesen Fall vorbereitet, bei dem man mit den Zinszahlungen nicht mehr nachkommt, ohne andere Ausgaben, etwa im Sozialbereich, zu kürzen und die Steuern drastisch zu erhöhen? Ich glaube nicht. Denn solange man die Schuldenblase wachsen lässt, lebt es sich fidel wie der Prasser im Wirtshaus. Schlimm wird es erst, wenn die Blase platzt und das mühsam angesparte Geld zur Makulatur wird.

Die deutsche Schuldenblase ist das Äquivalent zur amerikanischen Immobilienblase. Der Unterschied besteht darin, dass die Amerikaner nicht so dumm sein werden, uns unsere Schulden über windige Papiere abzunehmen, wie es die deutschen (Staats-) Banker im umgekehrten Fall getan haben – womit wir wieder bei den deutschen Landesbanken wären: Der Grad der »Infektion« mit toxischen Papieren ist bei der WestLB, der LBBW, der HSH Nordbank und der Bayerischen Landesbank inzwischen höher als bei allen großen Geldinstituten der Welt, gleich ob in Staats- oder Privatbesitz. Das liegt nicht nur an den kräftigen Schlucken aus der Pulle, die sie sich wegen der auslaufenden Gewährträgerhaftung genehmigt haben, sondern auch an dem Umstand, dass sie die nötigen Abschreibungen immer noch nicht im notwendigen Umfang vorgenommen haben. Hier steht uns, wie leicht vorauszusagen ist, noch eine gewaltige Dehnung der Schuldenblase bevor – »Big Bang« nicht ausgeschlossen.

Nach einer wenige Tage vor der Bundestagswahl veröffentlichten Studie der TU Dresden und des ifo-Instituts in München verantworten die deutschen Staatsbanken zwei- bis dreimal so viele Abschreibungen auf toxische Papiere wie Privatbanken. Auch Peer Steinbrück, der nicht müde geworden war, auf die Privatbanker zu schimpfen, schlug sich rechtzeitig auf die »richtige« Seite und kritisierte die Landesbanken, denen er das »größte systemische Risiko« bescheinigte.

Im Sommer 2009 lud mich die Universität Konstanz zu einem Colloquium mit europäischen Wirtschaftswissenschaftlern auf der Insel Mainau ein, wo ich die *Dinner Speech* halten sollte. Da ich leidenschaftlicher Bodenseesegler bin und diese Rede terminlich mit dem Ende der »Rund-Um-Regatta« zusammenfiel, an der ich seit 1970 fast regelmäßig mit meinem Segelboot teilnehme – ohne jemals gewonnen zu haben –, sagte ich zu, vorausgesetzt, dass wir rechtzeitig die Ziellinie passierten. Das erwies sich leider als unmöglich, da größtenteils Windstärke null herrschte. Irgendwann haben wir dann den Motor angeworfen und sind zerknirscht zurückgetuckert, wodurch ich immerhin noch rechtzeitig meine launige *Dinner Speech* halten konnte.

Überraschend traf ich auf dem Colloquium den von mir hochgeschätzten ifo-Chef Hans-Werner Sinn, mit dem ich hinterher an einem Tisch zusammensaß und, bei einem Glas Wein, in eine angeregte Diskussion über die wirtschaftliche Lage Deutschlands geriet. Dabei stellte ich ihm und unserem Tischnachbarn, dem ebenso hoch angesehenen Wirtschaftsprofessor Toni Pierenkemper, die Frage: »Glauben Sie, dass wegen unseres Schuldenbergs mit einer größeren Inflation zu rechnen ist?«

Professor Sinn erklärte sehr eloquent, die Europäische Zentralbank (EZB) wie die Bundesbank verfügten über genügend Instrumente, das zur Konjunkturstützung in den Markt gepumpte Geld wieder geordnet herauszuziehen, weshalb ihm die Gefahr einer Inflation gering, aber auch die einer Deflation nur unwesentlich größer erscheine. »Mit einer galoppierenden Inflation wie in den zwanziger Jahren«, so versicherte er, »ist aber keinesfalls zu rechnen.«

Ich hatte da meine Zweifel. »Bei der Inflationsgefahr, wie ich sie sehe«, erwiderte ich, »geht es ja nicht nur um das zur Abwendung der Finanzkrise frisch aufgenommene Geld, sondern um den Billionenbetrag, auf den die Schuldenblase schon zuvor angewachsen war. Und allein diese Zinslast wird irgendwann den Bundeshaushalt sprengen.«

Ohne Hans-Werner Sinns Entgegnung im Einzelnen parat zu haben, erinnere ich mich doch, dass er sie mit den Worten abschloss: »Also, machen Sie sich mal keine unnötigen Sorgen – wir kriegen schon keine Inflation!«

Professor Pierenkemper, Direktor des Seminars für Wirtschafts- und Sozialgeschichte der Uni Köln, der interessiert zugehört hatte, war anderer Ansicht. Er argumentierte empirisch und erinnerte an die Erfahrungen aus der Geschichte. »Allein das letzte Jahrhundert«, sagte er, »hat mehrere Hyperinflationen gesehen, weil sie für einen Staat den einzigen Ausweg bieten, mit einer unerträglichen Schuldenlast fertigzuwerden.« Professor Sinn war nicht überzeugt, doch ich selbst kann auch keine andere Lösung erkennen. Solange ein Staat nicht bereit ist, das Ruder herumzureißen, bleibt ihm gar keine andere Wahl, als das Geld zu entwerten.

Die Folgen habe ich bereits beschrieben: Wer auf einem Haufen Bargeld sitzt, wird zum großen Verlierer. Wer keinen Besitz und wenig Geld hat, verliert ebenfalls. Wer dagegen Besitz und Schulden hat, profitiert. Und weil der Staat die meisten Schulden hat, wird er der größte Gewinner sein. Aber um den Preis, dass er zuvor sein Land abgewrackt hat.

Da ich nur ungern zu den Verlierern dieses hausgemachten Desasters zählen möchte, habe ich mir seit dem Gespräch auf der Insel Mainau Gedanken über meine eigene Situation gemacht. Ich lebe in moderatem Wohlstand und besitze eine eigene Wohnung. Dagegen habe ich an »inflationssicheren« Anlagen kaum etwas aufzuweisen. Das wird sich jetzt ändern. Da ich beschlossen habe, mir – zum ersten Mal in meinem Leben – unter Aufnahme von möglichst hohen Schulden ein Zinshaus mit ein paar Wohnungen zu kaufen, informiere ich mich täglich über den Immobilienmarkt. Im Fall der Inflation, mit dem ich rechne, wird der Wert des Hauses stabil bleiben, wenn nicht sogar steigen – die Schulden dagegen, die ich zur Finanzierung aufgenommen habe, werden mit jedem Inflationsprozent leichter zurückzuzahlen sein.

KAPITEL ACHT

Zurück in die Zukunft

Eines ist sicher: Wir werden die Kurve nur kriegen, wenn die Politik den Menschen endlich die Wahrheit sagt, auch wenn das Wählerprozente kosten sollte. Denn die Situation ist weit dramatischer, als man uns glauben machen will. Die Finanzkrise hätte der Augenblick der Wahrheit sein können. Aber man hat die Chance verschenkt, weil die einen die Krise partout dazu nutzen wollten, den eigenen neosozialistischen Kurs anzusteuern, während sich die anderen aus Angst vor dem Wähler scheuten, ins Steuer zu greifen. Man hätte die geplatzte Immobilienblase als Warnsignal verstehen können, den eigenen Kurs auf den Prüfstand zu stellen und nach weiteren – womöglich hausgemachten – Blasen zu suchen, die sich hinter den »guten Absichten« spendabler Politiker verbergen.

Doch die Politiker verabreichten lieber Beruhigungspillen, bevorzugt in Form von Wohltaten, mit denen sich Wähler überzeugen ließen. Hätte man stattdessen gesagt: Gerade jetzt ist der Augenblick gekommen, um der Gesellschaft einen neuen Schub zu geben, der Wirtschaft wieder zu Wettbewerbsfähigkeit zu verhelfen, unsere Arbeitsplätze und sozialen Sicherungssysteme bezahlbar und damit zukunftsfähig zu machen ... Aber nein, man zog es vor, den Wählern Honig ums Maul zu schmieren.

Eigentlich bietet eine Krise den idealen Ausgangspunkt, um Menschen davon zu überzeugen, dass es nicht so weitergeht wie bisher. Dass nur eine gewisse Bescheidenheit, vielleicht sogar Opferbereitschaft die Grundlage für neuen Wohlstand schaffen könnte. Ich erinnere mich, wie die Menschen im gründlich ruinierten Deutschland nach dem Zweiten Weltkrieg bereit waren, alles aus sich herauszuholen, um wieder aus diesem Tal der Tränen herauszukommen. Man krempelte die Ärmel hoch. Deutschland wurde zu einer einzigen Baustelle. Alles wurde reformiert, und alle profitierten davon. Aber heute ist schon das Wort »Reform« zum Schimpfwort geworden.

Die Chance der Finanzkrise wurde, zumindest bis zum heutigen Tag, vertan. Man fand »neoliberale« Sündenböcke, denen man die Schuld zuschieben konnte, und beruhigte sich damit, selbst alles richtig gemacht zu haben. Man redete die verfahrene Situation schön, ignorierte die außer Kontrolle geratenen Kosten und war sich im Übrigen ganz sicher, »gestärkt aus der Krise hervorzugehen«.

Aber die Blasen wachsen täglich. Wenn wir verhindern wollen, dass sie irgendwann platzen, müssen wir jetzt behutsam »die Luft herauslassen«. Und das wird nur möglich sein, wenn man wieder Ludwig Erhards Erfolgsrezepten vertraut.

Nach meiner festen Überzeugung steht und fällt jede Gesellschaft mit ihrer Volkswirtschaft. Funktioniert sie, geht es dem Staat gut; versagt sie, geht er zugrunde. Aber ohne ein klares Regelwerk geht auch die Marktwirtschaft zugrunde. Denn dann bilden sich automatisch Kartelle und Monopole, die größten Feinde der Marktwirtschaft, die den Wettbewerb ausschalten und die Selbstregulierung des Marktes und der Preise verhindern. Mir ist kein Anhänger der Marktwirtschaft bekannt, der glaubt, sie könne ohne Regeln auskommen. Zwar sind ihre Gegner fest überzeugt, die Regellosigkeit sei ein Grundpfeiler der Marktwirtschaft – aber da täuschen sie sich.

Ich möchte die Marktwirtschaft mit dem Fußballspiel vergleichen, bei dem auch keiner auf die Idee käme, es ließe sich ohne Regeln, gleichsam nach dem Gesetz des Dschungels, spielen. Ein solches Spiel wäre schnell zu Ende; und vor allem wäre es kein Spiel, sondern ein naturgesetzlicher Ablauf, ein zwangsläufiger Prozess. Marktwirtschaft dagegen versteht sich als vernunftgelenktes Spiel nach festen Regeln.

Wichtig ist dabei, dass nicht die Regeln, sondern das Spiel im Vordergrund steht: das kreative Zusammenspiel der Beteiligten, der faire Wettkampf, die äußerste Anstrengung, um den Sieg zu erringen. Und wer verliert, wird nicht auf ewig zum Verlierer gestempelt, sondern hat die Chance, beim nächsten Mal als Sieger vom Platz zu gehen. Marktwirtschaft ist ein Spiel mit offenem Ausgang, und wer behauptet, sie begünstige die »Starken« und benachteilige die »Schwachen«, hat das Wesen des Spiels nicht verstanden: Wer stark und wer schwach ist, ergibt sich erst im Lauf des Wettbewerbs, und oft genug ist einer als Goliath in die Auseinandersetzung gegangen, den Sieg aber hat ein David davongetragen.

So wenig es im Fußball erlaubt ist, dass die eine Mannschaft mit zwölf, die andere nur mit elf Mann aufläuft, und dass die eine über moderne Fußballstiefel, die andere nur über Holzpantoffeln verfügt, so wenig kommt moderne Marktwirtschaft ohne Regeln aus, die einen fairen Wettbewerb – sprich: Chancengleichheit – garantieren. Denn ohne Chancengleichheit gibt es kein Spiel, sondern allenfalls einen Überwältigungsvorgang, bei dem man nicht mehr von Wettbewerb sprechen kann – daher auch das grundsätzliche Verbot von Kartellen und Monopolen.

Damit sich die Marktwirtschaft auf Dauer als fairer Wettbewerb gestaltet, sind neben den Regeln auch Instanzen nötig, die über deren Einhaltung wachen. Auf dem Fußballfeld sind es die Schiedsrichter, die dafür sorgen, dass bei Abseits abgepfiffen wird, dass Fouls mit Freistößen oder Elfmetern geahndet werden

und dass bei Unsportlichkeiten die entsprechenden Karten gezeigt werden, mit denen man Spieler verwarnt oder des Feldes
verweist. Solche Regeln und Sanktionsmöglichkeiten braucht
man, denn ohne sie ist ein faires Spiel ebenso wenig möglich wie
fairer Wettbewerb und globale Marktwirtschaft.

Um den Bürgern ihre zentralistische Planwirtschaft zu verkaufen, behaupten die Neosozialisten unentwegt, das einzige Ziel
der Marktwirtschaft bestehe darin, Kapital zu akkumulieren und
die Konkurrenz plattzumachen. Meines Wissens hat kein Markt-
wirtschaftler je für das schrankenlose, ungehemmte Erwerbsstre-
ben plädiert – sondern stets für einen transparenten Markt, auf
dem jeder, der etwas anzubieten hat, seine Chance erhält, so wie
er wiederum seinen Konkurrenten dieselbe Chance einräumt.
Übrigens war es das seit über elf Jahren von Sozialdemokraten
kontrollierte Finanzministerium, das im Fall der *asset backed
securities* bestehende Regeln unvernünftig gelockert und damit
der Volkswirtschaft geschadet hat.

Was wir brauchen, sind klare Regeln, sowohl auf nationaler
wie auf internationaler Ebene, denn mit der zunehmenden Globalisierung und Vernetzung ist ein neuer Regelungsbedarf entstanden. Die internationale Politik muss dafür sorgen, dass auf
globaler Ebene Regeln geschaffen und durchgesetzt werden. Da
dies in den zurückliegenden Jahren versäumt wurde, stehen wir
heute vor einem Scherbenhaufen. Um derlei künftig zu verhindern, möchte ich eine Reihe von Korrekturen vorschlagen.

Vermutlich wird der eine oder andere meiner Vorschläge dem
Leser bekannt vorkommen – wohlgemerkt nicht aus dem heutigen politischen Diskurs, wo man sich nur noch im Verteilen
von Wohltaten zu überbieten sucht, sondern von meinen regelmäßigen Auftritten und den sechs Büchern, mit denen ich mich
seit 1998 zu Wort gemeldet habe. Dass ich in der Öffentlichkeit,
sei es bei Podiumsdiskussionen oder in TV-Talkshows, immer

wieder auf den erbitterten Widerstand der Neosozialisten gestoßen bin, habe ich dabei als Ermunterung empfunden.

Wie leicht vorauszusehen war, hat mir meine Unbeirrbarkeit den Vorwurf der Unbelehrbarkeit eingebracht, mit dem ich leben kann – wer den richtigen Weg beschreitet, muss sich von niemandem belehren lassen. Wenn ich in solchen Debatten über die Notwendigkeit eines flexiblen Arbeitsmarkts gesprochen habe, der zur Bekämpfung der Arbeitslosigkeit unabdingbar ist, haben mir die Diskussionspartner stets entgegengehalten: »Das ist doch nichts Neues, Herr Henkel!«, oder: »Warum kommen Sie uns immer wieder mit den alten Rezepten?«.

Ehrlich gesagt, bedarf es keines tieferen Nachdenkens, um die Absurdität solcher Einwände zu durchschauen. Wirksame Rezepte sind doch keiner Mode unterworfen! Wenn sie wirken, dann wirken sie: Bayer hat vor wenigen Jahren das hundertjährige Jubiläum seines Schmerzmittels Aspirin gefeiert. Ein Arzt, dem der Mut fehlt, vermeintlich alte oder als veraltet angesehene Rezepte zu verschreiben, weil gerade etwas Neues auf den Markt gekommen ist, wäre ein schlechter Arzt. Gut ist, was dem Patienten hilft.

Doch auch der Patient muss mitspielen – und einsehen, dass dieses Mittel nun mal die erwünschte Wirkung bringt. Wenn Ärzte auf die Wichtigkeit von Sport und gesunder Ernährung hinweisen, wird man ihnen kaum entgegenhalten, das alles seien »alte Zöpfe«, die schon längst aus der Mode wären. Wer gesund bleiben will, hat gar keine andere Wahl, als Sport zu treiben und gesund zu essen. Wer sich weigert, wird krank oder bleibt krank. Für mich stellen die Rezepte Ludwig Erhards, die heute als alte Zöpfe, ja als »neoliberale« Unmoral verschrien sind, die marktwirtschaftliche Entsprechung zu Sport und gesunder Ernährung dar.

Eine wichtige Lektion, die wir aus dieser Krise lernen müssen, lautet: Es war nicht die Marktwirtschaft, die versagt hat, weshalb nun eine weitere Einmischung des Staates nötig wäre – sondern im Gegenteil, es war der Mangel an marktwirtschaftlichen Regeln, der das Desaster erst ermöglicht hat. Erinnern wir uns: Die meisten toxischen Papiere, die auf verschlungenen Wegen von den USA nach Deutschland kamen, fand man in den Tresoren unserer staatlich kontrollierten Banken. Deshalb müssen wir gerade jetzt wieder auf die altbewährten Rezepte setzen, bei denen sich Fürsorge für die Gesellschaft und für die Freiheit des Einzelnen die Waage halten. Während wir in Deutschland uns weigern, diese Balance neu zu entdecken, haben andere Länder längst erkannt, dass es ohne marktwirtschaftliche Befreiung keine Gesundung der Volkswirtschaft und der Gesellschaft geben kann – weshalb unsere Nachbarn auch schneller aus der Krise herauskommen werden als wir.

Wenn wir es ihnen eines Tages gleichtun wollen, dürfen wir nicht mit der Verbreitung des »Neosozialismus« fortfahren, der mit der Sozialdemokratisierung der CDU/CSU schon einen wichtigen Etappensieg errungen hat. Mein Vorschlag lautet, stattdessen zur Erhardschen Marktwirtschaft zurückzukehren – und weil es tatsächlich ein »Zurück« ist, aber nicht zum längst Überholten, sondern zum lange Bewährten, möchte ich dafür den Begriff »Retroliberalismus« prägen.

Was wir heute brauchen, ist eine retroliberale Wende. Wer mit dem Wörtchen »retro« etwas Altmodisches assoziiert, den weise ich darauf hin, dass sich auf dem Gebiet des Designs – ob von Autos, Segelbooten oder Haushaltsgeräten – seit Jahren eine neue Begeisterung für alte Eleganz und Handwerkskunst durchgesetzt hat. Und in Erhards Marktwirtschaft drückt sich das perfekte Handwerk einer erfolgreich geführten Volkswirtschaft aus. Nur in diesem »Zurück« sehe ich unsere Zukunft.

Bei fast allen Diskussionen der letzten Jahre ist mir aufgefallen, dass allgemein davon ausgegangen wird, wir lebten in einer kapitalistischen Gesellschaft, die »neoliberalen« Prinzipien folgt. Es war fast unmöglich, meine Kontrahenten und das Publikum davon zu überzeugen, dass das Gegenteil der Fall ist. In Wahrheit wird unser angeblicher Kapitalismus und Neoliberalismus nur deshalb unablässig im Munde geführt, weil man den Bürgern damit die zentralistische Staatswirtschaft schmackhaft machen will, die immer mehr um sich greift: Wozu noch Freiheit, wenn Vater Staat für alles und alle sorgt?

Bedrückend wirkt auf mich, dass nicht nur Politiker ihr Süppchen auf diesem Feuer kochen, sondern auch Feuilletonisten, die es eigentlich besser wissen müssten, aber eben »den Trend nicht verpassen wollen«. Auch anderen Medienvertretern kam die Finanzkrise gerade recht, um die alten absurden Vorwürfe, Deutschland werde von der Marktwirtschaft gleichsam ausgesogen, mit neuer Vehemenz und scheinbar überzeugenden Argumenten vorzutragen. Wahrer werden die alten »Wahrheiten« dadurch nicht. Tatsache ist: Der »Neoliberalismus« kann schon deshalb nicht für unsere Krise verantwortlich sein, weil es ihn in Deutschland gar nicht gibt.

Der erste Schritt zur »Heilung« unserer beschädigten Volkswirtschaft besteht demnach in einer nüchternen Bestandsaufnahme. Wir müssen uns klarmachen, was uns droht, wenn wir so staatsgläubig weiterwursteln wie bisher. Zuallererst müssen wir endlich die munter wachsenden Blasen wahrnehmen, ihr Gefahrenpotenzial definieren und sie behutsam auf Normalmaß zurückführen.

Das wiederum kann nur durch entschlossene Reformen gelingen – wobei ich darauf hinweisen möchte, dass auch in diesem Begriff ein »re«, also ein »zurück« enthalten ist: Eine Reform ist wörtlich die Wiederherstellung (Re-Formierung) eines bewährten, aber in Vergessenheit geratenen oder verfallenen Zustands. Vielleicht sollte man sich das gerade heute wieder vor Augen führen, wo dieses Wort, auch wegen seines übermäßigen Gebrauchs in der Ära Schröder, einen geradezu unschicklichen Beiklang bekommen hat.

In Wahrheit sind Reformen dringender denn je. Und wir dürfen nicht, nur weil das Wort »Reformen« zum Tabu geworden ist, den Fehler der Amerikaner wiederholen, die ihre Immobilienblase einfach ignorierten, bis sie ihnen und uns um die Ohren flog. Ohne eine gründliche Wiederherstellung des einst funktionierenden, heute aber überregulierten Arbeitsmarkts sowie der einst angemessen proportionierten, heute aber ausgeuferten sozialen Sicherungssysteme werden wir keine Besserung der Lage erreichen.

Deshalb habe ich hier eine Reihe von Vorschlägen zusammengestellt, die sich im ersten Teil auf den Arbeitsmarkt, im zweiten auf die Finanzwirtschaft beziehen. Auch wenn dem Leser vieles bekannt vorkommen mag, sehe ich doch in der Gesamtheit der Ideen, die hier präsentiert werden, das geeignete Rezept, um unserer kranken Volkswirtschaft wieder »auf die Beine zu helfen«.

Vor allem müssen wir die Luft aus den drei Blasen herauslassen, die wir über die Jahre haben entstehen lassen und die sich während der Krise auf ein gefährliches Maß ausgedehnt haben. Wenn wir nicht wollen, dass uns die Beschäftigungsblase, die Sozialblase und die Schuldenblase – eine nach der anderen oder alle auf einmal – um die Ohren fliegen, dann müssen wir jetzt die entscheidenden Korrekturen vornehmen, indem wir Nachhaltigkeit in der Arbeitsmarkt-, der Sozial- und der Finanzpolitik praktizieren – eine Nachhaltigkeit, wie sie in der Umweltpolitik schon längst selbstverständlich geworden ist.

Vorschlag Eins: Der übertriebene Kündigungsschutz, dieses Haupthindernis für Neueinstellungen, muss geändert werden. Selbst in einem sozial ausgerichteten Staat wie Dänemark ist er praktisch verschwunden – mit dem Resultat, dass ein Arbeitsloser auch in Krisenzeiten nach wenigen Wochen eine neue Stelle findet, während er dafür in Deutschland durchschnittlich ein Jahr braucht. Das eingesparte Geld verwendet Dänemark dafür, frisch Gekündigten rasch finanziell unter die Arme zu greifen.

Unser extrem großzügiger Kündigungsschutz hat aber noch einen weiteren Negativeffekt: Gerade in der Krise mussten die deutschen Arbeitgeber erfahren, wie kostspielig und schwierig es ist, sich von Arbeitnehmern zu trennen, wenn man keine Aufträge mehr hat. Eigentlich setzt das Wort »Arbeitnehmer« ja voraus, dass es Arbeit gibt – und wenn es keine gibt, ist man eben kein Arbeit-Nehmer mehr, sondern nur noch ein Lohnbezieher. Für den, der den Lohn auszahlen muss, stellt das einen auf Dauer ruinösen Zustand dar. Deshalb ist es unbedingt notwendig, noch vor dem nächsten Aufschwung den Kündigungsschutz zu lockern, damit wieder neue Arbeitsplätze geschaffen werden können, die andernfalls mit Sicherheit ins Ausland abwandern.

Auch Arbeitnehmer wissen, dass etwa eine Reifenfabrik nicht mehr zu halten ist, wenn die Lkw-Fabrikanten keine Reifen mehr abnehmen, da deren Laster nicht mehr von den Speditionen gebraucht werden, weil es während der Krise viel weniger Ware zu transportieren gibt. Als es um die Schließung des Conti-Reifenwerks in Stöcken bei Hannover ging, bestand eine berechtigte Sorge der Arbeitnehmervertreter darin, dass abgebaute Arbeitsplätze bei anziehender Konjunktur und wieder steigender Nachfrage nicht mehr in Deutschland, sondern im kostengünstigeren Ausland geschaffen würden. Ihr Argument lautete zu Recht: »Wenn ihr Stöcken jetzt zumacht, kommen die Arbeitsplätze nie wieder!«

Der Grund dafür liegt aber nicht in der »Gier der Manager« und auch nicht nur in den hohen Produktionskosten hierzulande, sondern in dem bedauerlichen Umstand, dass es in Deutschland extrem schwierig ist, die Produktionskapazität eines Werkes der sich verändernden Nachfrage anzupassen. Natürlich haben Manager ein gutes Gedächtnis, und wenn sie die Kapazität demnächst wieder hochfahren müssen, werden sie das dort tun, wo sie die Produktion im Bedarfsfall auch wieder leicht herunterfahren können. Und das wird nicht in Deutschland sein, wo es leichter ist, sich von seiner Frau zu trennen als von seinen Mitarbeitern.

Diese Kluft zwischen der Notwendigkeit, flexibel auf den »atmenden« Markt zu reagieren, und den starren Beschäftigungsregeln, die unsere Politik in gutmenschlicher Absicht eingeführt hat, blockiert jegliche Anpassung an den globalen Wettbewerb und würgt damit unsere Wirtschaft ab. Ich betrachte es als Armutszeugnis für die Union, dass Angela Merkel im Wahlkampf 2009 jegliche Änderung des Kündigungsschutzes, wie sie sie noch im Jahr 2005 propagiert hatte, mit dem mokanten Hinweis ablehnte, dass die Arbeitgeber dies nicht einmal mehr selbst wollten. Warum wohl? Könnte es nicht daran liegen, dass sie ohnehin längst entschlossen sind, unter den heutigen Voraussetzungen die nächsten Arbeitsplätze im Ausland zu schaffen?

Vorschlag Zwei: Anstelle der Flächentarifverträge müssen individuellere Lösungen für die einzelnen Unternehmen gefunden werden. Denn hier liegt ein weiteres Manko unserer Volkswirtschaft, das ebenfalls ein Resultat neosozialistischer Ideologie ist: die Gleichmacherei durch Tarifverträge und staatliche Auflagen. So sorgen Arbeitgeber und Gewerkschaften mit ihren »Flächentarifen« dafür, dass die Lohnkosten überall gleich sind, unabhängig von der Konjunktur der einzelnen Branchen, der Geschäftssituation der einzelnen Betriebe und den Lebenshaltungskosten vor Ort. Diese unterscheiden sich zwischen Gelsenkirchen und München, zwischen Hamburg und Chemnitz aber sehr stark.

Wird irgendwo im Metall- und Elektrobereich von den Flächentarifen abgewichen, etwa um ein bedrohtes Unternehmen zu retten, wittert man sogleich »Ungerechtigkeit«. Außerdem hört man immer wieder: »Es kann nicht sein, dass im Osten geringere Löhne gezahlt werden als im Westen!« Dementsprechend wird staatliche Abhilfe gefordert – doch dass das Leben in den neuen Bundesländern erheblich günstiger ist als in den alten, hat noch niemanden dazu gebracht, nach staatlichen Eingriffen zugunsten der alten Länder zu rufen. Die Flexibilität, die von den Gewerkschaften seit einiger Zeit im Notfall zugebilligt wird, hilft auch nicht wirklich weiter, denn wenn der Notfall erst einmal eingetreten ist, ist es oft schon zu spät.

Vorschlag Drei: Ebenso schwer wie die Inflexibilität des Arbeitsmarkts fallen die hohen Sozialabgaben ins Gewicht – da sie immer mehr deutsche Arbeitsplätze gefährden, müssen sie dringend gesenkt werden. Zwar hat eine Regierung nach der anderen genau das versprochen, doch passiert ist nie etwas. Seit langem verharren wir auf dem Niveau von insgesamt rund vierzig Prozent der Abgaben, wobei je zwanzig Prozent auf Arbeitgeber und -nehmer entfallen.

Angesichts der Fülle von Sozialleistungsverbesserungen, die bereits versprochen beziehungsweise zu erwarten sind, in Kombination mit einer dramatischen demographischen Entwicklung, sage ich voraus, dass statt der nötigen Senkung der Abgaben weitere Erhöhungen auf uns zukommen werden. So muss sich der deutsche Arbeitnehmer damit abfinden, dass er den Arbeitgeber im internationalen Vergleich sehr viel (»brutto«) kostet, zugleich aber (»netto«) über relativ wenig Kaufkraft verfügt. Unverschuldet gerät er zwischen die Mühlsteine der hohen Lohnzusatzkosten, die zu Arbeitslosigkeit führen, und der hohen Abgaben, die ihm vom Staat aus der Tasche gezogen werden – im Gegensatz zu vielen seiner ausländischen Kollegen, die in keiner vergleichbaren Mühle stecken und immer öfter in Sachen Lebensstandard an ihm vorbeiziehen.

Was die notwendigen Reformen der Sozialversicherung betrifft, so erscheint es mir fast wie ein Verbrechen an unserem Land, dass es keine einzige Partei für nötig gehalten hat, sich während des Bundestagswahlkampfs 2009 mit diesem drängenden Problem der Sozialblase auseinanderzusetzen. Auch hier galt die Devise »gar net ignorieren« – und der Wähler, der es auch nicht besser wusste, hat es sich gefallen lassen.

Dabei wäre gerade jetzt Aufklärung nötig – darüber, dass es im Interesse jedes einzelnen Bürgers liegt, dieses Sozialsystem nicht ohne Not zu belasten. Dies gilt besonders im fast unbezahlbar gewordenen Gesundheitsbereich. So muss zum Wohl der Allgemeinheit dafür gesorgt werden, dass man nur zum Arzt geht, wenn es der Zustand wirklich verlangt. Natürlich war die Praxisgebühr ein erster Schritt in diese Richtung, der dafür sorgte, dass der eine oder andere unnötige Arztbesuch ausgeblieben ist; wobei ich anmerken muss, dass ärztliche Hilfe selbstverständlich auch dann gewährt werden muss, wenn jemand kein Geld hat. Will man den Bürgern schon eine medizinische Versorgung auf höchstem Niveau anbieten, sollte man ihnen nicht verschweigen, dass sich auch die Kosten dafür auf höchstem Niveau bewegen – Kosten, für die alle einzustehen haben.

Im Übrigen favorisiere ich den Vorschlag der »Herzog-Kommission«: Für die medizinische Grundversorgung und die Absicherung der Hauptrisiken entrichtet jeder den gleichen Grundbetrag. Für das, was darüber hinausgeht, etwa Einzelzimmer oder Chefarztbesuch, kann man sich je nach Bedarf und Leistungsfähigkeit privat nachversichern, wie man sich im Automobilbereich mit Voll- oder Teilkasko versichert. Und wie es in diesem Bereich einen Wettbewerb zwischen den Anbietern gibt, sollte er auch unter den Krankenversicherungen nicht nur möglich bleiben, sondern noch zusätzlich angespornt werden. Hierbei handelt es sich nicht, wie oft böswillig unterstellt wird, um die Gleichsetzung von Menschen mit Autos, sondern um die Anwendung eines akzeptierten und erfolgreichen Versicherungssystems auf ein zutiefst reformbedürftiges.

Bei der Rentenversicherung sehe ich eine ähnliche Situation. Auch hier müssen verschiedene Bausteine zu einem flexiblen System zusammengefügt werden, das sich dann selbst trägt – ohne Zuschuss des Steuerzahlers. Einen Ansatz dazu bildet die Rente mit 67, die SPD-Chef Franz Müntefering auf den Tisch gebracht hat – was er heute sicher bereut, da Oskar Lafontaine ihm diese sinnvolle Reform unter der Überschrift »Rentenklau« um die Ohren gehauen hat, selbstverständlich ohne selbst eine tragfähige Alternative anzubieten. Aber das scheint von linken Utopisten auch niemand zu erwarten.

Grundsätzlich halte ich das starre Rentenalter für einen Fehler. Man muss beispielsweise einem Mann im Alter von 69 Jahren – wie ich es derzeit bin –, der von morgens bis abends arbeitet und auch noch in der Lage dazu ist, die Gelegenheit dazu geben, statt per Gesetz festzulegen, wann er zum »alten Eisen« gehört. In Amerika wird einem diese Chance nicht nur geboten, sie ist sogar einklagbar. Wer noch seinen Dienst versehen und seinem Unternehmen nützen kann, ist so lange willkommen, wie es gesundheitlich möglich ist – wobei ich die persönliche Erfahrung beitragen kann, dass man umso länger gesund bleibt, je länger man arbeitet. Es ist wissenschaftlich erwiesen, dass ständige Beschäftigung von Muskeln und Gehirnzellen die Leistungsfähigkeit von Körper und Geist verlängert. In den USA hat diese Erkenntnis zu einer Änderung der Gesetzgebung geführt: Jemanden aufgrund seines Alters ins Abseits zu schieben – wie es die deutsche Zwangsverrentung vorsieht –, gilt dort als Diskriminierung, die ebenso verboten ist wie jene, gegen die einst die *affirmative action* eingeführt wurde.

Neben der Flexibilisierung der Lebensarbeitszeit scheint mir eine teilweise Eigenverantwortung für die Altersbezüge unvermeidlich, wie sie ja bereits mit der Ricsterrente eingeführt wurde. Für eine solche Zusatzrente legt man einen Teil vom Monatslohn oder -gehalt steuerbegünstigt zurück, dessen Höhe man selbst bestimmen kann. Einen schweren Rückschlag für diese notwendige Eigenvorsorge bildet neuerdings die »Rentengarantie«, mit der die Menschen in falscher Sicherheit gewiegt werden – denn wenn es zum Schwur kommt und die Renten eben doch mit den Realeinkommen sinken, ist die Wahl von 2009 längst vergessen – und der Erfinder der Rentengarantie, Olaf Scholz, im wohldotierten Ruhestand.

Ein weiterer Beitrag zur Altersvorsorge sollte die Betriebsrente sein, die in den USA weitaus verbreiteter ist als bei uns. Übrigens hätte ich mir ohne meine IBM-Rente kaum leisten können, sechs Jahre lang als ehrenamtlicher BDI-Präsident und anschließend viereinhalb Jahre lang als ehrenamtlicher Präsident der Leibniz-Gemeinschaft zu fungieren.

Um etwas ganz anderes handelt es sich bei der häufig gehörten Forderung nach »Beteiligung am Produktivvermögen« des Unternehmens, in dem man ohnehin schon arbeitet. Im Mund von Wahlkämpfern oder Bundespräsidenten mag sich das zwar gut ausnehmen, als Baustein der Altersvorsorge ist es jedoch denkbar ungeeignet. Der Arbeitnehmer, den man zum Zwangssparen anhält, damit er sich Anteile am eigenen Unternehmen sichert, dehnt damit das Risiko, das er heute schon trägt, weil sein Arbeitgeber jederzeit pleitegehen kann, auf das Rentenalter aus. Wenn seine Firma untergeht, ist nicht nur der Job weg, sondern auch ein Teil der Altersversorgung. Nach diesem Modell stünden die Angestellten von Woolworth oder Arcandor, die jahrelang Anteile an ihren Unternehmen zusammengespart hätten, heute mit leeren Händen da – Betriebsrenten dagegen sind geschützt, da im Fall der Firmenpleite der Pensions-Sicherungs-Verein einspringt.

Eine dauerhafte Erholung unserer Marktwirtschaft, zu der diese Vorschläge beitragen können, wird nur möglich sein, wenn die Grundlage der Wirtschaft, das Finanzsystem, wieder in Ordnung gebracht wird. Auch bei den folgenden Vorschlägen geht es mir nicht um die berüchtigte »Deregulierung«, sondern ganz im Gegenteil um die Einführung verbindlicher Regeln, durch die das unbemerkte Entstehen von Blasen vermieden wird.

Vorschlag Vier: Eine unbedingte Voraussetzung zur Gesundung der Staatsfinanzen ist eine Finanzverfassungsreform, die verhindert, dass sich Politiker weiterhin dadurch profilieren können, dass sie entweder anderen Politikern oder gar nachfolgenden Generationen in die Taschen greifen. Der Finanzausgleich zwischen Bund und Ländern ist zu einem System organisierter Verantwortungslosigkeit verkommen. So lohnt es sich etwa für Bayern kaum noch, im Haushalt zu sparen, da es den größten Teil des Ersparten mit den »Nehmerländern« teilen muss; ebenso wenig lohnt es sich für Bremen, da es den größten Teil seiner Mehrausgaben ja von den »Geberländern« ersetzt bekommt. Die Tatsache, dass sich mittlerweile zwölf von sechzehn Bundesländern in »Nehmerländer« verwandelt haben, schreit förmlich nach einer Neuauflage der Föderalismusreform.

Vorschlag Fünf: Grundsätzlich muss in der Finanzwirtschaft gelten: Kaufe und verkaufe nie etwas, das du nicht verstehst. Im Fall der toxischen Papiere, die uns aus Amerika angedient wurden, waren es gerade die »dummen« Banker, die undurchsichtige Verbriefungen nicht in ihr Portefeuille übernahmen, was ihnen letztendlich eine Menge Ärger ersparte. Umgekehrt waren es die besonders »schlauen« Bankkunden, die sich von den hohen Zinsversprechen der isländischen Banken locken ließen, ohne sich zuvor über die Risiken zu informieren. Hinterher wandte man sich an den deutschen Staat, um Schadenersatz für die Folgen persönlicher Gier einzufordern. Besser wäre es, in Zukunft auf den blinden Griff nach hoher Rendite zu verzichten und stattdessen das Kleingedruckte zu lesen.

Diese Regel, nur das zu kaufen und zu verkaufen, was einem einleuchtet, sollte überall in der Finanzwirtschaft gelten. In der Realwirtschaft gilt sie übrigens schon längst, und zwar nicht nur bei den Unternehmen, die jede Geschäftsentscheidung auf die Goldwaage legen, sondern auch bei den Bürgern: Wer sieht, mit welcher Akribie sie sich auf den Kauf eines HD-Fernsehers, einer Digitalkamera oder eines neuen Autos vorbereiten, wie ausdauernd sie Modelle vergleichen und Testberichte studieren, kann sich nur wundern, wie leichtfertig und leichtgläubig dieselben Menschen große Summen auf den Tisch legen, wenn es sich um Zertifikate mit »hoher Rendite« handelt.

Die Verantwortung, sich auch im Finanzbereich genau zu informieren, kann man weder dem einzelnen Privatkunden noch dem einzelnen Banker abnehmen – man kann sie nur als Verhaltenskodex einfordern. Zugleich wünschte ich mir, dass die Finanzwirtschaft ihre »Produkte« mit ähnlicher Transparenz versähe, wie es etwa in der Autoindustrie üblich ist, wo kein Wagen ohne genaueste Leistungsangaben und Testergebnisse angeboten wird.

Vorschlag Sechs: Finanzinstitute müssen, wie in der Realwirtschaft üblich, per Gesetz gezwungen werden, alle Risiken ihrer Geschäfte offenzulegen. Der Fall IKB hat gezeigt, dass der Aufsichtsrat gar nicht wusste, was sich hinter den Conduits verbarg und wie mit deren Hilfe Gefahren für die Aktionäre verschleiert wurden. Also muss der Gesetzgeber dafür sorgen, dass genau solche Risiken in Zukunft nicht mehr ausgelagert werden können, sondern direkt in der Bilanz aufgeführt werden müssen. Wie oft erlebe ich in Aufsichtsräten in der Industrie, dass man sich im Prüfungsausschuss die Köpfe darüber zerbricht, ob denn die Vorräte für die Produktion richtig bewertet sind. Gibt es eine negative Marktentwicklung, ist man gezwungen, diese Vorräte abzuwerten. Entsprechend muss endlich auch in der Finanzwirtschaft verfahren werden, nicht nur bei uns, sondern im globalen Rahmen. Es hat mich schon sehr gewundert, wie sich Finanzminister Steinbrück beim G-20-Treffen Anfang April 2009 auf das »Steuerparadies« Schweiz und die Hedgefonds einschoss, die beide mit der Finanzkrise nicht das mindeste zu tun hatten, anstatt sich mit der gleichen Verve für eine Regel einzusetzen, die die Finanzinstitute der Welt zwingt, alle Risiken in ihren Bilanzen offenzulegen.

Vorschlag Sieben: Wenn eine Bank irgendwelche *asset backed securities,* Zertifikate oder sonstigen Verbriefungen weiterverkauft, muss der Gesetzgeber dafür sorgen, dass das verkaufende Institut ein bleibendes Interesse an der Seriosität dieser Papiere hat. Denn wer sich auf die Rolle des neutralen Zwischenhändlers kapriziert, der die Ware nur wie eine heiße Kartoffel weiterreicht, macht sich meiner Meinung nach des Betrugs (mit)schuldig. Deswegen brauchen wir ein Gesetz, wonach der Zwischenhändler entweder einen bestimmten Prozentsatz der weiterverkauften Papiere im eigenen Portefeuille behalten muss oder aber auf andere Weise am Risiko der verkauften »Ware« beteiligt wird – wie ein Metzger, der nur dann seine Wurst verkaufen darf, wenn er auch selbst davon isst. In diesem Fall wird sich der Metzger beziehungsweise der Investmentbanker zweimal überlegen, was er seinen Kunden anbietet.

Vorschlag Acht: Die Welt braucht Rating-Agenturen, die wirklich unabhängig sind. Solche Agenturen verfügen über eine ungeheure Macht, da sie Kredite, Firmen, ja ganze Nationen bewerten und deren Zinslast bestimmen. Darüber hinaus beraten sie gegen hohes Entgelt Firmen und Nationen, wie sie zu einem besseren Rating und einer niedrigeren Zinslast kommen können. Zwar wurde mir versichert, zwischen beiden Feldern sei eine »Chinesische Mauer« errichtet worden, doch ist diese bekanntlich sehr lang, aber nicht sehr hoch. Mit anderen Worten: Die Rating-Agenturen stecken in einem strukturellen Interessenkonflikt, den es eigentlich nicht geben dürfte. Und da sie allesamt in Amerika sitzen, könnte man auf den Verdacht kommen, dass sie, trotz des Wettbewerbs untereinander, eine Art Rating-Kartell bilden.

Deshalb muss das Rating-Wesen neu definiert und auf eine objektive Basis gestellt werden. Ich setze mich keinesfalls für eine stärkere Rolle des Staates als Unternehmer ein, aber wir brauchen eine europäische Rating-Agentur, die staatlich organisiert ist. So wie der Schiedsrichter eines Fußballspiels nicht von einem der spielenden Vereine, sondern von einer übergeordneten Organisation, dem DFB oder der FIFA, gestellt wird, ist es zwingend erforderlich, dass eine Institution, die über die Bonität von Unternehmen und Ländern entscheidet und damit wahrhaftig Schicksal spielt, von der EU oder der EZB kontrolliert wird.

Gleichzeitig muss ein Missverständnis über die Ratings aufgeklärt werden, das, weil es zu lange unbemerkt geblieben ist, wesentlich zur Finanzkrise beigetragen hat: Die Bewertungen wurden immer in Hinblick auf die Zukunft verstanden. In meinen Jahren als BDI-Präsident oder als Mitglied von Aufsichtsräten wurde nie darauf hingewiesen, dass sich ein Rating nur auf Vergangenheitswerte bezog. Und wenn eine Bank versuchte, mir eine Unternehmensanleihe zu verkloppen, hieß es immer: »Keine Sorge, die ist bombensicher, *A plus* geratet!« Das mag in vielen

Fällen auch der Wahrheit entsprochen haben. Nur – wenn ein Unternehmen bisher seine Schulden pünktlich zurückgezahlt hat, heißt das noch lange nicht, dass es dies auch in Zukunft tun wird.

Mit diesem rückwärtsgewandten Bewertungssystem, das sich zugleich als zukunftsbezogen ausgibt, hätte man im Grunde auch dem Schneeballkünstler Bernie Madoff ein *triple-A* verleihen können, da er seinen Kunden jahrelang tatsächlich die versprochenen Zinsen gezahlt hat – allerdings, wie man heute weiß, indem er »dem Hund seinen Schwanz verfütterte«: Der Milliardenbetrüger hatte die versprochenen Gewinne aus neuen Kundengeldern bezahlt.

Eines muss klar sein: Man kann Schlüsse aus der Vergangenheit ziehen – aber das kann ebenso gut schiefgehen, wie es klappen kann. Natürlich lassen sich, wie bei Börsenspekulationen üblich, Wahrscheinlichkeiten errechnen – aber es ist erfahrungsgemäß nicht unwahrscheinlich, dass gerade das Wahrscheinliche ausbleibt. Eine Rating-Agentur muss also neben der *performance* eines Unternehmens auch dessen Zukunftsaussichten, also beispielsweise den Auftragsbestand, die Entwicklung der gesamten Branche und das Wissen über die Bedarfsentwicklung, in ihre Bewertung einbeziehen. Das setzt einige Zusatzarbeit voraus, gewiss. Aber ohne diese doppelte Perspektive wird jedes Rating hinter dem eigenen Anspruch zurückbleiben.

Vorschlag Neun: Für den globalen Finanzsektor braucht es eine globale Aufsichtsinstanz. Was nützen Regeln, die nicht eingehalten werden! Eine solche Aufsichtsbehörde, die den fairen Wettbewerb beobachtet, die Einhaltung der Regeln überwacht und, wenn nötig, wie ein Schiedsrichter auch Strafen oder »Feldverweise« aussprechen kann, könnte beim IWF angesiedelt werden – wenn man nicht sogar eine eigene Institution etablierte, die neben der bewährten World Trade Organization als World Finance Organization fungierte. Wie die WTO bereits die Einhaltung der Welthandelsregeln überwacht, könnte die WFO entsprechende Aufgaben im Finanzbereich übernehmen.

In diesem Zusammenhang möchte ich unserem Land empfehlen, in Zukunft viel energischer als bisher auf jedes Anzeichen von nationalem Protektionismus zu reagieren und im Bedarfsfall auch mal »mit der Faust auf den Tisch zu hauen«. Da bei uns jeder vierte Arbeitsplatz vom Export abhängt, haben wir durch solchen Protektionismus weit mehr zu verlieren als andere EU-Staaten, die USA, Japan oder China.

Das heißt aber auch, dass wir uns diesbezüglich selbst keine Blöße geben dürfen. Beihilfen für Opel, Arcandor oder die Wadan-Werft können schnell dazu führen, dass andere Länder ihre Industrie noch ungenierter protegieren. Wenn es überhaupt noch eine Lektion aus der Weltwirtschaftskrise von 1929 gibt, die für heute relevant ist, dann diese: Der Crash wurde erst richtig gefährlich, als alle gleichzeitig begannen, sich voreinander zu »schützen«, und damit den Welthandel ruinierten.

Vorschlag Zehn: Krisenverstärkende Elemente müssen unter Kontrolle gebracht und bei Bedarf abgestellt werden. So waren Anfang 2007, also noch vor Ausbruch der Krise, die berühmten Basel-II-Regeln eingeführt worden – mit der vernünftigen Absicht, Banken zu zwingen, ihr Eigenkapital zu erhöhen und zugleich bei der Kreditvergabe differenzierter vorzugehen, indem sie die Kredite in gute, mittlere und schlechte Risiken aufteilen. Zuvor war es so gewesen, dass jeder, egal ob Topunternehmen oder Klitsche, den gleichen Zinssatz zu zahlen hatte. Mit Basel II wurde die Kreditwürdigkeit der Firma zum Maßstab erhoben, die wiederum mit dem Risiko zusammenhing, das Geld nicht zurückzuerhalten. Dies war eine vernünftige Regelung.

Dann kam die *subprime*-Krise, und plötzlich erschien das, was eben noch marktfördernd war, als Hemmschuh der Wirtschaft. Denn gerade jene Firmen, die besonders unter der Krise zu leiden hatten, wurden nun einer besonders strengen Basel-II-Bewertung unterworfen, so dass sie hohe Zinsen zahlen mussten, wenn sie denn überhaupt noch Kredite bekamen. Die Krise wurde also ungewollt verschärft – aber da ein gutes Gesetz auch in Krisenzeiten als gutes Gesetz galt, steckte man in einer Zwickmühle.

Nur die Amerikaner haben blitzschnell reagiert und Basel II außer Kraft gesetzt, beziehungsweise gar nicht erst eingeführt. Nach dem Sprichwort »Not kennt kein Gebot« schalteten sie das krisenverstärkende Element aus, und das war richtig so. Auch die Kanzlerin hat das bemerkt und sagte im September 2009 in der ARD-Sendung *Wahlarena*: »Ich versuche zusammen mit Finanzminister Peer Steinbrück, ob wir bei Basel II für Krisenzeiten eine Lockerung hinbekommen, dass die Kriterien nicht so scharf sind wie in guten Zeiten.«

Übrigens besteht das politische Dilemma nach wie vor, in das die Banken durch die Krise geraten sind. Auf der einen Seite wurden sie zu seriöser Finanzierung, Konsolidierung und Erhöhung ihres Eigenkapitals angehalten – auf der anderen Seite wurde ihnen in den Wochen vor der Wahl vorgeworfen, die »Kreditklemme« selbst zu erzeugen, weil sie, aus Gründen der erwünschten Konsolidierung, nicht mehr so locker mit den ihnen anvertrauten Geldern umgingen. Wie sollten sie sich angesichts derart entgegengesetzter Anweisungen verhalten? Aus der Pädagogik ist bekannt, dass widersprüchliche Signale Verunsicherung und Angst auslösen.

Tatsächlich hatte die Politik die Banken durch ihre eigenen inneren Widersprüche in diese Klemme manövriert. Anstatt den Bürgern zu erklären, warum den Banken gar nichts anderes übrigblieb, als mit sich und ihren Kunden strenger umzugehen, warf man den Banken plötzlich vor, sie hielten Kredite zurück, die sie besser an notleidende Unternehmen austeilen sollten – ohne allzu große Rücksichtnahme auf Bonität und Zukunftsfähigkeit der Antragsteller.

Schon sprang Vater Staat in die Bresche und bot krisengeschüttelten Unternehmen schlappe zehn Milliarden Euro an – worauf bei der Bundesregierung täglich Dutzende Anträge von Firmen eintrafen, die über keine oder kaum Aufträge verfügten und nun ihre laufenden Kosten dem Steuerzahler aufbürden wollten, statt sich der Situation anzupassen. Und die Regierung zahlt, vermutlich ohne auch nur einen Gedanken darauf zu verschwenden, dass damit die Schuldenblase um ein weiteres, vielleicht fatales Stück ausgedehnt wird. Jetzt, nach der Bundestagswahl wird dieser populäre Unsinn wohl von selbst vom Tisch genommen werden.

Jedenfalls gehört diese Art von Geldvergabe zu den krisenverstärkenden Elementen, die schnellstmöglich abzustellen sind. Genau wie bei den plötzlich schädlichen Basel-II-Regeln wäre hier ein rasches, unbürokratisches Handeln seitens der Regierung nötig.

Vorschlag Elf: Bei der Festsetzung von Managergehältern und der Aushandlung von Bonuszahlungen sollte mit mehr Verantwortung und Augenmaß vorgegangen werden – automatische Gehaltsanpassungen und -spiralen sind unbedingt zu vermeiden. Vorab möchte ich jedoch eines klarstellen: In einem freien Land muss Vertragsfreiheit herrschen. Jeder hat das Recht, Verträge über seinen Besitz abzuschließen, und diese Verträge müssen eingehalten werden. Selbst wer seinen Besitz verschenken möchte, muss dies dürfen. Das Äußerste, was der Staat dann unternehmen kann, ist eine Schenkungssteuer zu erheben – verhindern kann er die Schenkung nicht.

Aus diesem Grundrecht der Vertragsfreiheit lässt sich das Recht der Aktionäre ableiten, ihren Vorständen das zu bezahlen, was sie für richtig halten. Und dabei sollte es eigentlich bleiben – unter anderem, weil natürlich auch die besagten Riesengehälter und -boni steuerpflichtig sind und die Staatskasse bereichern. Nicht zufällig fasste der amerikanische Kongress kurz nach der Wahl Obamas die Möglichkeit ins Auge, alle Boni mit neunzig Prozent zu besteuern, und es kostete den neuen Präsidenten, der im Wahlkampf gegen die Boni gewettert hatte, einige Mühe, die wild gewordenen Abgeordneten wieder davon abzubringen.

Natürlich stellt sich die Frage, ob es einen Zusammenhang gibt zwischen der Finanzblase und den Bonuszahlungen an die Investmentbanker. Falls sich dies bestätigen sollte, hat der Gesetzgeber selbstverständlich die Pflicht, gegen derlei krisenfördernde Gepflogenheiten vorzugehen – aber nur auf dem Gebiet der Finanzwirtschaft, denn in der Realwirtschaft haben die Boni der Finanzjongleure keine Entsprechung. Im Fall Wiedeking handelte es sich nicht um Bonuszahlungen, sondern um eine Art Schenkung, die ihren Grund darin hatte, dass er die Familien Piëch und Porsche um Milliarden bereicherte, worauf diese beschlossen, er könne einen kleinen Prozentsatz des Gewinns für sich behalten. Wäre es sozialer oder gerechter gewesen, wenn die Piëchs und Porsches das gesamte Geld selbst eingestrichen hätten?

Gerne gebe ich zu, dass es auch in der Realwirtschaft Fälle gegeben hat, die ich als Aufsichtsratmitglied oder -vorsitzender niemals genehmigt hätte. Dazu gehören die dramatisch gestiegenen Bezüge bei Daimler, nachdem man Chrysler übernommen hatte. Als sich Jürgen Schrempp und sein Aufsichtsratsvorsitzender Hilmar Kopper die wesentlich höhere Bezahlung der Chrysler-Manager, die sich plötzlich im Daimler-Chrysler-Vorstand befanden, zum Vorbild nahmen, wurde dies zum Zündfunken auch der anderen Managergehälter in Deutschland. Um, wie es hieß, die internationale Wettbewerbsfähigkeit zu bewahren, wurden fortan die Vorstandsbezüge der deutschen Unternehmen denen des Auslands angeglichen, was zu regelmäßigen Anhebungen führte.

Diese Tendenz hat mich schon zu meiner Zeit als BDI-Präsident beunruhigt, weil sich die Vorstandsbezüge sehr viel rasanter entwickelten als die Gehälter der Beschäftigten. Zwar befindet sich der deutsche Manager nach wie vor im internationalen Vergleich nur im oberen Mittelfeld – wohlgemerkt, der deutsche Arbeitnehmer steht gehaltsmäßig weltweit fast an der Spitze –, doch schien mir der Hinweis auf die internationale Wettbewerbsfähigkeit im Zusammenhang mit deutschen Vorständen nie wirklich sinnvoll: Zwar muss sich der deutsche Arbeitnehmer im internationalen Wettbewerb behaupten, weshalb auch so viele Arbeitsplätze ans Ausland verlorengehen – der deutsche Vorstand dagegen befindet sich nicht im Wettbewerb mit ausländischen Vorständen.

Ich kenne keinen einzigen deutschen Vorstand, der seinen hochdotierten Posten verlassen hätte, weil ihm in den USA mehr angeboten wurde. Denn so etwas kommt nicht vor. Nur einer, der ehemalige Siemens-Chef Klaus Kleinfeld, hat die Chefposition beim Aluminiumgiganten Alcoa übernommen, aber er war nicht etwa abgeworben worden; man bot ihm diese neue Aufgabe erst an, nachdem er Siemens verlassen hatte. Nein, die Vorstellung, dass die deutschen Vorstände reihenweise ins Ausland abwandern würden, wenn sie nicht amerikanische Topgehälter bekämen, ist falsch – es will sie nämlich gar keiner haben.

Dass es überhaupt so weit kommen konnte, dass Manager in unserem Land überbezahlt werden, liegt eindeutig in der Verantwortung der Aufsichtsräte. Was mich selbst betrifft, habe ich mich überall dort, wo ich Einfluss nehmen konnte, für allgemeine Mäßigung eingesetzt. Um die Beispiele Bayer und Conti heranzuziehen: Hier werden die Vorstände, wie ich finde, vernünftig bezahlt, und an ihren Gehältern hat es auch noch keine Kritik gegeben. Zurecht hat Kanzlerin Merkel beim Fernseh-Duell mit ihrem Herausforderer Steinmeier die Vorbildrolle von Bayer herausgestellt.

Nebenbei bemerkt, hat der Gesetzgeber selbst eine weitere Erhöhung der Vorstandsbezüge ausgelöst, als er, ohne Zweifel in hochmoralischer Absicht, die Offenlegung der Managergehälter anordnete. Ich konnte miterleben, wie durch die Veröffentlichung der Bezüge in den Vorstandsetagen und Aufsichtsräten sogleich Vergleiche angestellt wurden, die natürlich nicht dazu führten, dass sich nun alle an den geringer Verdienenden orientierten. Warum, so mögen sich etwa die Vorstände von Volkswagen gefragt haben, sollen wir weniger bekommen als unsere Kollegen bei BMW, die ja doch ein kleineres Unternehmen führen? Da die Zahlen auf dem Tisch lagen, gab es nun einen regelrechten Schub, die Managerbezüge auf breiter Front »anzugleichen«.

Mit anderen Worten, die Gutmenschen-Politik hatte wieder einmal das Gegenteil dessen erreicht, was sie eigentlich wollte. Andererseits halte ich die Entscheidung der Regierung Merkel für richtig, den ganzen Aufsichtsrat für die Gehaltsfestlegung verantwortlich zu machen, statt diese Aufgabe wie bisher einem kleinen Gremium zu überlassen. Allzu oft haben mir Aufsichtsräte berichtet, dass sie erst aus der Zeitung erfahren haben, welche Summe ihr Vorstandsvorsitzender durch den Gehaltsausschuss genehmigt bekommen hat.

Auch wenn die Managergehälter in der Öffentlichkeit gerne in einen Topf mit den Bonuszahlungen geworfen werden, trifft das Bonussystem in Wahrheit nur auf einen verschwindend kleinen Prozentsatz der deutschen Gehälter zu. Eigentlich wird es nur im Finanzsektor angewendet, und auch dort profitiert nur die relative kleine Gruppe der Investmentbanker davon. Als Josef Ackermann wegen seiner angeblich überhöhten Bezüge angegriffen wurde, wies er darauf hin, dass es in seiner Bank Leute gibt, die erheblich mehr verdienen als er. Gemeint waren die Investmentbanker.

Natürlich gilt auch für sie das Grundrecht auf Vertragsfreiheit. Aber ich habe schon immer den Kopf geschüttelt über die ungeheuren Summen, die an Bankangestellte ausgezahlt werden – dafür, dass sie Kredite hin und her schieben oder Unternehmen in Einzelteile zerlegen und neu zusammenfügen. Derlei exorbitante Entlohnungen, die sich aus scheinbar winzigen Prozentanteilen »zusammenläppern«, halte ich für falsch, weil sie nicht durch Leistung gedeckt sind.

Wozu also überhaupt Boni? »Auch ohne Bonus«, schreibt *FAZ*-Herausgeber Holger Steltzner im September 2009, »setzen sich Leute in ihrem Beruf ein und bringen Höchstleistungen. Das Finanzgewerbe hat es geschafft, dass dort einige mit dem Vermögen anderer reich werden können, ohne zu riskieren, selbst arm zu werden. Das ist kein Kasino-Kapitalismus, sondern die Perversion der Marktwirtschaft.« Dem ist nichts hinzuzufügen.

Nun liegt es, so meine ich, an der Finanzbranche, die diese Unsitte hat einreißen lassen, sie auch selbst wieder aus der Welt zu schaffen. Doch da das Bonussystem das Entstehen von Blasen begünstigt, darf man sich nicht wundern, wenn auch der Gesetzgeber einschreiten wird. Denn so weitergehen wie in der Vergangenheit darf es nicht.

Vorschlag Zwölf: Wenn man mit der staatlichen Intervention im Bankensektor so weitermacht wie bisher, kann man ebenso gut gleich zweigleisig fahren: Während die Realwirtschaft den Regeln der Erhardschen Marktwirtschaft folgt, sich also auf den Weg des »Retroliberalismus« begibt, wäre es theoretisch durchaus vorstellbar, den gesamten Bankensektor in die Hände des Staates zu legen. Um nicht missverstanden zu werden: Natürlich wäre es besser, der Staat würde sich schnell wieder aus dem Bankensektor zurückziehen. Aber da er heute schon fünfzig Prozent dieses Sektors kontrolliert, außerdem als Aktionär bei der Commerzbank eingestiegen ist und auch an den Landesbanken festhält, denen jegliches tragfähige Geschäftsmodell fehlt – ganz zu schweigen von der Neigung des Staates, jedes in Schwierigkeiten geratene Bankinstitut für »systemrelevant« zu erklären –, deshalb kann von einem fairen Wettbewerb zwischen privaten und staatlichen Banken ohnehin nicht mehr die Rede sein. Übrigens hat die US-Regierung nichts dabei gefunden, mittlerweile bereits über hundert Banken pleitegehen zu lassen.

Kurz gesagt: Entweder man macht sich bald auf den Rückweg oder man geht den eingeschlagenen Pfad ganz bis zum Ende. Ich plädiere hier für Klarheit: entweder – oder. Denn bevor man auch noch unsere Realwirtschaft auf den Holzweg des Neosozialismus schickt, wäre es immer noch besser, nur die Banken zu verstaatlichen.

Vorschlag Dreizehn: Die Marktwirtschaft benötigt ein Frühwarnsystem für Blasen und Hypes. Obwohl es weltweit unzählige Wirtschaftsinstitute gibt, hat kein einziger Wissenschaftler die *subprime*-Blase in ihrem ganzen Ausmaß vorausgesehen. Dies wird auch in Zukunft nur möglich sein, wenn wir die strengen Maßstäbe der Wirtschaftswissenschaft mit den Erfahrungen aus Psychologie, Sozialpsychologie und Massenpsychologie verbinden. Prozesse, die sich langsam aufschaukeln, lassen sich eben nicht nach dem Prinzip von Ursache und Wirkung beschreiben – oft genug entstehen Blasen »wie aus dem Nichts«, und erst nachdem die Wirkung mit voller Wucht eingesetzt hat, bemerkt man, dass nicht einer, sondern eine Vielzahl von Faktoren zusammengewirkt haben, darunter eine Reihe psychologischer Elemente, welche die inflationäre Entwicklung erst ermöglichten.

Mein Vorschlag geht dahin, an unseren Universitäten und Wirtschaftswissenschaftlichen Instituten wie dem Deutschen Institut für Wirtschaftsforschung (DIW) in Berlin, dem Institut für Wirtschaftsforschung (ifo) in München, dem Institut für Weltwirtschaft (IfW) in Kiel, dem Zentrum für Europäische Wirtschaftsforschung (ZEW) in Mannheim und dem Rheinisch-Westfälischen Institut für Wirtschaftsforschung (RWI) in Essen – für die ich als Präsident der Leibniz-Gemeinschaft verantwortlich war – eine »interdisziplinäre«, also ressortübergreifende Zusammenarbeit mit psychologischen Forschungsinstituten in die Wege zu leiten. Entsprechend sollte man auch für die Gutachten der »Wirtschaftsweisen«, die regelmäßig der Regierung übergeben werden, Psychologen beziehungsweise Sozialpsychologen hinzuziehen. Die Gefahr, dass wir wieder eine »böse Überraschung« durch einen unvorhergesehenen Hype erleben, könnte dadurch womöglich reduziert werden.

Natürlich bin ich mir im Klaren darüber, dass diese Vorschläge nur dann in die Wirklichkeit umgesetzt werden können, wenn unsere politischen Entscheidungsträger einsehen, dass ihre bisherigen Erklärungsansätze für die Krise ebenso falsch waren wie die daraus abgeleiteten neosozialistischen Rezepte – und wenn sie sich in der Folge endlich wieder vorbehaltlos hinter das System der Erhardschen Marktwirtschaft stellen, das wir Deutschen zu Recht als »unser« Wirtschaftssystem bezeichnen.

Bewährt hat sich dieses System einer sozial verantwortlichen Volkswirtschaft, für das neben Ludwig Erhard Namen wie Walter Eucken, Wilhelm Röpke, Alfred Müller-Armack und Friedrich August von Hayek stehen, auch deshalb, weil es untrennbar verbunden ist mit Demokratie und Menschenrechten – überall, wo es eingeführt wird, erzeugt dieses ideelle Dreieck einen Synergieeffekt: Steigert sich die eine Seite, folgen die anderen nach. Je mehr demokratische Freiheit gewährt wird, desto größer wird auch der Leistungswille der Menschen – und das ist keine bloße Theorie, sondern ein weltweiter Erfahrungswert.

Den »demokratischen Sozialismus« dagegen, wie er neuerdings nicht nur von der Linken, sondern auch von Grünen und Sozialdemokraten gefordert wird, hat es in der Geschichte nie gegeben. Es kann ihn auch gar nicht geben, weil dieser Begriff ein klassisches Oxymoron ist, ein Widerspruch in sich, wie uns täglich von angeblichen »sozialistischen Demokratien« wie Kuba oder Nordkorea vor Augen geführt wird. Mir ist keine Demokratie bekannt, die dauerhaft ohne Marktwirtschaft auskommen könnte. Darüber hinaus haben die Entwicklungen in Südafrika, Südkorea, Indonesien und den meisten Ländern Südamerikas gezeigt, dass die Idee der Freiheit, die der sozial verantwortlichen Marktwirtschaft zugrunde liegt, auch zur Freiheit in anderen Bereichen führt. Denn Freiheit wirkt ebenso ansteckend wie Kreativität.

In den meisten Ländern, in denen seit dem Zweiten Weltkrieg die Demokratie eingeführt wurde, haben sich auch die beiden anderen Seiten des ideellen Dreiecks, Menschenrechte und Soziale Marktwirtschaft, durchgesetzt, was sich positiv auf die Beziehungen der Länder untereinander auswirkt: Noch nie hat eine Demokratie eine andere militärisch angegriffen. Nicht dass dieser Prozess der Demokratisierung unumkehrbar wäre: In China etwa zieht er sich schon sehr lange hin, und gelegentlich gibt es Anlass zu Zweifeln; ja, leider sind in manchen Fällen auch Rückschritte zu verzeichnen, so in Russland oder in Venezuela, von Teilen der islamischen Welt zu schweigen, die ohnehin anderen Idealen folgen. Auch bei uns droht ein solcher Rückschritt: Die

Beschädigung oder gar Zerstörung unserer Marktwirtschaft durch die führende Ideologie unserer Zeit, den Neosozialismus, kann sehr schnell zur Beeinträchtigung unserer Demokratie und zur Einschränkung unserer Freiheitsrechte führen.

Übrigens hat niemand überzeugender auf die Bedeutung dieses ideellen Dreiecks für Frieden und Wohlstand hingewiesen als US-Präsident Barack Obama bei seiner Afrikareise im Sommer 2009. Wie oft haben sich deutsche Minister, Kirchenleute und besonders der jetzige Bundespräsident dort eingefunden, um Unterentwicklung, Hunger, Seuchen und Gewalt zu beklagen und unsere Opferbereitschaft einzufordern – mit großem Erfolg. Wie viele Milliarden an Entwicklungshilfe und Spendengeldern sind dorthin geflossen, von denen ein Teil sogleich auf Schweizer Bankkonten umgeleitet wurde oder in der Bürokratie versickerte. Obwohl das durchaus kein Geheimnis ist, haben unsere Politiker und Kirchenmänner nie gewagt, auch an die Verantwortung der dortigen Politiker zu appellieren, statt nur über das allgemeine Elend zu klagen. Man gefiel sich lieber in Selbstanklagen, als wäre die Globalisierung schuld an der Misere.

Dabei leidet Afrika nicht unter der Globalisierung – es leidet darunter, dass die Globalisierung bisher an diesem Kontinent vorbeigegangen ist. Deren Wesen besteht eben nicht nur, wie immer unterstellt wird, im Austausch von Waren, Dienstleistungen und Geld – gleichzeitig gehen auch gute Ideen, erfolgreiche politische und unternehmerische Rezepte auf die Reise, verbreiten sich freiheitliche Ideale, die wiederum schöpferisches Potenzial freisetzen. Dank der Globalisierung hat sich das ideelle Dreieck aus Marktwirtschaft, Demokratie und Menschenrechten weltweit ausgebreitet. Jahr für Jahr profitieren immer mehr Menschen von demokratischen Rechten und wachsendem Wohlstand. Wer nun einwendet, dieses schöne Bild sei durch die Finanzkrise widerlegt worden, dem antworte ich: Dass sich Blasen bilden und der Finanzmarkt ausarten konnte, ist nicht Schuld der Globalisierung, sondern fehlender Regeln in der Marktwirtschaft.

Nun zu Präsident Obama. Bei seinem Auftritt in Ghana hat er als erster Staatsmann überhaupt darauf hingewiesen, dass auch der schwarze Kontinent nicht ohne Marktwirtschaft, Demokratie und Menschenrechte auskommen kann. Stattdessen findet man anstelle der Demokratie fast überall korrupte feudalistische Regime, liegt die Wirtschaft meist in staatlicher Hand oder wird von einigen wenigen kontrolliert, werden die Menschenrechte oft genug mit Füßen getreten. Obama schloss seine Rede mit dem dringenden Appell, die Afrikaner »müssen endlich selbst Verantwortung für ihre Zukunft übernehmen«.

Fast erscheint es paradox: Ausgerechnet der Präsident des Landes, das für die bisher schwerste globale Krise der Marktwirtschaft verantwortlich ist und das auch als Erstes darunter gelitten hat, schwingt sich zu einer fulminanten Verteidigung von Marktwirtschaft und Globalisierung auf. Dieses Bekenntnis in Afrika abzulegen, erforderte viel Mut – unseren Politikern fehlt er sogar im eigenen Land.

Wirtschaft ist nicht alles, so sagt man, aber ohne Wirtschaft ist alles nichts. Dass sich die Deutschen dennoch kaum dafür interessieren und sich in Fragen der Volkswirtschaft nur zu gerne auf die irreführenden Urteile von Linksideologen verlassen, sollte einer künftigen Regierung Anlass genug sein, endlich einmal ihrer Verantwortung gerecht zu werden, über das Funktionieren der Marktwirtschaft aufzuklären – auch über die entscheidenden Persönlichkeiten in der Marktwirtschaft, deren positiver Einfluss auf die Entwicklung unseres Landes von den meisten unterschätzt wird.

Für jene, die sich um die Volkswirtschaft verdient machen, gibt es seit Jahren im *manager-magazin* eine Hall of Fame, mit der –

übrigens nach amerikanischem Vorbild – erfolgreiche Wirtschaftsführer ins Bewusstsein der Öffentlichkeit gerückt werden. Das scheint mir auch deshalb so wichtig, weil sich dieses Bewusstsein mit Vorliebe auf jene konzentriert, die sich etwas zuschulden kommen lassen. Meist wird nur berichtet, wenn man jemandem am Zeug flicken kann.

Wie oft habe ich mich über diese Tendenz geärgert – nicht weil es falsch wäre, über schwarze Schafe zu berichten, im Gegenteil: Demokratie erfordert Transparenz, und wer Verfehlungen begeht, muss zur Rechenschaft gezogen werden. Nein, was mich so ärgert, ist die Gewohnheit, unter Hinweis auf ein schwarzes Schaf gleich auf eine ganze schwarze Herde von Wirtschaftsführern schließen zu wollen. Dass dieser Schluss nicht nur unlogisch ist, sondern geradezu ein Unrecht an der überwältigenden Mehrheit darstellt, die sich an Gesetze hält und sich dem Gemeinwohl verpflichtet fühlt, darauf wird einfach viel zu selten hingewiesen. Stattdessen meint man: Wenn einer so ist, müssen es wohl alle sein.

Um diesen Trugschluss deutlich zu machen, sollte sich die Wirtschaft noch viel entschiedener von ihren schwarzen Schafen distanzieren. Damit also nicht nur die Vorbilder unter den Wirtschaftsführern gewürdigt werden, wie es in der Hall of Fame geschieht, sollte – und das ist mein *vierzehnter und letzter Vorschlag* – eine Hall of Shame gegründet werden, mit der vor den Abwrackern der Marktwirtschaft gewarnt wird. Dort würden sich all jene wiederfinden, die wie Arcandor-Middelhoff, Daimler-Schrempp oder VW-Piëch, der vom Rotlicht-Sumpf seines Unternehmens nichts gewusst haben will, ihren ganzen Berufsstand in Misskredit bringen. Ein solcher Selbstreinigungsprozess würde unserer Wirtschaft auch wieder zu mehr gesellschaftlicher Akzeptanz verhelfen.

Als Jurymitglied stelle ich mich gern zur Verfügung.

THE POLITICS OF
THE ARTS COUNCIL